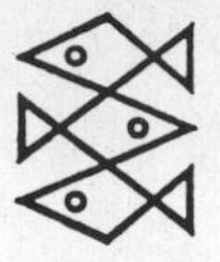

D1190082

Mit der Auslieferung seines Romans *Ein ernstes Leben* (November 1932) erlebte Heinrich Mann zugleich seine letzte Buchpublikation auf deutschem Boden vor seiner Emigration. Wenige Wochen später, nach der sogenannten Machtergreifung, flüchtete er ins Exil. Viel spricht dafür, daß gerade dieses Buch auf dem Scheiterhaufen der Bücherverbrennung vom 10. Mai 1933 gelandet ist. Der zweite Feuerspruch lautete: »Gegen Dekadenz und moralischen Verfall! Für Zucht und Sitte in Familie und Staat! Ich übergebe der Flamme die Schriften von Heinrich Mann [...].« Mit der Hauptfigur des Romans, Marie Lehning, war in der Tat nicht viel Staat zu machen. Heinrich Mann zeichnete eine Figur, deren Lebensweg weit mehr von der Verfassung der Gesellschaft und den wirtschaftlichen Verhältnissen als von eigenen Entscheidungen bestimmt wird. Gemeint war die Nachinflationsgesellschaft während der Endphase der Weimarer Republik. Herbert Ihering schrieb über die schuldhaft-schuldlose Marie: »[...] eine epische Gestalt, gestellt in einen kriminalistischen Roman. Eine Frau, wie sie alle großen Epiker der Weltliteratur gesehen haben, beispielhaft, vom Land, vom Dorf, vom Meer hineinwachsend in die Welt der Großstädte, ausgenutzt, fast untergehend und doch sich behauptend.« Neben anderem ist dieser Roman eine unverhohlene Liebeserklärung an Heinrich Manns damalige Lebensgefährtin (und spätere Ehefrau) Nelly Kröger. Die Fischerstochter aus Niendorf an der Ostsee hatte jahrelang als Bardame im Berliner Kurfürstendamm-Viertel gearbeitet. Etliche Freunde und Kollegen Heinrich Manns empfanden die um siebenundzwanzig Jahre jüngere Geliebte als Skandalon, die Familie Thomas Manns kam ihr nicht eben mit Herzlichkeit entgegen. Fraglos dürfte Nelly Kröger dem Autor manches aus dem Straßen- und Ganovenjargon zugetragen haben, was er dann im Roman verwendet hat.

Heinrich Mann, geboren 1871 in Lübeck, begann nach dem Abgang vom Gymnasium eine Buchhandelslehre, 1891 bis 1892 volontierte er im S. Fischer Verlag, Berlin, gleichzeitig Gasthörer an der Universität; freier Schriftsteller; 1893 Paris-Aufenthalt, bis 1914 längere Italien-Aufenthalte, später München, ab 1928 Berlin; 1931 wurde er zum Präsidenten der Sektion Dichtkunst der Preußischen Akademie der Künste zu Berlin gewählt. Die Verfilmung seines Romans *Professor Unrat* (unter dem Titel ›Der blaue Engel‹ mit Marlene Dietrich) machte ihn weltberühmt. Februar 1933 erzwungener Ausschluß aus der Akademie; Emigration nach Frankreich (Paris, Nizza), dann über Spanien und Portugal 1940 nach Kalifornien. 1949 nahm er die Berufung zum Präsidenten der neu zu gründenden Deutschen Akademie der Künste zu Berlin/DDR an. Heinrich Mann starb 1950 in Santa Monica/Kalifornien. Seine Urne ist auf dem Dorotheenstädtischen Friedhof in Berlin beigesetzt.

Die wissenschaftlichen Mitarbeiter an diesem Band
Elke Segelcke, Jahrgang 1951, promovierte mit einer Arbeit zur Justizkritik Heinrich Manns; zur Zeit ›Assistant Professor‹ im German Department an der San Diego State University/Kalifornien; zuvor arbeitete sie als Wiss. Mitarbeiterin für Neuere Deutsche Literatur an der Universität Augsburg (1982–1985) und als ›Visiting Assistant Professor‹ an der Washington University in St. Louis/Missouri (1987–1989). Veröffentlichungen vor allem zu Heinrich Mann und zur Literatur der Weimarer Republik.
Peter-Paul Schneider, Jahrgang 1949, Dr. phil., Wiss. Mitarbeiter am Deutschen Literaturarchiv/Schiller-Nationalmuseum, Marbach am Neckar; zuvor Wiss. Assistent für Neuere deutsche Literaturwissenschaft an der Universität Bamberg (1977–1983). Veröffentlichungen zum 18. Jahrhundert (Mitherausgeber der *Friedrich Heinrich Jacobi-Brief-Gesamtausgabe*) und zu Heinrich Mann (Herausgeber der ›Mitteilungsblätter des Arbeitskreises Heinrich Mann‹, seit 1983 des ›Heinrich-Mann-Jahrbuchs‹ zusammen mit Helmut Koopmann).

Heinrich Mann
Studienausgabe in Einzelbänden

Herausgegeben von Peter-Paul Schneider

Textgrundlage:
Heinrich Mann: *Die große Sache / Ein ernstes Leben*
Berlin und Weimar: Aufbau-Verlag 1972
(= Heinrich Mann: Gesammelte Werke
Herausgegeben von der Akademie der Künste der DDR
Redaktion: Sigrid Anger. Band 10)

Heinrich Mann

Ein ernstes Leben

Roman

Mit einem Nachwort von
Elke Segelcke
und einem Materialienanhang,
zusammengestellt von
Peter-Paul Schneider

2. Auflage: Mai 1998

Ungekürzte Ausgabe
Veröffentlicht im Fischer Taschenbuch Verlag GmbH,
Frankfurt am Main, Mai 1991

Lizenzausgabe mit Genehmigung
des S. Fischer Verlags GmbH, Frankfurt am Main
Die Erstausgabe erschien 1932 im Paul Zsolnay Verlag, Wien
Für das Nachwort und den Materialienanhang:

Umschlaggestaltung: Max Bartholl
unter Verwendung des Farbholzschnittes von
Ernst Ludwig Kirchner, ›Junges Mädchen‹ (1918)
Privatbesitz

Gesamtherstellung: Clausen & Bosse, Leck
Printed in Germany
ISBN 3-596-25932-0

Inhalt

Erstes Kapitel

Diesem Kind erschienen alle Jahreszeiten als halbe Fremde, nur nicht der Winter. Die Ostsee verbreitete Sturm und Kälte über ihren kahlen Strand, das hielt vor, und dann war es, wie es sein sollte. Die Sommerwochen dazwischen kamen für die Kinder der Badegäste, nicht für Marie und ihre Geschwister, die nur die gute Gelegenheit benutzten, um auch zu genießen. Der Sommer dieses Kindes war zauberhaft und nicht ganz glaubwürdig. Des Nachts im Traum vergaß es den Juli und sah die See hochgehn. Donnernd rollte sie heran, jeder Anlauf türmte ihre Wassermassen höher, und beim nächsten, beim nächsten verschlangen die Wellen den Katen, worin Marie schlief!

Ihr Vater hieß Lehning und war Landarbeiter. Auch die Mutter Elisabeth diente bei einem Bauern. Trotzdem wohnten sie mit allen ihren Knaben und Mädchen unter dem Strohdach eines Katens unmittelbar neben der See, an der Stelle, wo die Promenade aufhört. Auch das steinerne Bollwerk endet dort, den Katen schützte es nicht mehr. Sie hausten darin auf gut Glück und immer gefährdet. Marie aber litt mehr Furcht als alle anderen.

Mehrere der Geschwister, die im ganzen dreizehn gewesen wären, ließen sich von der See holen – verschwanden eins nach dem anderen, alle ihre Angehörigen suchten sie vergebens, während Eissplitter durch die verdunkelte Luft flogen. Am Morgen wurde doch noch etwas gefunden, zwei Holzpantinen standen droben auf dem Steindamm ordentlich beieinander, als wäre jemand schlafen gegangen.

Übrigens war Warmsdorf ein lustiger Ort; nur der Lehrer hatte die bittere Frage erfunden, warum Warmsdorf so heiße. Er prüfte hierüber seine Schüler jedes Jahr mehrmals, und die Antwort mußte heißen: wegen der Badegäste. In Wahrheit fühlte die Bevölkerung sich wohler, wenn keine Fremden sie störten. Man mußte in den Häusern weniger leise auftreten, solange die guten Zimmer noch nicht vermietet waren. Die Fischer feierten den ganzen Winter ihre Familienfeste in Köhns Hotel, woran während der Saison nicht zu denken war.

Die Fischer stehen obenan. Sie sind untereinander alle verwandt, nie aber mit den anderen Schichten. Manche besitzen kleine Dampfschiffe. Sie brechen auf in eisiger Nacht, werden unsichtbar zwischen den Bergen aus brüllendem Wasser, und erscheinen sie wieder, sind zwanzig Stunden vergangen. Niemand außer ihnen selbst hält sich einer solchen Ausdauer für fähig. Anfrieren auf der Bank! Mit Eis im Bart! Dafür kehren sie zurück als große Seefahrer – am größten, wenn einer von ihnen nicht mehr zurückkehrt. Dann sieht das Dorf ihre feierlichen Leichenbegängnisse, nicht einer der Überlebenden fehlt, und der Grog, nachher in Köhns Hotel, ist ein wichtiges Getränk, von Blaugekleideten eingenommen. Die Söhne der Fischer können im Sommer aussehen wie Badegäste. Ja, die Besitzer der kleinen Dampfschiffe haben manchmal einen Jungen, der lieber nicht mit hinausfährt und sogar im Winter seidene Hemden trägt.

Die Kaufleute und Gastwirte sind an Zahl zu gering, um gegen die Fischer aufzukommen, obwohl sie Stehkragen tragen, und das auch in Abwesenheit der Badegäste. Sie haben übrigens Schulden bei der Warmsdorfer Bankfiliale. Die Fischer arbeiten in wirtschaftlicher Hinsicht mit ihrer eigenen Genossenschaft und sind sonst freie Männer. Sie haben Knechte, die das ganze Jahr in Lohn stehen und auf See alt werden – anders als die Arbeiter der Bauern.

Die Bauern sitzen auf ihren Höfen hinter den Tannen. Ganz unten der Strand, dann der sogenannte Lügenberg, an seinem Fuß der Lehningsche Katen – darüber die Tannen und dahinter flaches Land, das sich in den tiefsten Wolken verliert. Von den Bauern bleibt jeder auf seinem Hof, ob die Arbeit drängt oder nicht. Sie haben einander nichts zu sagen. Man würde sich wundern, wenn einer von ihnen beim Barbier auftauchte, wo die Fischer täglich verkehren. Es ist nicht wegen der Bärte, die Fischer gehen zu Witt, weil er einen großen Ausschank hat, weil alle Nachrichten dort herauskommen; und wer aus Malmö zurück ist, zeigt sich zuerst beim Barbier.

Die Fischer sind leutselig, je länger sie draußen und manchmal in Seenot waren. Die Bauern sind einsam und trauen niemand. Die Fischer erzählen einander, daß sie tausend Kilo Fische gefangen haben, wenn es in Wahrheit nur hundert sind; und der Schwindler wie der Angeschwindelte haben dabei einen humorvollen Zug. In ihren Schmierstiefeln, geölten Mänteln und mit der Piep stehen sie auch beisammen unter dem Lügenberg, der von ihren Geschichten so heißt.

Die Bauern behalten ihre Knechte einen Sommer. Der Junge muß sehr tüchtig sein, damit er über den Winter dableiben darf, aber dann ohne Lohn. Landarbeiter Lehning nahm in jeder Saison, was er bekam, aber während der schlechten Jahreszeit brauchte ihn niemand – erst recht nicht, seit er trank. Vater Lehning trank Schnaps, es war der übliche Kümmel mit Kirsch, die Seltersflasche voll für zwanzig Pfennig. Dafür arbeitete seine Frau Elisabeth das ganze Jahr. Sie hätte Jauche gesoffen, um nicht entlassen zu werden. Sie bezog aber reichliches Essen, darauf kam dem Bauern nichts an; sie packte es in ihren Spankorb und brachte es ihren Kindern in den Katen, den der Sturm schüttelte.

Als Marie Lehning zur Schule kam, wurde sie darauf

zuerst aufmerksam, daß alle anderen Kinder frühstückten. Sie hatten Brot mit Schmalz, Brot mit Wurst, die Butter drang unter den Rändern hervor, die Nahrungsmittel dufteten würzig und fett. Backstuben, warme Küchen, Räucherkammern, alles duftete darin mit. Marie, die den Essenden zusah, bekam ein todernstes Gesicht und behielt es noch lange. Sie selbst hatte nicht einmal eine trockene Rinde, niemals, niemals. Die Kinder betrachteten sie ihrerseits wie ein Wunder. Mehrere hätten vielleicht mit ihr geteilt, sie waren nahe daran. Scheu vor dem ernsten Gesicht verhinderte es.

Einst griff der Lehrer ein, er hielt ihr vor: »'n Happen Brot könntest du schließlich auch –«

Der strafende Ton genügte, damit sie losheulte. Sie weinte viel und bei jeder Gelegenheit, besonders wenn sie Blarrmarie gerufen wurde. Dann plärrte sie schon. Die Tränen liefen ihr in den Mund, als wären sie ihre Nahrung.

Als der Lehrer einmal eingegriffen hatte, wollte er auch zu einem Ergebnis kommen. Er gab ihr Geld und schickte sie fort, ihm einen Priem zu kaufen. Er hatte berechnet, daß es noch für einen Knust Roggenbrot langte. Sie kam aber zurück mit dem Kautabak und den übrigen Groschen. Sie hatte nicht begriffen. Er knurrte etwas wie ›dämliche Deern‹, und in seiner Wendung, als er ihr die Schulter zukehrte, hätten die Kinder ihre eigene Verlegenheit wiedererkennen können, wenn Marie so ernst aussah wie der Hunger selbst. Ein Glück, daß sie sofort wieder heulte. Die ganze Schule konnte rufen »Blarrmarie« und sie fröhlich auslachen.

Hierauf wurde gesungen, es war das Lied von dem kleinen Hasen, der spielt und den der schlaue Fuchs frißt. Lütt Matten de Haas, de mok sick een Spaß. He wier bit studiren, dat Danzen to lieren. Un danz ganz alleen op de achtersten Been. Marie schluchzte noch. Sie sang von lütt Matten, dachte aber noch an die Sache mit dem Priem.

Kähm Reinke de Voß un dach, das ein Kost. Noch ein lautes Schluchzen aus der Gegend von Marie Lehning. Und sech: lüttsche Matten so flink op de Patten, un danz ganz alleen op de achtersten Been?

Jetzt fiel es Marie ein, was der Fuchs vorhatte, darüber vergaß sie den Priem. Kumm, lat uns tosam, ick kann as de Dam. Das war schlau von Reinke, sich als Dame anzustellen, damit kriegte er lütt Matten! Marie freute sich. De Krei, de speelt Fiedel, denn geiht dat kandiedel, denn geiht dat mal schön op de achtersten Been. Den hellsten Diskant hatte Marie Lehning.

»Halt! Den letzten Vers singt Marie allein«, rief der Lehrer, denn er hatte das Gefühl, daß er das Kind ermutigen müsse. Es krähte denn auch freudig aus voller Kehle: »Lütt Matten gev Pot, de Voß bet em dot. He sett sick in Schatten, verspies denn lütt Matten. De Krei, de kreeg een von de achtersten Been.«

Als sie fertig war, lachte sie dreimal hoch auf. Der Lehrer sagte: »Siehst du wohl, das kommt davon!« Die ganze Schule freute sich über das Schicksal lütt Mattens, der betrogen und gefressen worden war. Am glücklichsten war Marie.

Einige Zeit verging, da wurde eine ihrer Schwestern im Walde tot aufgefunden, mit dem Rock über dem Kopf, und die dünnen kleinen Beine lagen im blutigen Schnee. Der Vater wurde vom Gendarm geholt, um seine Tochter anzusehen, aber die Mutter erklärte, er sei dun, *sie* müsse mitgehen. Ihr schlossen sich auch die Kinder an, so viele noch da waren. Alle weinten, besonders der Vater. Klein und dürftig, suchte er Halt bei seiner großen Frau, die nichts ins Wanken brachte. Sie war die einzige, die keine Träne vergoß. Ihre Augen blieben wasserhell und ungetrübt in einem Gesicht wie Leder.

Auf dem Rückweg packte Marie den Rock der Mutter und ließ nicht mehr los. Den ganzen Tag blieb sie im Haus und verließ es auch am folgenden Tage nur, wenn sie hinausgejagt wurde. Damit man sie duldete, machte sie alle ihre Schulaufgaben. Was sie nicht wußte, fragte sie den Vater, der keine Arbeit hatte.

»Sag dem Lehrer, das soll er man selbst herauskriegen!« Der Vater war bei schlechter Laune, weil er sich keinen Schnaps kaufen konnte.

Marie indessen setzte sich ohne jeden Übergang an etwas ganz anderes. Sie versuchte auszurechnen, wie viele Geschwister sie gehabt hatte und wer alles verlorengegangen war. Sie schrieb auf ihre Schiefertafel die Namen, die sie kannte, und verzeichnete daneben: »Husten« oder »Versoppen« oder »Im Wald hingefallen«. Die Schwierigkeit begann bei den Großen, die das Dorf verlassen hatten, als sie selbst noch ganz klein war. Lebten die? Und mußte man sie überhaupt mitzählen? Marie wußte knapp, wie sie hießen, von ihnen war nie die Rede hier im Katen.

Alles ging langsam bei Marie. Körperlich kam sie mit und war auf dem Wege, hübsch und kräftig zu werden, wie alle weiblichen Lehnings; man wußte nicht, wovon. Die Jungen gerieten schlechter. Aber bis sie etwas begriff, dauerte es länger. Zu der Rechnung mit den toten und lebenden Geschwistern kehrte sie noch mehrmals zurück. Dann war die Furcht seit jenem Ereignis in den Tannen wieder vergessen, Marie kam nach der Schule nicht mehr außer Atem zu Hause angerannt, sie trieb sich wieder umher. Es war auch schon nicht mehr derselbe Winter, sondern ein anderer, da wurde ihr klar, daß der Katen niemals warm war. Im Katen zu frieren, hatte sie immer für richtig gehalten. Abends kehrte die Mutter heim und kochte Suppe auf der steinernen Feuerstelle. Man konnte die Hände in die Wärme halten oder auch das Gesicht, wobei man sich die Brauen versengte.

Jetzt machte Marie die Bekanntschaft des Mädchens aus dem Räucherkaten. Es hieß Stine, und eigentlich waren beide schon längst gewohnt, einander überall zu begegnen. Eines Tages und ohne Vorbereitung faßte Stine die andere unter den Arm und nahm sie mit. Sieh mal an, im Räucherkaten war es warm! Sonst hätte es wohl auch keine geräucherte Wurst gegeben. Zuerst bekam man Würgen, weil in dem Katen die Luft braun und dick vom Rauch war. Kein Abzug; nur die obere Hälfte der Tür wurde manchmal aufgeklappt, wenn die Luft zu schlimm würgte. Aber dafür heizte die Glut unausgesetzt, und die vielen Würste unter der Decke waren herrlich anzusehen. Stine, ihre Eltern und Geschwister wurden selbst mitgeräuchert, sie kriegten Falten schon als Kinder. Wenigstens saßen sie warm.

Erst einige Zeit nach ihrem Besuch im Räucherkaten kam Marie auf den Gedanken, daß in anderen Häusern die Stuben warm waren, ohne daß es rauchte. So gut hatten es die Kinder der Fischer. Wenn Stine zum Beispiel die Tochter von Fischer Merten gewesen wäre, dann hätte sie Marie unter den Arm gefaßt und sie mitgenommen in das große Haus mit dem Garten, wo sie Schollen hatten, mehr als alle zusammen aufessen konnten, und das in der warmen Stube. Von den Würsten in dem Räucherkaten gab es nichts, die Eltern Stines waren arm. Da wurde es dem Kinde klar, daß das andere Mädchen es gerade darum untergefaßt und mitgenommen hatte. Beide waren arm. Wollte eine im Warmen sitzen, mußte sie dafür Rauch schlucken.

Das hatten manche nicht nötig, die Kinder der Fischer nicht, die Kinder der Bauern, der Kaufleute. Darin lag der Unterschied, und darum war es keins von ihnen allen, das mit Marie nach Haus ging. Sie selbst hätte es auch gar nicht für richtig gehalten. Wenn sie alles überlegte, vielleicht hätte sie sich losgemacht von dem Arm des Fischermädchens und wäre fortgelaufen. Die Fischer standen obenan, etwas abseits die Kaufleute, viel tiefer die Bauern – aber wann kamen die Landarbeiter? Sie kamen lange nach den Schifferknechten, ihr Platz war unten. »Wir sind die Untersten«, erkannte Marie.

In dem großen Haus mit dem wilden Wein war ein Junge, Mingo Merten, wenig älter als Marie, aber wieviel dreister! Nach dem Winter, währenddessen Marie über die verschiedene Wärme der Stuben nachgedacht hatte, wurde es Frühling, da griff Mingo ihr in das dichte aschblonde Haar und verlangte, sie solle in seinem Garten mit ihm spielen. Sie fragte: »Was machen wir?«

»Ich habe einen Hund, der frißt gern rohe Eier. Ich mag auch gern rohe Eier. Du auch?«

Sie waren darin einig. Der Hund nahm wirklich den Hühnern die Eier weg, trug sie äußerst vorsichtig auf weichen Boden und öffnete sie mit den Zähnen. Es war ein großer Spaß. Marie bekam, so viele sie wollte; sie hörte aber auf, bevor es genug war.

»Wenn deine Mutter es sieht –«

»Dann gibt es eine Tracht«, sagte er im Scherz, sie weinte sofort. Er rief »Blarrmarie!« Plötzlich langte sie ihm eine; keiner von ihnen hatte es erwartet, er nicht und sie selbst nicht. Nach dem ersten Schrecken schlug er zurück, sie kratzte und bekam ihren Teil Prügel, aber nicht mehr als er. Denn er war nur schwächlich für einen Jungen, war als kleines Kind immer krank gewesen und wurde daraufhin noch weiter verzogen. Sie lief fort, da lag er am Boden und schimpfte ihr nach. Als sie schon weit war, hörte sie ihn in einem anderen Ton nach ihr rufen. Wollte er, daß sie wiederkam? Sie ließ sich nicht aufhalten.

Die folgende Zeit sah keiner den andern auch nur von fern an. Wenn Marie an seinem Haus vorbeiging, dachte sie gewöhnlich: Mingo ißt Scholle. Er hatte ihr erzählt, daß die Speisekammer bei ihnen immer offenstand. Sie konnte es kaum glauben. Darüber trat ein Sommer ein.

Zehn Jahre war sie alt. Diesen Sommer sollte sie nicht vergessen.

Die Badegäste zeigten sich, und in der Vorderreihe, wo die besseren Villen des Seebades Warmsdorf stehen, mietete eine Berliner Familie, der Herr, die Dame, ein Mädchen und ein Junge. Die Eltern machten alles mit, was los war, Segelregatta, Autorennen. Auch den Chauffeur und die Zofe benötigten sie bei ihrem anstrengenden Leben und suchten daher jemand, der am Strande auf ihre Kinder aufpassen sollte.

»Das ist ein hübsches Kind«, sagte die Dame laut, als Marie vorüberging. »Halt mal!« rief sie. Marie glaubte zuerst, sie hätte etwas verbrochen. Die Dame erklärte dem Herrn, das Mädchen sehe vernünftig aus, groß sei es auch schon und mit dem Wasser wüßten sie hier von klein auf Bescheid. Man könnte es versuchen, außerdem hätten die Kinder gleich jemand zum Spielen.

Marie stand dabei, während über sie beraten wurde, begriffen hatte sie noch nicht. Die Herrschaften waren weder aus Lübeck noch aus Hamburg, sie drückten sich anders aus. Die Kinder fragte sie sofort, wie alt sie seien. »Wir sind neun«, berichteten sie. »Alle beide, weil wir Zwillinge sind.«

Die Dame bestimmte: »Ihr geht jetzt gleich an den Strand. Schön, ihr könnt baden, Marie trocknet euch ab. Marie Lehning heißt du? Mit deinen Eltern mache ich es später richtig. Jetzt haben wir keine Zeit.«

Das Auto hupte. »Komm schon!« verlangte der Herr, und fort waren die beiden.

Marie erfüllte ohne weiteres ihre Pflichten. Sie nahm die Kinder an beide Hände, als wäre der Unterschied zwischen ihr und ihnen nicht nur ein einziges Jahr gewesen. Sie führte sie auf die Strecke des Strandes, wo man sich ausziehen konnte. Die Herrschaften hatten vergessen, Geld dazulassen – für die Badeanstalt, für Milch und Kuchen, die schwimmende Puppe und alles, was die Kinder sich sonst noch wünschten.

»Aber morgen kriegen wir's«, behauptete der Junge.

Marie sah ihn sich an. Er war dunkel, furchtbar blaß, und er verkrümmte den Mund, es bedeutete Geringschätzung. »Ich kann mir alles kaufen, wenn ich will.«

»Auch das kleine Motorboot«, ergänzte seine Schwester.

»Na und das große?« fragte er frech.

»Wir sind furchtbar reich«, behauptete die Kleine.

Marie dachte bei sich: Töw man 'n beeten! Das hieß: Warte nur! Als sie dann mit ihnen ins Wasser ging, wollten die beiden Badegäste nicht weiter hinein als bis an die Knie, so warm und spiegelglatt es auch war. Marie gab nicht nach, obwohl sie flennten und sich an sie klammerten. Pflichtgetreu tauchte sie die Badegäste unter. Dafür trocknete sie die Geschwister nachher ab. Für sich selbst fand sie es unnötig, aber das waren Badegäste, etwas Vornehmes und Verächtliches zugleich.

Die beiden taten sanft und artig; Marie sah wohl, daß sie einander Blicke zuwarfen aus ihren gleichen, mandelförmigen Augen; sie war trotzdem auf nichts gefaßt, es geschah ganz plötzlich. Der Junge mußte ihr ein Bein gestellt haben, denn sie fiel auf Brust und Gesicht, und beide Kinder bearbeiteten sie mit den Fäusten. Es waren nur schwache Fäuste, aber außerdem spuckten die beiden. Marie stand auf und war nahe daran, ihnen zu zeigen, daß sie viel besser spucken konnte. Rechtzeitig fiel ihr ein, daß ihre Mutter von den Eltern der Kinder inzwischen Geld bekam, wenn sie sich hier anspucken ließ.

Das merkwürdigste war, wie schnell den fremden Kindern ihre Wut verging. Der Junge verkrümmte schon nicht mehr den Mund, seine Augen funkelten nicht mehr tückisch, und das Mädchen lächelte wieder überlegen, wie vorher. Marie kam da nicht mit.

»Kurt, wir wollen mit der Kleinen spielen«, erklärte das Mädchen.

»Viktoria, du bist die gnädige Frau«, stellte er mit Stolz fest. Das Mädchen bestimmte: »Sie ist bei meinem Baby die Amme.«

»Stimmt, Vicki, und ich bin das Baby!«

»Aber du bekommst die Flasche«, belehrte ihn seine Schwester mit ihrem sonderbar glatten Lächeln, bei dem sich manches denken ließ.

Alle drei spielten wirklich herrlich im weichen Sand. Weich war das Fächeln der Luft, und See und Himmel blauten unabsehbar. Weich wurden die Stimmen der schreienden Kinder ringsum vor den Strandkörben, und die vorübergleitenden Dampfer schickten von fern die Rufe ihrer Sirenen wie aus Liebe. Der Strand war leer geworden, da erkannte Marie am Stand der Sonne, daß es Zeit war, die Badegäste zurück in ihre Villa zu bringen.

Sie hatte einen Tag gehabt, wie es eigentlich keinen geben durfte. Denn zu Hause war im Faß die Wäsche eingeweicht, wer hatte die inzwischen besorgt? Marie fürchtete, daß die Mutter angeben könnte, aber das ging ihr nicht nahe. Vielmehr fühlte sie sich gehoben von ihrer Bedeutung. Um so schrecklicher war die Nachricht, die sie erwartete.

»Lütt Pieter ist halb versoppen, hast du nicht aufpassen können, unnütze Deern!«

Ihr kleinster Bruder, der noch nicht einmal sprechen konnte, war allein bis an das Wasser gekrochen, so erfuhr sie. Fremde Leute hatten ihn herausgezogen, als er schon längst mit dem Gesicht darin lag, die krummen Beinchen noch im Trocknen, und sich nicht mehr rührte. Jetzt aber war er wieder richtig da und schrie. Daher folgte ihrem ersten Schrecken ein großer Ärger auf lütt Pieter, weil er versucht hatte, ihr den schönen Tag zu verderben. Sie holte sich trotzig ihr Abendbrot. Mutter Lehning drohte, dies sei das letzte Mal, daß sie sich mit den Badegästen umhergetrieben habe. Aber Marie brauchte nur Vater Lehning anzusehen, wie er den guten Tabak rauchte und Köm dazu trank, dann wußte sie Bescheid wegen der Drohung.

Wirklich kamen noch viele schöne Tage; niemand zählte sie, nichts hätte sie ändern können, kein Gewitter, denn am Morgen war es wieder blau. Die Zwischenfälle, Streit mit den beiden Badegästen oder zu Hause, alles, was nicht hineingehörte in den nie endenden Sommer, war sofort vergessen. Marie sollte später daran denken; jetzt genoß sie, ja, sie erfuhr endlich, was das heißt.

Auch Mingo Merten spielte mit, ein Fischerjunge, ihr Freund. Da er indes überall auf die Seite Maries trat, duldeten die beiden Meiers ihn nur. Sie hießen Meier. Mingo hatte den Humor der Fischer, gutmütig und frech; er nannte die Badegäste nicht Viktoria und Kurt, sondern Meier eins und zwei. Sie mochten ihn nicht, aber sie fürchteten ihn. Außerdem warteten sie auf die versprochene Segelpartie. Er hielt sie hin, wie Marie sehr wohl begriff.

»Warum tust du das, Mingo? Du kannst das Boot doch alle Tage haben.«

»Wohl. Aber wenn wir in See stechen und 'ne Welle so groß wie 'n Kopfkissen klötert bloß 'n bißchen am Bug, was glaubst du, Meiers werden seekrank. Und sind sie erst mal seekrank gewesen und kommen wieder an Land, dann jagen sie mich weg, die Badegäste.«

Genau so geschah es. Kurt bekam dabei das bekannte wilde Gesicht, und wenn seine Schwester die Brauen verfinsterte, sah sie ihm ähnlich wie nie – besonders aber, als Mingo nicht ihr, sondern nur Marie zum Abschied die Hand reichte. Er nahm von dem Haß der Badegäste keine Kenntnis, anrühren durfte man sie ohnehin nicht.

»Tjüs, Marie, es war nett«, sagte er, drehte sich um und entfernte sich über den Sand. Er war gewachsen seit letzter Zeit, er wurde breit in den Schultern. Die Hüften erschienen um so schmaler, und er fing an, sich im Gehen zu wiegen. Vereinsamt begleitete Marie ihn mit dem Blick, bis der Abstand ihn verkleinerte. Ohne es zu wissen, seufzte sie. Schließlich wandte sie sich zu den Geschwistern – da hatten Meiers einander umschlungen und begegneten ihr mit dem gleichen Lächeln.

»Nun ist er weg«, bemerkte das Mädchen.

»Hast du gesehen, wie ich ihm eine geklebt habe?« fragte der Junge, obwohl davon nichts zu sehen gewesen war.

Marie fand nur das eine ekelhaft, daß sie zusammenhielten wie die Kletten. Ihr wurde nicht erst klar, was eigentlich beginnen wollte, sie zu schmerzen; denn in diesem Augenblick kam die Kuchenfrau vorbei, und Kurt zeigte, was er konnte, er kaufte den halben Korb.

Kurz darauf erfolgte das Ereignis der Saison; in Köhns Hotel zog Antje Lehning ein. Eine Lehning aus dem Tagelöhnerkaten besetzte die beiden besten Zimmer im ersten Haus am Platz! Sie war die älteste der Töchter, neunzehn Jahre, und hatte in Hamburg ihr Glück versucht, als Kindermädchen, wie Lehnings behaupteten. Jedenfalls war sie dabei auf Herrn G. P. Tietgen gestoßen und konnte jetzt von Köhns blumengeschmücktem Mittelbalkon hinunter Schokolade auf die Leute spucken. Jeder Warmsdorfer mußte sie gesehen haben und blieb so lange auf der Promenade stehen, bis Antje sich zeigte. An der Tafel beim Portier stand sie verzeichnet als Annie – sogar als Frau Annie Lehning.

G. P. Tietgen war mitgekommen, daher ging sie die ersten Tage als vornehme Fremde über das Bollwerk oben oder spazierte die Strandbretter entlang. Oben sah man sie nach der neuesten Mode gekleidet, Brust und rückwärtige Reize wirksam herausgearbeitet, mit blondem Gelock, das echt war, und amerikanischen Absätzen, auf denen sie sich unnachahmlich fortbewegte. Am Strand bevorzugte sie ein Mindestmaß von Badekostüm ohne Mantel. Groß, vollschlank und noch nicht gebräunt, bestach dieser fehlerlose Körper alle Blicke und schlenderte voll Erhabenheit den Herren, die ganz traurig wurden, an der Nase vorbei. Die Badegäste erholten sich von dem Eindruck erst, als sie erfahren hatten, daß G. P. Tietgen die Person mitgebracht hatte und daß sie von hier aus dem Dorf war.

Sobald es ihr mit Rücksicht auf ihren Begleiter möglich war, besuchte Antje den Katen ihrer Kindheit. Sie hatte nur deshalb auf Warmsdorf bestanden für diesen August, damit sie aus Köhns Hotel auf den Katen hinunterblicken konnte. Während des Ganges zu den Ihren dachte sie: Nun sollen die mal kieken! Die Gans und der Wein, so was kennen die gar nicht. Echtes Kirschwasser hat Papa auch noch nicht erlebt. Die setzen sich überhaupt hin, wie ich aussehe!

Dennoch stand es um ihr Inneres viel demütiger. Ihr tiefstes Gefühl war: daß Mutter man nicht haut! Bei ihrem Vater hoffte sie sich eher durchzusetzen, daher hatte sie die Stunde gewählt, in der er voraussichtlich auf das Abendbrot wartete. Aber die Mutter sollte es vom Bauern erst mitbringen und war noch unterwegs. Soweit stimmte die Rechnung der verlorenen Tochter, nur hinsichtlich des Empfanges hatte sie sich doch noch Täuschungen hingegeben.

»Na findest du mal her?« fragte der alte Lehning, ohne seine Pfeife aus den Zähnen zu nehmen. Ihre kleinen Geschwister zeigten weniger Verblüffung als kalte Neugier. Der schon größere Kasper grinste sogar anzüglich. Sie wurde verlegen und sagte: »Ich bin mit G. P. Tietgen hier.«

»Das wissen wir. Sie reden grade genug... Na gib man her –«, damit ließ Vater Lehning den strafenden Ton beiseite und nahm das Kirschwasser entgegen. Die anderen wickelten die Gans aus, legten sie in eine Blechschüssel und schienen entschlossen, gleich loszuessen. Antje benutzte den Augenblick, als ihnen das Wasser im Munde zusammenlief, um leutselige Fragen zu stellen. Da trat aber Mutter Elisabeth ein, sagte zuerst gar nichts, ging gleich an ihre Arbeit und sah die Tochter nur zwischen ihren Handgriffen mehrmals an – ohne Anerkennung, eher abschätzend wegen Kleidung und Schmuck, und dann drängte sie Antje in die Ecke beim Herd.

»Heiratet er dich bald?«

Antje lachte nicht ganz natürlich. »Wer heiratet heute noch!« erklärte sie geradeheraus – zu geradeheraus, zu nackt. »Ich bin froh, wenn er zahlt.«

Schweigen im ganzen Katen. Die Mutter zögerte.

»Zahlen? Wofür zahlt er denn?«

Schweigen. Antje versuchte nochmals zu lachen, aber noch bevor der Ton kam, erinnerte sie sich. Niemand ahnte hier, daß es so etwas gab!

»Ach – dafür zahlen sie?« sagte Mutter Lehning langsam, ihrer Entdeckung nicht sicher.

Die Tochter nickte. »Nicht zu knapp!« behauptete sie stolz.

Frau Lehning wußte noch nicht, was sie glauben sollte. Sie hatte die Gegend von Warmsdorf nie verlassen. Mit dieser neuen Seite des Lebens mußte sie für sich allein erst fertig werden. »Kannst mal was essen«, ordnete sie an und deutete mit einer Kopfbewegung nach dem Tisch. Sie selbst klapperte weiter beim Herd.

Antje war auf dem Wege, mit den Kindern endlich wieder richtig zu reden, wie sie es verstanden, da wußte Frau Lehning, was sie wollte.

»Wenn das so ist, dann gib uns auch was ab!«

»Das hast du dir wohl gedacht!« Antje ging plötzlich hoch; in Geldsachen war sie an Deutlichkeit gewöhnt. »Was habt ihr mir gegeben, wie ich in Dienst ging?«

»Von deiner Schwester Frieda haben wir schon nichts.

Aber von der will ich auch nichts, die arbeitet. Du tust nichts, du kannst uns wenigstens helfen.«

»Höre, Mama, du kennst das nicht.« Antje war nicht mehr zornig, nur noch ernst. »So schwer verdient sich keine ihr Geld.«

»Und wir?« fragte die Mutter hart. Ihre freudlosen Augen gingen über den Lehmboden und die geweißten Wände. Der Blick der Tochter senkte sich, da traf er die Hände der Mutter. Sie waren groß und erdfarben, voll von Schwielen und schon verkrümmt.

»Mal ein Kleid – sag ich nichts. Mal ein paar Mark, schön.« Dies kam von Antje hastig, in einer verwischten Art, und gleichzeitig zuckte sie die Schulter nach der Tür, wie um das Weite zu suchen. Das war das Zeichen für Frau Lehning. Groß, knochig, mit dunklem Gesicht und harten, hellen Augen, legte sie los – laut, aber ohne sich aufzuregen, und sehr langsam, sehr breit.

»Ich bin auch mal fertig mit meiner Kraft, dann muß ich nach Brodten ins Armenhaus.«

»Mußt du eben. Müssen wir alle mal«, murmelte die Tochter, aber die Mutter, unbeirrbar: »Ich geh nicht nach Brodten ins Armenhaus. Ich geh nach Hamburg und komm zu dir treppauf und läute bei dir, wo Frau Annie Lehning dran steht, und klemm den Fuß zwischen, daß die Tür nicht wieder zugeht. Dann setz ich mich in deine gute Stube, und da bleib ich, da kriegt mich keiner weg, und jedem sag ich, wer ich bin. Ich sag es den Herren und sag es den Damen, so lange, bis keiner mehr was von dir haben will, so lange, bis keiner dich mehr sehen kann. Dann mußt du raus aus deiner warmen Stube. Dann bist du unten, wo ich bin. Dann kommst du dorthin, wohin ich komme, nach Brodten ins Armenhaus!«

»Ich sag es immer, du bist verrückt!« kreischte die Tochter nochmals, aber ihre Stimme wankte, das Mädchen fürchtete sich. Ihre Augen suchten umher nach einem hilfreichen Gesicht und fanden keins. Sie zog sich zusammen und wurde sichtlich kleiner von Gestalt. Hier erschien Marie.

Sie sprang herein – hielt an, als sie Antje erblickte, rief: »Antje ist wieder hier!« und machte die Arme auf.

Ihre Schwester lief ihr zwar nicht in die Arme, aber sie wurde doch sichtlich größer. Mutter Elisabeth zuckte zusammen und sah weg. Gleich darauf klapperte sie heftig mit Geschirr, während Antje mit Marie ins Freie ging. Sie hatte sich so weit gefaßt, daß sie der Familie noch heitere Grüße zuwarf. Draußen sagte sie zuerst: »Die gute Gans! Na laß. Sollen sie. Was kann Papa dafür. Ist er noch so oft dun? Ich weiß schon – arme Leute. Du bist aber zu hübsch dafür, Marie. Laß mal kieken. Die Beine sind schon gut. Erst zehn Jahre? Höchstens noch vier, dann bist du entwickelt. Ich staune. Dich muß ich in meine Zucht nehmen.«

Sie dachte nach.

»Möchtest du mich in Köhns Hotel mal besuchen?« fragte sie. Marie sagte nicht nein.

Antje überlegte: »Es ist nur wegen G. P. Tietgen, der will immer was zu melden haben. Aber wenn er sich grade mal im Strandpavillon besäuft, dann mach ich von meinem Balkon winke, winke. Hab keine Angst, Mama sieht es nicht.«

Marie wandte ein: »Ich muß bloß immer mit Badegästen spielen.«

»Wieso? Mit Kindern? Was sind das für Leute?«

Antje hörte ganz genau zu, wer Meiers waren. »Die beiden Gören bringst du mit!« verlangte sie. »Sag ihnen, bei mir bekommen sie Schokolade!« setzte sie schnell hinzu.

Dies richtete Marie gleich am nächsten Morgen aus. »Meine Schwester wohnt in Köhns Hotel«, machte sie geltend. Sie empfand dabei einen Stolz, den irgend etwas störte, sie wußte nicht, was. Sonderbar, Meiers antworteten ihr nicht, sie sahen einander an und sprachen, als ob Marie nicht da wäre.

»Papa und Mama hatten doch recht«, bemerkte Vicki mit erfahrenem Ausdruck.

»Das durfte nicht kommen«, meinte Kurt in dem gleichen Ton.

Marie wünschte nachzuhelfen. »Herr G. P. Tietgen wohnt im andern Zimmer«, erklärte sie.

Hierauf machte die neunjährige Vicki ein Gesicht, wahrhaftig, als wäre sie auf eine Padde getreten. Marie erschrak, weil G. P. Tietgen so furchtbar eklig war. Kurt seinerseits stieß ein kurzes Gelächter aus. »Wir danken für die Einladung« – auf einmal war er artig wie ein Herr.

»Kommt ihr?«

»Wir können leider keinen Gebrauch machen. An uns liegt es nicht.«

»Unsere Eltern haben es verboten«, ergänzte seine Schwester. »Sie sind noch 1880.«

Unvermittelt nahm Vicki eine andere Gestalt an, streckte das Hinterteil heraus, wölbte die Brust, sosehr sie konnte, und wippte beim Gehen. Marie erkannte dennoch nicht sogleich, wer gemeint war.

»Das spielen wir mal!« rief Kurt fröhlich. Er streckte den Bauch vor und blies die Backen auf. Seine Schwester äußerte erhaben: »Ich will Esel reiten.«

»Ich bezahle alles, hier ist der Esel!« Damit gab der Junge der nichts ahnenden Marie einen Stoß, daß sie umfiel. Schon wollte das Mädchen den Rücken Maries besteigen, da begriff Marie endlich, was gespielt wurde. Sie sprang auf, und während Viktoria Meier sich noch im Sande wälzte, ging sie einfach fort. Zuerst ging sie, dann lief sie. Ihre Absicht war, nie wiederzukommen.

Hieraus wurde nichts, denn ihre Schwester Annie machte ihr kein Zeichen, weder heute noch morgen, noch den nächsten Tag. Auf der Promenade wagte Marie in ihrem armen Kleid sie nicht anzusprechen, sonst hätte Antje ihr sicher geholfen. Daher ging Marie wieder in die Villa zu Meiers, als ob nichts geschehen wäre. Frau Meier war enttäuscht von Marie, wie sie sich ausdrückte. Sie hielt ihr vor, daß sie ihre Kleine umgeworfen habe und vom Spiel fortgelaufen sei. »Hier sind genug andere Mädchen, die gern an deiner Stelle wären. Deine Mutter wird in Kenntnis gesetzt werden.«

Dies geschah auch, und Mutter Elisabeth empfing ihre Tochter nicht nur mit Zorn, das hätte Marie ertragen, sondern auch kummervoll, daher mußte sie weinen.

»Endlich nützt du uns mal was, und wenn sie dich nun wegschicken? Zu den Leuten gehen sogar die Fischerfrauen und erzählen ihnen, sie sollten lieber ihre Töchter nehmen und nicht unsere, weil wir hier die Untersten sind.«

Als Marie dies hörte, weinte sie. »Blarrmarie!« riefen ihre kleinen Geschwister.

»Das schöne Geld!« stöhnte ihre Mutter.

Marie hatte eine Eingebung. »Von Antje krieg ich viel mehr!« verkündete sie. Da wurde es still im Katen.

»Ist das auch wahr?« fragte die Mutter schließlich. Marie riß die Augen auf und sah sie starr an.

»Antje hat mich eingeladen. Sie will mich in ihre Zucht nehmen, sagte sie.«

Mutter Lehning überlegte. Vater Lehning äußerte sich dahin, daß es mit den beiden Badegästen ohnehin gleich aus sein werde wegen des Endes der Schulferien. Darauf knurrte die Mutter nur noch.

Marie wartete weiter, daß Antje ihr ein Zeichen gäbe. Inzwischen verschwanden vom Strande alle größeren Kinder, und auch Meiers reisten. Marie erfuhr davon erst, als sie in die Villa kam, um die Geschwister abzuholen. Sie rannte nach dem Bahnhof. Die Familie stand umringt von anderen Herrschaften, diese noch in Strandkleidern. Frau

Meier und Vicki waren beladen mit Blumen. Marie, im Abstand von allen, ersehnte ihren Augenblick. In sich fühlte sie einen ungeahnten Antrieb, den beiden Geschwistern um den Hals zu fallen. Nicht nur die Hand geben! Sie wußten doch, wie schön das alles gewesen war, wie schön, wie schön!

Sah denn niemand sie? Richtig, Kurt machte sich aus dem Kreise los, er näherte sich Marie.

»Na Wiedersehen!« Er schnitt eine Fratze. »Wenn ich noch mal in dies Kaff komme.«

Plötzlich gab er Marie einen Kuß. »Hübsch bist du«, erklärte er. »Weine nicht schon wieder! Wer weint denn noch? Soll ich dir etwas raten? Übe dich, wie man ein Bein stellt!«

Er wurde gerufen, die Familie stieg ein, die Tür fiel zu. Im Augenblick der Abfahrt winkten Frau Meier und die Geschwister allen zu. Marie winkte zurück, im Eifer lief sie, ihr Tuch schwingend, dem Zuge nach. Vicki und Kurt lachten. Wie auf Verabredung streckten beide ihr die Zunge heraus. Marie hielt an im Lauf. Bevor sie selbst es wußte, zeigte auch sie ihnen die Zunge.

Das Zeichen von Köhns Balkon herunter blieb noch immer aus. Aber Antje, die jetzt in zahlreicher Gesellschaft badete, rief eines Tages laut schallend ihre Schwester herbei. Marie hatte nur eine Badehose an, es war ihr nicht gleich anzusehen, daß sie zu den Ärmsten gehörte. Aber Antje verkündete es laut.

»Meine Schwester – was sagt ihr? Die ist bis jetzt noch in dem Katen, wo ich auch her bin. Aber die bleibt ebensowenig drin, dafür ist gesorgt. Seht euch die Beine an! Na? Die werden wie meine berühmten Beine. Das Lehningsche Gesicht hat sie auch, schöne Zähne, wie? Die bringen Glück.«

Sie watete schon, den Herren voran, in die See, da fiel ihr endlich ein, was sie versprochen hatte.

»Du wolltest mich doch besuchen, Marie!« rief sie zurück. »Komm heute zum Kaffee! G. P. Tietgen tut dir nichts.«

Weil alle es gehört hatten, konnte G. P. Tietgen nicht viel machen, sondern er lachte. An demselben Nachmittag ging Marie in Köhns Hotel.

Der Portier ließ sie ohne weiteres durch, sie hätte es nicht für so einfach gehalten. Ihre Schwester lag auf dem Sofa und spielte mit einer großen Puppe.

»Schmeiß mal die Tür zu!« verlangte sie. »G. P. Tietgen soll es nur hören. Er hat Geschichten gemacht euretwegen, und weil ich ihn hierher verschleppt habe. Manchmal ist es nicht auszuhalten.«

Marie verlor kein Wort aller dieser Offenbarungen und Rätsel.

»Nimm dir Kaffee! Oder nein, du willst natürlich Schokolade. Bestellen wir auch noch. Du kannst alles haben, bei mir ist es gut und reichlich. Dabei pfeif ich auf das Ganze. Was meinst du, soll ich wieder hier bleiben? Du siehst doch so vernünftig aus, rede mal!«

Marie atmete kaum, viel weniger sprach sie.

»Ich habe unsere Schwester Frieda gesehen«, sagte Antje. »Sie mich auch. Aber viel Zeit hatte sie für mich nicht übrig in ihrem Schlächterladen. Sie fährt nach Lübeck und kauft Konserven ein für ihren Chef, das kann man eine Vertrauensstellung nennen. Außerdem ist sie richtig verlobt und sogar mit einem Kaufmann! G. P. Tietgen ist auch Kaufmann.«

Marie hörte nichts mehr. Antje hatte auf ihrem Sofakissen das Gesicht der Wand zugekehrt. Als sie wieder anfing, klagte sie wie ein Kind.

»Unsere Schwester Frieda macht den Lehnings Ehre. Der wird Mama nicht solche Sachen an den Kopf werfen wie neulich mir. Mit ihrem Mann wird sie ein kleines Geschäft aufmachen, zuerst noch ganz klein. Alle werden sie hochachten. Niemand wird ihr zumuten, daß sie die Familie unterhält, und ihr mit Brodten und dem Armenhaus drohen.«

Marie ertrug die klagende Stimme nicht länger, sie brach in heftiges Weinen aus. Auch Antje vergoß Tränen, sie schluchzte in das seidene Kostüm der großen Puppe hinein. Schließlich setzte sie sich auf und sah Marie an – sie hatte ein anderes Gesicht als sonst oder wollte doch ein anderes haben, Marie erkannte die Anstrengung.

»Soll ich dir etwas raten, Marie? Bleibe lieber solide! Du hast noch Zeit, solange kannst du aufpassen, wer weiter kommt, ich oder Frieda.«

»Ja«, sagte Marie gehorsam.

»Jetzt iß mal den Kuchen auf!« Marie tat es. »Du könntest Schneiderin werden. Damit ist immer etwas zu machen, und was die uns für ein Geld abnehmen! Verstehst du schon etwas von Kleidern? Ich will dir meine zeigen.«

Sie sprang auf, der Schmerz war fort. Sie trug alles zusammen, was sie besaß, Marie wurde eingeweiht in die höchsten Dinge. Sie wagte nicht einmal, mit ihrer Hand daran zu rühren, aber Antje zog ihr ein Kleid über. Natürlich paßte es nicht, dennoch zeigte der große Spiegel eine Marie, wie diese Welt sie noch nie erblickt hatte. Antje stellte ihr Grammophon ein und tanzte mit Marie.

»Du kommst bald wieder. Das Kleid könntest du eigentlich behalten. Nein, lieber doch nicht, ich brauche es noch. Dafür kriegst du die Puppe! Wiedersehen, Marie! Ein Abendkleid erwarte ich noch aus Hamburg, ich zeig es dir dann.«

Marie war heraus aus Köhns Hotel, und im Arm hielt sie einen langen Clown, grüne Seide und Mehlgesicht. Etwas betäubt dachte sie: Antje wollte mich in ihre Zucht nehmen! Zu Mama habe ich gesagt, was Antje mir alles geben wird! Sie fand nur schwer nach Haus, vorher hatte sie sich ausgedacht, was sie vorbringen wollte. Antje hätte versprochen, sie Schneiderin lernen zu lassen! Darauf blieben wirklich alle harten Worte ihrer Mutter aus. Ihre kleinen Geschwister bewunderten den Clown, während Marie im stillen wiederholte: Das nächste Mal bitte ich sie, daß sie mich Schneiderin lernen läßt, dann tut sie es.

Als es schon wieder zu lange dauerte, bis Antje sie rief, ging Marie von selbst hin – und bekam vom Portier einen Bescheid, den sie zuerst nicht verstand. Antje war abgereist. Sie war abgereist? Am Morgen hatte sie doch noch gebadet, wie immer mit vielen Bekannten. Marie glaubte dem Portier nicht; er wandte grade den Rücken, da huschte sie nach der Treppe.

Das Zimmer Antjes stand offen, es war verlassen und noch nicht aufgeräumt. Am Boden lag Papier, dazwischen aber dasselbe Kleid, das Antje hatte Marie schenken wollen. Sie brauchte es noch, aber jetzt hatte sie es fortgeworfen. Marie rollte das Stückchen Seide schnell zusammen und steckte es unter ihre Schürze. Auf dem Tisch stand Kaffee, noch warm. Sie hätte ihn trinken dürfen, sie war eingeladen. Sie sollte wiederkommen, hatte Antje gesagt! Antje erwartete ein Abendkleid aus Hamburg und wollte es ihr zeigen! Marie fühlte eine Beklemmung, so angstvoll, daß sie nicht weinen konnte. Das verlassene Zimmer war leer und ohne jedes Geräusch. Plötzlich nahm Marie Reißaus.

Hiermit war der Sommer zu Ende, es wurde sofort kalt, die letzten Badegäste verschwanden vom Strand. Marie spielte manchmal allein bei den Booten am Wasser, die Fischer beachteten nicht, was sie trieb; sie war doch noch ein Kind, obwohl so hochbeinig. Sie spielte aber Badegäste, sie verkörperte in einem Vicki, Kurt und Marie. Sie befahl Marie, sie abzutrocknen, sie ließ Marie im Sand bauen, sie freute sich zu dreien und warf Steinchen über die glatte See – die in Wirklichkeit stürmisch war.

Bald darauf traten schwere Stürme ein, und ein großes

Schiff scheiterte vor Warmsdorf. Als es auflief, waren alle Mann schon längst von Deck gespült und ertrunken, aber noch eine Zeitlang trugen die Wellen auf den Strand, was sie besessen hatten, Konservenbüchsen und Geldstücke. Die Warmsdorfer holten sich alles, zugleich mit einer Menge Bernstein, das der aufgewühlte Meeresgrund ihnen schickte.

Der Sturm legte sich endlich, es wurde sogar ein wenig wärmer, und nach der Schule ging Mingo Merten mit Marie an den Strand. Er behauptete, jetzt würden sie etwas finden, das die anderen nicht mehr suchten. Sie fanden aber eine Wiege, die Wiege eines kleinen Kindes, es war das Kind des Schiffers gewesen. Wo war es jetzt, wo waren seine Eltern. Die Wiege wurde durch Metallreifen zusammengehalten, so hatte sie den Wellen widerstanden. Marie lief und holte ihren langen Clown. Er zeigte schon große Schäden, sie legten ihn trotzdem hinein und nannten einander jetzt Vater und Mutter. Sie kochten im Sand, er kam vom Fischen nach Haus, und sie aßen. Bei allem ahmten sie die schweren Stimmen der Erwachsenen nach – auf einmal sagte Mingo in seinem natürlichen Ton: »Wenn wir groß sind, machen wir das wirklich.«

Marie sah ihn an und lächelte glücklich. In diesem Augenblick fiel Antje ihr ein. Nach allem, was Antje geredet und versprochen hatte, war sie abgereist ohne ein Wort, und auch seither blieb es von ihr still. Eine Beklommenheit wie in dem verlassenen Zimmer ihrer älteren Schwester wollte Marie ergreifen; sie fürchtete sich vor etwas, das nicht sicher ist. Sie fürchtete die Unzuverlässigkeit alles dessen, was Ernst heißt.

»Spielen wir doch lieber!« bat sie mit zitternden Lippen und die Augen voll Schrecken.

Er erkannte, wie es um sie stand, er sagte: »Auf mich kannst du dich verlassen. Ich heirate dich.« Dann küßte er sie, und sie erwiderte es.

Der nächste Sommer kam und ging fast unbemerkt. Mutter Lehning arbeitete auf einem entfernten Hof, Marie ganz allein mußte alles im Hause verrichten, was der Vater und die Geschwister brauchten. Im Herbst war sie schon vor Abend oft sehr müde; sie hätte nicht geglaubt, daß es eine so große Müdigkeit gibt. Sie wurde damals zwölf Jahre alt. Eines Tages gegen Abend machte sie sich auf, um in den Tannen etwas Reisig zu sammeln. Der Weg rechts hinauf führt zum Friedhof. Das Bündel auf ihrem Rücken drückte Marie, sie wollte ausruhen in einem Winkel der Friedhofsmauer, wo es windgeschützt ist. Auf ihren bloßen Füßen näherte sie sich unhörbar, da saß in dem Winkel schon jemand, ein Mädchen, es hielt das Gesicht in den Händen.

»Frieda! Bist du das?«

Die ältere Schwester zeigte ihr Gesicht, um zu bestätigen, daß sie es sei. Sie sagte nichts.

»Was tust du da? Hast du keine Arbeit?«

Denn Frieda hatte immer Arbeit, seit sie zu Schlächter Heim gekommen war. Das geschah vor so langer Zeit, daß Marie es nicht mehr wußte, und sie kannte ihre Schwester nicht anders als von schnellen Begegnungen. Schon zwei Jahre war Frieda verlobt mit Karl Boldt, jetzt sah man sie noch seltener.

»Wo ist Boldt? Daß du hier so allein sitzt! Und bei Heim hast du doch sonst viel länger zu tun.«

»Ich hab gar nichts zu tun«, äußerte Frieda endlich. Sie hatte ein Gesicht wie immer, nur regungsloser. »Oder was ich zu tun habe, ist meine Sache.«

Marie verstand dies nicht.

»Heiratet ihr denn nun im Frühling? Kauft Boldt das Geschäft?«

Frieda stand auf. »Ja, ja«, sagte sie. »Wir denken uns das alles so. Mir aber ist, als würde es nichts.«

»Fehlt dir etwas?« fragte Marie.

»Nein, nein. Und wenn, dann muß ich selbst zusehen.«

»Du bist doch in der Krankenkasse.«

»Aber nicht dafür!« Dies schrie das Mädchen. Hierauf begann sie merkwürdigerweise sich zu entschuldigen, weil sie so lange nicht mehr in den Katen gekommen war. Während alles dessen, was sie sprach, blickte sie über die Gräber hin.

»Ich war nie frei«, sagte sie. »Aber das ist es nicht. Ich konnte euch auch nichts mitbringen von Heim, ich hätte es selbst bezahlen müssen, und Boldt wollte alles sparen für das Geschäft. Jetzt ist das auch gleich.« Leise für sich wiederholte sie: »Auch gleich. Bezahlen« – als prägte sie sich die Worte ein.

Marie sah, daß Frieda noch schöner als Antje war, obwohl sie nur ein altes schwarzes Tuch um die Schultern trug. Aber Marie empfand Angst, sie gab vor, daß sie noch Holz sammeln müsse, und machte sich davon. Nachher tat es ihr leid, sie kehrte nochmals zu der Stelle zurück, da stand aber keine Frieda mehr.

Drei Tage später war Frieda tot. Marie erfuhr, was ihre Schwester getan hatte; aber seit der letzten Begegnung war ihr so viel durch den Kopf gegangen, daß sie schon selbst alles wußte. Mutter Lehning wanderte von dem entfernten Hof herbei, ihr Zorn war größer als ihr Schmerz. Sie ließ sich zu Marie über alles aus.

»Mit einer Stricknadel! Damit das Kind nicht kommt, und dabei sollten sie heiraten!«

Sie hat sich ganz schrecklich quälen müssen, dachte Marie. Bevor sie sterben konnte!

»Dann hätte doch mal eine von uns ein besseres Leben gehabt!« sagte Mutter Lehning mit rauher Stimme.

Bei dem Begräbnis Friedas aber war das ganze Dorf, auch die Fischer, auch die Kaufleute, und der Lehrer, der Pastor, der Arzt. Die Familie der Toten, so viele Kinder noch mitgehen konnten, drängte sich hinter dem Sarg zusammen, klein und erstaunt über das Ansehen, in dem ihre Frieda gestanden hatte. Ihnen folgten die guten Kleider, die guten Bratenröcke und der Zylinderhut, den jeder Älteste von seinem Vorgänger ererbt hatte. Als die Friedhofsmauer in Sicht kam, beugte Marie die Stirn und legte die Hände darüber – so, wie Frieda dagesessen hatte in jenem windgeschützten Winkel.

Sie mußte nicht sogleich wieder zur Schule gehen, auf einem Gang aber hörte sie die Kleinen drinnen singen, es war der Vers: »Lütt Matten gev Pot, de Voß bet em dot.« Hierbei dachte sie: Alles eins – bezahlen, die letzten Worte ihrer Schwester. Mir aber ist, als würde es nichts – auch das fiel ihr wieder ein. Mit einer Stricknadel! Dies war die Stimme der Mutter. Auf einmal meinte sie, auch Antje spreche zu ihr. Antje, die nie mehr ein Zeichen gegeben hatte, sollte sie je wieder eins geben? So wenig wie Frieda, mußte Marie denken. Gleichzeitig erschien ihr das Gesicht eines Gendarmen, der schon längst nicht mehr im Dorf war, aber er hatte den Vater abgeholt, als die kleine Dörtje oben in den Tannen lag mit dem Rock über dem Kopf.

Sie fühlte Angst vor der allzu großen Deutlichkeit ihrer Erinnerungen, und grade die Furcht ihres Herzens versicherte ihr, daß sie dies alles nie vergessen werde. Jetzt weiß ich es, dachte sie. So ist es! Immer beim Anblick der Liebespaare kamen ihr dieselben Worte. Des Abends auf der schwach beleuchteten Strandpromenade bewegten sich zwei Schatten unter diesem und jenem der Bäume, von denen die Blätter fielen. Die welken Blätter schwankten durch die Luft, bevor sie eine Strecke weiter hin den dunklen Boden berührten. Marie dachte: Jetzt weiß ich, wie das ist. Ich will auch nie mehr weinen. Meine Mutter weint nicht, und sie hat ein hartes Gesicht.

Sie war ein herangewachsenes Mädchen, dreizehn, bald vierzehn, sollte eingesegnet werden, und daher ging natürlich auch sie schon mit ihrem Freund am Abend unter die Buchen. Mingo Merten hielt den Arm um ihre Schulter, sie umschlang die seine, und sie tuschelten, wie alle anderen. Bei keiner hätte der Junge mehr Unschuld und kindliches Vertrauen finden können. Was das Rollen der See nicht zudeckte von ihren Worten, klang ernst und hingebend. Wenn das Mondlicht hervorkam, konnte er ihren weich sinnenden Blick erkennen. Soviel sie ohne ihn und fern von ihm alles hatte erlernen müssen, es blieb ihm unbekannt. Sie bedauerte nicht sich selbst, aber ihr lieber Freund tat ihr leid. Daher verriet sie nichts, und er ahnte niemals, diese Stimme, dieser Blick kämen aus einem Innern, das sich schon schützen und verhärten wollte. Einst fuhr sie in seinem Arm zusammen, er bemerkte, daß sie zitterte und wie sie fortstrebte. Unglücklicherweise versuchte er, sie festzuhalten, da riß sie sich los; sie schrie auf.

»Laß mich!«

»Was hast du auf einmal?«

Sie hatte Boldt gesehen mit einem Mädchen. Der Verlobte Friedas stand mit einer anderen dort hinten unter dem Baum und küßte sie! Seinetwegen war Frieda tot! Er hatte gespart und wollte kein Kind, darum hatte sie sterben müssen, und jetzt küßte er die da! Marie sagte zu Mingo, ihr sei plötzlich schlecht geworden, und sie tat, als ob sie weinte. Er glaubte ihren Tränen, und sie durfte nach Hause.

Als sie auch noch erfuhr, daß Boldt jetzt wirklich das Geschäft gekauft hatte und die andere heiratete, kam Marie auf den Gedanken, ihm das Haus anzuzünden. Der Gedanke ergriff sie wie eine entsetzliche Krankheit; wo sie ging und stand, trug sie eine Welt von Fieber mit sich herum, fürchtete sich, war verzweifelt und haßte. Eine ganze Nacht verbrachte sie im Stall hinter dem Boldtschen Anwesen, um auszukundschaften, wie sie es anfinge. Der Morgen graute, sie kehrte aber nicht in den Katen zurück, sondern lief hinunter zum Wasser. Es wurde grade Frühling, der Sand war zum ersten Mal ganz trocken, sie watete darin mit ihren bloßen Füßen stundenlang. Es ermüdete sie sehr, aber den Gedanken brachte es nicht zum Schweigen, die ganze Zeit sann sie nur auf das Mittel, sich viel, viel Brennstoff zu verschaffen.

Ein fremder Strand umgab sie endlich, so weit war sie gelaufen. Sie kehrte um, jetzt breitete sich über die Bucht das Morgenrot, eine von innen bunt erleuchtete Wolkenwand. Dagegen schwarz hingestellt, erblickte sie in der Ferne etwas, das vorher noch nicht dagewesen war, etwas Schweres, Massiges und Hartes, wer hatte es so schnell auf den Strand getragen? Trotz ihrem fieberhaften Denken wußte sie im Grunde, daß es ein Mensch war. Sie hielt an.

Der Mensch war der einzige weit und breit, und er stand reglos der See zugewendet. Marie bestaunte seinen Rükken, der mächtigste Rücken, den sie je gesehen hatte. Er aber drehte sich – drehte sich langsam ihr zu, er wußte, daß sie da war! Sofort erstarrte sie; dem Mann dort war bekannt, wo sie die Nacht gewesen war! Dort wartete er, sie mußte an ihm vorbei, sie entging ihm nicht. Die Düne hinauf und flüchten? Schwer, wie er war, es blieb dennoch sicher, daß er noch vor ihr droben anlangte und sie abfing. Sie setzte den Fuß an, sie mußte auf ihn zu, sosehr ihr Herz auch klopfte. Der Mensch war unausweichlich, und er sah ihr entgegen, jetzt noch aus der Entfernung. Aber sie sollte, mit stockenden Füßen, den ganzen Abstand durchmessen.

Die Gestalt wurde nur größer. Sie trug einen runden Hut und einen riesigen dicken Mantel, alles schwarz. Wie dick war der Mantel, daß der Morgenwind ihn gar nicht bewegte! Endlich erkannte sie auch die Farbe seines Gesichts. Bisher nur ein Stück Schatten, hellte es sich während ihres Näherkommens auf und wurde grau, massig und steingrau. Jetzt war sie auf seiner Höhe, verlangsamte noch mehr ihren Schritt und suchte seine Augen – fand sie aber geschlossen. Offen oder geschlossen, sie folgten ihr, die Augen des ungeheuren Fremden hatten sie durchschaut!

Erst als sie an ihm vorbei war, wagte sie es, sich hinter die Düne zu ducken und gebückt davonzuhasten. Wenn er sie gerufen hätte, sie wäre umgekehrt und hätte alles gestanden.

An dieser Begegnung zerschlug sich ihre Versuchung. Der Gedanke, der sie wochenlang besessen gehalten hatte, fiel ohne weiteres ab. Sie vergaß sogar Boldt, sein Haus und den Brand, den sie hatte legen wollen. Im Herbst, Marie war grade vierzehn geworden und eingesegnet, kam dann das Hochwasser, jenes unvergessene, von dem Warmsdorf sich jahrelang nicht erholt hat.

Wirklich und wahrhaftig trat ein, was sie in den ersten Ängsten ihres Lebens, als kleines Kind des Nachts in ihrem Bett, vorausgeahnt hatte. Donnernd rollt die See heran, jeder Anlauf türmt ihre Wassermassen höher, und beim nächsten, beim nächsten verschlingen die Wellen den Katen, worin Marie schläft! Als es in Wirklichkeit geschah, schlief sie denn auch fest und ahnungslos. Sie erwachte von heftigen Schlägen an den Fensterladen, das war die Warnung.

Der Vater schlief weiter, er hatte getrunken; aber die Mutter stieß die Tür auf, alle ihre Kraft war nötig gegen den Sturm, der die Tür zudrückte. Der Sturm wütete, und Gestalten kämpften sich hindurch. Mehrere trugen Laternen, Fischerfrauen waren zu erkennen; schon durch Wasser steigend in hohen Stiefeln aus Hirschleder, retteten sie ihre Kinder das Bollwerk hinauf und über die Promenade. Mutter Lehning trieb die Ihren zusammen, da drang die See auch schon in den Katen. Was noch folgte, begriff Marie nur wie einen Traum des Entsetzens. Sie wußte nachher nichts weiter, als daß sie mit ihren Geschwistern das Bollwerk soeben hinter sich gelassen hatte, da stürzte es ein. Auf den finster fahlen Fluten sah sie etwas treiben, den Katen, sein Strohdach, und droben liegend, angeklammert, ihren Vater.

Von der Promenade krochen sie auf Händen und Füßen höher und in die Tannen hinein. Kaum daß sie sich vom Erdboden aufrichteten, zerbrach die Promenade wie ein Brett und wurde hinabgeschwemmt. Marie, ihre Brüder und Schwestern hielten sich in den nächtlichen Tannen alle im Kreis aneinander fest, die Tannen sausten, bogen sich und fielen um. Zu dem verlorenen Häuflein der Kinder stieß die Mutter, sie schrie gegen den Sturm: »Vadder is versoppen!«

Mutter und Kinder erreichten, ohne von den Tannen erschlagen zu werden, das Diakonissenheim, das gleich drüben an der Straße stand. Sie wurden aufgenommen. Am Morgen neigte sich über die erwachende Marie eine Diakonissin und sprach zu ihr – Trost, Ermahnung, aber Marie verstand sie nicht. Sie hörte nur den einen Satz, den sie nicht wieder vergaß: »Jetzt bist du kein Kind mehr.«

Zweites Kapitel

Marie besserte den Diakonissinnen ihre Sachen aus, dadurch erfuhr man, was sie konnte. Allerdings hatte sie schon zu Hause die Kleider der ganzen Familie Lehning in Ordnung gehalten, dies war nicht weiter beachtet worden. Marie hatte aber nie vergessen, was ihre Schwester Antje ihr geraten hatte: »Du könntest Schneiderin werden! Damit ist immer etwas zu machen. Und was die uns für Geld abnehmen!« Daher ihr Eifer.

Die Diakonissinnen verschafften ihr eine Lehrstelle bei Fräulein Raspe, Große Gröpelgrube in Lübeck. Dort saß sie in einem überheizten Zimmer mit sechs anderen Mädchen, nähte emsig und freute sich, daß es so warm war. Sie schlief und aß im Hause und hätte es daher den ganzen Winter nicht verlassen müssen, wäre sie nicht ausgeschickt worden, die fertige Ware abzuliefern. Damit ging sie in die Geschäfte, die an Raspe ihre Bestellungen weitergaben, manchmal auch zu Kundinnen. Es kam vor, daß ein Angestellter ihr vorschlug, am Abend mit ihr auszugehen. Marie sah ihn verständnislos an und sagte: »Ich bin man bloß von Dörpen.«

Als einer zudringlich wurde, haute sie sofort. Nach Wegen, die sie nicht wußte, fragte sie nur Kinder. Es kam auch noch vor, daß sie mit ihnen zusammen sich hinsetzte und die vereiste steile Straße hinunterrutschte. Einer Frau, die hierüber schalt, antwortete sie wieder: »Ich bin man bloß von Dörpen.«

Da sie groß war und das einheimische Gesicht hatte, das länglich war, mit aschblonden Haaren, graublauen Augen, und noch dazu die schönen Zähne und die frische Haut – gingen manche ihr nach, und schon war bekannt geworden: bei Raspe ist eine Hübsche. Nur Marie selbst sprach davon nicht; sie hörte lieber zu, wenn ihre Kolleginnen sich eigener Erfolge rühmten. Daneben traten die ihren zurück, denn bei den anderen hatte es immer gleich Autofahrten und Rumgrog gegeben; das war das wenigste. Sie erzählten ihr aber auch ganze Filme von armen Mädchen, die zuerst von Verbrechern verfolgt, dann aber große Frauen werden, und alles wollte die Näherin selbst erlebt haben.

»Ach!« seufzte Marie, die Wangen gerötet, aber ohne von ihrem Stück Zeug aufzusehen. »Muß das schön sein!« Sie sprach immer noch so langsam und ernst, und dann die kindliche, ganz leicht aufwärts gebogene Oberlippe!

Die anderen tuschelten: »Die glaubt alles. Sie ist man bloß von Dörpen.«

Marie glaubte, was sie in Händen hielt, sonst nichts. Dagegen blieb ihr unklar, daß die anderen sie beneideten und sie aufziehen wollten. Sie hielt das meiste im täglichen Leben noch für Unterhaltung und Spiel, obwohl es doch schon einige Male in ihrem Dasein äußerst schwer und schreckensvoll zugegangen war. Aber trotz allem gewöhnte sie sich bisher nicht völlig an den Ernst. Sonst hätte sie auch nicht so gern und so leicht gearbeitet, wenn sie schon bedacht hätte: Das soll immer sein, und davon sollst du dich, und wer weiß wen noch, deine ganze Erdenzeit ernähren! Das bedachte sie nicht, sondern war froh, daß Fräulein Raspe ihr so gutes Essen gab, mehrmals die Woche Grünkohl und sogar Scholle!

Sie brauchte auch noch fast gar kein Geld. Von Fräulein Raspe bekam sie keins und war auf die kleinen Trinkgelder angewiesen, wenn sie in Privathäuser kam. Aber ihre Kleider durfte sie sich schneidern; sie hatte schon mehrere, die fehlerhaft waren, wie man ihr klargemacht hatte, aber sich selbst blendete sie gradezu, wenn sie eins anzog. Sie brauchte wahrhaftig kein Kino. Täglich geschahen pakkende Dinge, mochte scheinbar nichts verändert sein. Sie trat nur vor den Probierspiegel, was erlebte sie da! Marie, das Tagelöhnerkind, verwandelte sich und wurde eine schöne Dame! Das war allerdings nur der Augenblick der Anprobe, wo sie überdies auf die Fehler des Kleides aufpassen mußte. Gleich nachher saß sie wieder in dem geflickten wollenen.

Diesen ganzen Winter hegte sie eine geheime Hoffnung, die allein genügte, ihn spannend und glücklich zu machen. Mingo sollte sie besuchen... Er versprach es mehrmals auf Postkarten – jedesmal mit einem anderen Hafen darauf. Diesen Winter zuerst wurde Mingo von seinem Vater Merten oder seinem großen Bruder Klaas auf Fahrten mitgenommen und erlernte die Fischerei. Auch er war in der Lehre. Marie dachte, daß er manchmal auch in Gefahr sein müsse, anders war es gar nicht möglich bei den Winterstürmen. Er aber erwähnte es nicht, und auch sie schwieg darüber, wenn sie ihm antwortete. Sie schrieben einander nie etwas Wichtiges, nichts von ihren Gefahren, Überraschungen, Freuden – nur Grüße, und was für Wetter war. Aber die wenigen Male, daß Fräulein Raspe rief: »Marie! Für dich«, klopfte das Herz Maries so heftig, daß sie nicht gleich vom Stuhl aufkam; und sie wußte genau, auch Mingo erschrak vor Freude über ihren Brief.

Im Mai wurde sie nach Hause geschickt, weil Fräulein Raspe jetzt weniger Aufträge hatte. An Stelle eines Hauses fand sie einen leeren Stall vor, darin erlaubte der Bauer, bei dem Mutter Lehning arbeitete, ihnen allen zu wohnen. Es waren zwei Stunden zu Fuß bis Warmsdorf. Marie zog das gelungenste ihrer selbstgemachten Kleider an, um hinzugehen. Der Strand war noch spärlich belebt, aber Mingo war da, und er sah aus wie ein Badegast –

städtischer Anzug, seidenes Hemd, feine Schuhe! Beide lachten sie und sagten: »Dir geht's gut! Das sieht man!«

Er erklärte ihr, daß er den Sommer hier noch mitmache; dann aber wollte er etwas Neues unternehmen, unbestimmt, was. Er war nur entschlossen, nicht wieder einen Winter lang auf der Bank eines Fischerbootes mit dem Hintern anzufrieren und dafür ein Taschengeld zu beziehen. Von seiner Mutter bekam er dasselbe Geld ohne so viele Umstände, und auch der Vater ließ mit sich reden. Streng war sein großer Bruder. Der wollte ihm befehlen. Der sah ihn schon als seinen Angestellten an, denn die ganze Fischerei mit den kleinen Dampfern und den Knechten erbte doch einmal Klaas.

»Ich bin nicht so verrückt, daß ich mein Leben lang bei ihm im Dienst bleibe!«

Marie sagte ernst: »Sicher ist sicher.«

Er fragte: »Na und du? In der Stadt lebt es sich schöner.«

»Ich bin bloß so allein. Hier in Warmsdorf kann ich als Hausschneiderin gehen.«

»Fein. Jetzt bleiben wir beide hier. Zum Winter ziehst du wieder in die Stadt, und ich auch. Den ganzen Sonntag sind wir zusammen, Marie.«

So dachte er es sich. Sie hatte dasselbe gehofft; aber es wurde nicht wahrscheinlicher, als er es aussprach. Es wurde traumhafter.

»Das machen wir«, sagte er ruhig, und ohne sie erst zu fragen, nahm er sie nach Hause mit. Sie wunderte sich, warum sie ohne Bedenken das Haus betrat, zum ersten Mal im Leben. Es war noch immer weiß, langgestreckt, hatte Fenster in weißlackierten Rahmen, und über die vordere Tür hing wilder Wein. Grade gegenüber, am anderen Ende des Flures, stand die hintere Tür offen; man sah durch das ganze Haus in den grünen Garten. Es roch im Flur nach kühler Milch. Mingo öffnete eine Tür. In

Gottes Namen, dachte Marie. Ich habe mein gutes Kleid an.

Er rief laut »Mama!«, und seine Mutter kam aus der Vorratskammer herüber in das Wohnzimmer. »Hol dir nur deine Scholle!« sagte sie vor allem. Da sie inzwischen mit Marie allein blieb, betrachtete sie das Mädchen aufmerksam. Sie sprach auch dabei, aber das war Nebensache.

»Arbeiten will er ja nicht viel. Er war nur schwächlich, wie er klein war. Ich sage immer zu seinem Vater: Ist doch genug, wenn einer von den beiden was tut.«

Hier war Mingo zurück. Außer den Fischen brachte er Landbrot und Butter. Er stellte alles hin und lud Marie ein. »Essen Sie!« verlangte auch Frau Merten.

Sie war merkwürdigerweise dunkel mit schwarzen Augen. Sie hatte nicht die Hautfarbe einer Dorfbewohnerin. Marie bemerkte in ihrem Gesicht, wie sie sich entschloß, etwas Freundliches zu sagen.

»Im Winter hat er immer nach Ihnen gefragt. Jedesmal, wenn er an Land kam: Mama, ist Marie Lehning im Dorf? Das sind doch Sie. Eigentlich bist du aus dem Tagelöhnerkaten.« Sie sagte du und glitt mit dem Blick über das seidene Kleid.

»Wie der Katen noch nicht weggeschwemmt war«, entgegnete Marie. »Jetzt will ich wieder gehn. Danke auch schön, Frau Merten.«

»Du brauchst nicht fortzulaufen. Geh mit ihm in den Garten!«

»Mama, sie kann schneidern. Sieh mal an, was sie sich selbst gemacht hat! Dein Gutes ist auch nicht mehr neu. Was meinst du, wenn du sie gleich hierbehältst!«

»Lieber erst mal mit Änderungen anfangen. Hier sitzen kann sie dabei auch.«

Die Frau sah beim Sprechen ihren großen Jungen bewundernd an. Marie dachte: Die tut, was er will. Er kann es sich aussuchen. Den beiden gegenüber stand Marie auf einer anderen Seite, wo die Notwendigkeit herrschte.

Sie sagte: »Das wird wohl nicht gehen. Ich wohne zwei Stunden fort, und meine Mutter braucht mich.«

Im Garten fragte Mingo: »Willst du wirklich deiner Mutter bei ihrer Arbeit helfen?«

»Warum nicht?« Aber sie errötete und bekannte: »Nein. Ich will alles sein, was ich muß – nur nicht Landarbeiterin, das nicht!«

»Siehst du, und hier könntest du so schön sitzen.«

»Aber nicht lange; und in den anderen Häusern sind Badegäste.«

»Marie!« mahnte er. »Es ist doch mal so, daß wir uns heiraten wollen.«

»Weiß deine Mutter es?«

»Sie glaubt es bloß noch nicht. Aber du kannst es mir glauben! Du kennst mich doch!«

Solange sie seine ruhige Stimme hörte und sein Gesicht über ihres geneigt sah, widersprach in ihr nichts. Sie fühlte einzig: seine dunklen Wimpern nähern sich! Seine Lippen sind warm, sie sind feucht. Dieser Kuß eröffnete ihr, daß er zu seinen blonden Haaren dunkle Wimpern hatte und daß sein Mund so weich wie der ihre war. Sie blieben wortlos noch beieinander, unvermittelt aber stieß Marie die hintere Gartenpforte auf und verschwand zwischen den Büschen. Sie lief, indes er rief und suchte. Als es still wurde, kehrte sie enttäuscht um und sah aus der Deckung eines Busches, was er machte. Er riß etwas Kraut ab und legte es in einen Korb. Seine Mutter brauchte es für das Vieh. Wenige Handgriffe, dann schien es ihm genug, er hob den Korb auf. Grade kam vom Hause her sein Vater, der gedrungene Fischer mit dem grauen Vollbart und dem Gang des Seemannes.

»Lat mal seihn!« befahl er und entrüstete sich. »Wat? Dat schall allens sin?«

»Vadder, mehr kann ick man nich börn«, behauptete der große Junge. Schnell duckte er sich, denn der Vater hob die Hand, schlug aber vorbei.

»Wotau sleist du een Loch in de Luft, Vadder?« fragte Mingo auch noch. Der alte Merten mußte lachen, und Arm in Arm gingen sie zum Mittagessen.

Auf ihrem Weg über die Wiesen hielt Marie den Kopf gesenkt. Jemand begegnete ihr, sagte guten Tag, aber sie sah nicht auf. Erst auf der Dorfstraße fuhr sie aus ihren Gedanken – und erschrak. Boldts Haus! Der Laden und darin die Frau, die Boldt geheiratet hatte anstatt Friedas!

Marie eilte weiter. So ist er nicht! versicherte sie heftig in ihrem Herzen. Nein, so nicht! Er ist nur unvernünftig, weil er verwöhnt ist. Warum wird er nicht einfach Fischer, wenn sie es bei ihm doch alle sind.

Ohne Übergang dachte sie: Ich will alles sein, nur nicht Landarbeiterin! Denn ihr war schon wieder das Bild ihrer Mutter erschienen. Sie wurde es kaum mehr los, seit sie aus der Stadt zurück war und ihre Mutter zum ersten Mal richtig erkannt hatte und wußte, wie es wirklich um sie stand. Jetzt begriff Marie: Ihre Mutter hatte schon steife Knochen, schon Knoten an den Händen und das stumme, harte Gesicht der fast bis zu Ende abgenutzten Arbeiterin. Sechzehn Stunden täglicher Arbeit, wie Männer sie tun. Fast bis zu Ende abgenutzt, obwohl nicht älter als die Mutter Mingos in ihrer schönen Vorratskammer!

Von weitem sah sie Frau Lehning tief gebückt auf dem Felde. Im Stall hockte ihr Bruder Kasper bei einem großen Haufen hölzerner Pantinen, die er selbst gemacht hatte.

»Jetzt sind es genug«, erklärte er. »Jetzt kann ich damit auf die Dörfer gehn und handeln.« Ohne seine Schwester anzusehen, brachte er vor, was er sich zurechtgelegt hatte.

»Wenn du mitkämst, Marie! Den Sommer über ist es schön umherzuziehen. Die Bauern lassen uns im Heu schlafen, zu essen geben sie uns auch, und was wir verkaufen, ist verdient. Du kriegst die Hälfte vom Geld – aber ich trage die Pantinen allein«, setzte er hinzu. Er entschloß sich, sie anzublicken. Er hatte eine hohe Schulter von der Haltung beim Schnitzen, das er immer schon trieb. Seine Arme waren zu lang, und sein Gesicht erinnerte an einen Raben.

»Die Leute kaufen leichter, wenn sie eine nette Deern sehn«, gestand er.

Sie lachte. »Das muß ich mir erst beschlafen.« Hierauf wurde sie sehr ernst. Er wartete.

»Es wird wohl seine Richtigkeit haben. Wir wollen zusammen auf die Dörfer gehn, Kasper.«

Die Geschwister machten sich unverzüglich auf den Weg. In den nächsten Dörfern, wo man sie noch kannte, setzten sie auch schon Ware ab. Später sollte es anders kommen, aber das sahen sie nicht voraus und freuten sich. Sie aßen mit guten Freunden, und da sie nicht müde waren, trabten sie trotz einbrechender Nacht immer weiter. Ein Gendarm hielt sie an; sie hatten keine Papiere, da nahm er sie beide mit und schloß sie in seine Wachtstube ein. Am Morgen ließ er sie ziehen, ohne sonst etwas zu verlangen. Sie vergewisserten sich, daß niemand sie sah, und machten, daß sie fortkamen.

Sie meinten, daß dies die Gefahren der Wanderschaft seien, und nach einer Weile lachten sie darüber. Sie waren guter Laune, schlenderten von Hof zu Hof und boten Pantinen an, als ob es etwas Komisches wäre. Damit zerstreuten sie manches Mißtrauen, trotzdem ließ der Absatz nach, hier, wo sie fremd waren. Die Bäuerinnen und die Mägde kauften niemals; Kasper war ein zu häßlicher Junge, und nach Marie sahen sie ihre Männer schielen. Diese zeigten sich zugänglicher, aber man mußte sie aufsuchen, wo sie unter sich waren, im Wirtshaus. Die Schwierigkeit war, wie Marie die Bewerbungen der Kerle ablehnte und dennoch an sie etwas los wurde. Sie schlug ihrem Bruder vor: »Wir müssen sagen, daß wir verheiratet sind. Dann lassen sie mich in Ruhe.«

»Dann können wir aber auch gleich nach Hause gehen«, antwortete er. Dahinter suchte sie noch nichts.

Aber an einem heißen Junitage schlich ein Landarbeiter ihr zwischen dem hohen Getreide nach. Sie machte noch Kasper auf ihn aufmerksam. Als ihr Bruder schwieg, suchte sie ihn, er war fort. Sie setzte ihre Last ab; denn auf die Dauer hatte sie mittragen müssen; und sie erwartete ihren Verfolger. Er hatte ein stummes, verwildertes Gesicht. Marie sah, daß mit guten Worten nichts mehr zu machen war. Sie stieß ihm sofort die Faust unter das Kinn. Er fiel hin, umfaßte aber ihre Fußknöchel und riß auch sie mit. Sie wälzten einander lange über den Boden. Als er sie endlich hielt, suchte seine andere Hand nach etwas in der Tasche; inzwischen drückte sie ihm noch schnell ihr Knie in den Magen, so daß er aufschrie. Es war das Ende des Kampfes. Erschöpft saßen sie nebeneinander unter den hohen Ähren. Durch das weißgefleckte Himmelsblau strichen die Schwalben, wie vorher. Der Mensch beugte sich stöhnend über seinen Magen, dann erbrach er. Sie hatte inzwischen bemerkt, daß er ein verhungertes Gesicht hatte. Seine Gier war nicht größer als seine Schwäche, sonst hätte sie ihn nicht besiegt.

Sie nahm aus ihrem Bündel ein Stück Wurst. »Schneide dir selbst ab!« Da suchte er, wie vorher, in der Tasche und holte das Messer, schon aufgeklappt, hervor. Einen Augenblick wollte Marie aufspringen und flüchten. Dann blieb sie sitzen, ob aus Vorsicht oder aus Mitleid. Während er kaute und schlang, erzählte sie ihm, daß auch ihre Mutter eine Landarbeiterin sei und wie ihr Vater damals vom Hochwasser geholt worden sei. Endlich aß er langsamer, und auf einmal berichtete er selbst, es hörte sich ähnlich und verwandt an. Er brach mitten im Wort ab, weil er sich bewußt wurde, was er grade tat: Er klappte das Messer zusammen. Sie erkannte seine Bestürzung, wollte aber nichts gesehen haben; sie erhob sich einfach. Er half ihr, die Last aufzunehmen. Als sie ihre Richtung einschlug, hatte er sich nach der entgegengesetzten Seite gewendet, und beide bewegten sich fort, ohne einander gegrüßt zu haben. Sie hatten die Begegnung hinter sich.

Ihren Bruder Kasper fand sie erst an der Landstraße wieder, und sie sagte ihm nichts. Er fragte auch nicht. Viel später, als es dunkel wurde, versuchte er, zu erklären, wie er sie verloren habe. Im Reden gestand der Junge, er hätte das Gefühl gehabt, daß der Bauer – der Bauer selbst ihnen nachschlich. »Ich kann nicht immer aufpassen. Seit acht Tagen haben wir kein Paar verkauft.«

Marie sagte »ja«, und so wanderten sie durch die duftende Nacht, ein Gewässer entlang, worin der Mond glänzte. Zwischen zwei Büschen, die vorn noch silbern schimmerten, schloß sich jäh die Dunkelheit, wie vor einer anderen Welt. Marie gedachte der Nächte im Tagelöhnerkaten, wenn sie einst als Kind davon geträumt hatte, so davonzulaufen von der See fort in das tiefe Land hinein. Hier war es nun, mitsamt Menschen und was sie zu bieten hatten – aber sie fühlte wohl, das meiste war immer noch geheim. Plötzlich sagte sie: »Märchen, wie in der Schule, kann jeder machen. Wenn nun diese Pantine ein Auto wird, und wir setzen uns hinein und fahren über den Bach, die Brücke baut sich von selbst –«

Sie brach ab, denn ihr Bruder weinte, wenigstens glaubte sie es im Dunkeln seiner Haltung anzusehn; die Töne verschluckte er. Er weinte hoffentlich nicht, weil er ein schlechtes Gewissen hatte, sondern nur aus Entmutigung und Müdigkeit.

Beide hielten richtig bis zum Ende des Sommers aus, wie sie es sich vorgenommen hatten. Das Geschäft war uneinträglich gewesen, weil man von dem Vorrat an Ware zu zweien die ganze Zeit knapp leben konnte. Wären sie nach vier Wochen umgekehrt, hätten sie Geld mitgebracht, aber sie wollten sich nicht auslachen lassen. In Warmsdorf erfuhr Marie, daß Fräulein Raspe sie schon erwartete.

Ihre Arbeit in Lübeck begann wie voriges Jahr, nur daß sie diesmal auch zuschneiden durfte. Sie hatte ungewöhnliche Begabung gezeigt, wie das Fräulein zugab – Eifer und Fleiß tun es aber auf die Dauer gleichfalls, so erklärte sie den anderen Mädchen. Marie lächelte vor sich hin, nicht wegen der Belehrungen des Fräuleins, sondern weil sie am Sonntag wieder mit Mingo ausgehen sollte.

Er erlernte in Lübeck die Tischlerei, sie sahen einander jeden Sonntag. Vater Merten zahlte dem Besitzer der Werkstatt noch Lehrgeld, anstatt daß der Junge Lohn bezogen hätte, dafür durfte er kommen und gehen, wie er wollte. »Ich bin nicht verrückt, daß ich ihnen umsonst alle Arbeit mache. Papa richtet mir sowieso zu Hause das Geschäft ein, und Aufträge für Tischler gibt es auf dem Lande immer.«

Er drängte, daß sie sogar in der Woche einen freien Tag nähme. Dazu bewegte er sie nicht, aber am ersten Sonntag, der eine helle Herbstsonne brachte, mietete er einen Wagen und führte ihn selbst, denn das konnte Mingo. Er trug einen Raglan und ein zartes blaues Seidenhemd. Er war besorgt, ob Marie lieber ein gelbes an ihm gesehen hätte. Sie aber sah, daß er schön war – das blonde Haar, blonder als ihres, fest um den Kopf gelegt, vorspringender Hinterkopf, wie bei ihr, das Gesicht länglich, wie sie selbst es hatte. Seine Augen standen etwas schräg, das war bei ihr anders, und die Brauen berührten fast einander; er brauchte sie nur wenig zusammenzuziehen, und dann erschien er ihr männlich. Außerdem und vor allem: er war Mingo. »Du weißt, daß ich dich liebe«, sagte sie einfach.

Ebenso selbstverständlich hielt er in dem nächsten größeren Ort vor dem Gasthaus an und nahm ein Zimmer.

»Warst du hier schon mal?« fragte er, während sie hinaufgingen. Er wollte in seiner Erregung nur etwas sagen.

»Ja, natürlich«, antwortete sie. Es war nicht wahr, aber wenigstens hiermit verteidigte sich ihre Scham – dann keinen Augenblick mehr.

Nachher mußte sie ihn trösten, nicht er sie. Er weinte, statt ihrer. Seine Liebesbeteuerungen schwammen in Tränen, während sie verstummt und glücklich war.

»Ich bin doch treu wie Gold«, versicherte er. Sie aber hielt sein Gesicht in ihren Händen und dachte: Wenn es nicht wahr ist, soll es nichts machen. Er soll nicht Schuld haben! Sie führte sein Gesicht ganz langsam dem ihren zu. Jetzt unterschied sie noch die dunklen Wimpern, die gesenkt waren, und jetzt nicht mehr, da schloß auch sie die Augen.

Eine Stunde lang glaubten beide, daß sie das Zimmer nie wieder verlassen würden, oder wenigstens hofften sie es und teilten es einander mit. Wenn es erlaubt gewesen wäre, immer so glücklich zu bleiben! Er schwor: ja, und erdrückte sie in seinen Armen, die heute wunderbar stark geworden schienen. Trotzdem war er der erste, der vom Essen sprach. Sofort gestand Marie, daß auch sie Hunger habe.

Im Gastzimmer hielten sie einander umgefaßt, sobald sie grade nicht Nahrung zum Mund führten. Immerfort suchten die Lippen den anderen, seinen Hals, seine Schläfenhaare, sein einziges Gesicht, das nie auf Erden noch einmal vorkam! Die anderen Gäste achteten auf sie nicht viel, so außerordentlich Marie und Mingo sich fühlten. Sie waren für die älteren Leute wieder ein paar dieser zu jungen Liebesleute, höchstens sechzehn und achtzehn Jahre, wie früher keine geduldet worden waren in voller Öffentlichkeit. Jetzt nahm das alles seinen Gang.

Er zahlte, und sie gingen mit Würde hinaus wie die Großen. Er öffnete ihr den Schlag, stieg selbst von der anderen Seite ein und wußte, während er abfuhr, daß es sich gut ausnahm und daß keine Bewegung sonst so glatt und leicht herauskam. Inzwischen dachte Marie an die Ermahnungen und Ratschläge, die sie schon längst hätte aussprechen wollen. Heute waren sie nur berechtigter und dringender geworden. Er solle vorsichtig mit dem Geld sein, solle mehr arbeiten und endlich bei der Stange bleiben! Sie meinte aber, das sei zu vernünftig, im Grunde vernünftiger als sie selbst, sie dürfe es vielleicht nicht sagen. Jedenfalls verschob sie es auf den Abend. Da saßen sie indes im Kino und nachher in der Bar. Marie fühlte sich die ganze Zeit heimlich beklommen von ihrem verhaltenen Ernst; aber sie und Mingo versäumten keinen Tanz, und beim Tanzen erinnerten sie einander flüsternd an die Augenblicke dieses Tages.

Hinter der Tür des Hauses, in dem Fräulein Raspe wohnte, war es dunkel, und aus den Liebkosungen heraus fragte er plötzlich: »Bleibst du mir treu?«

Sie sah sein Gesicht nicht, sonst hätte er dies auch nicht gefragt; nur in seiner Stimme verrieten sich Sorge und Angst. Sie küßte ihn viermal, das hieß: Ich bleibe dir treu; und er verstand es. Beim Hinaufgehen, als sie allein war, dachte sie: Aber du mir nicht!

In ihrem Zimmer machte sie nicht Licht, entkleidete sich und blieb noch auf dem Bett sitzen, obwohl es kalt war. Sie dachte: Jetzt bin ich jung, jetzt ist es schön. Denn sie ahnte, daß das Glück und das Unglück von ihr selbst abhingen. Endlich legte sie sich hin und seufzte tief auf vor Glauben und Zuversicht. Sie wußte gar nicht, wie sehr sie auf Mingo vertraute.

Er blieb auch weiter der beste Junge, er liebte, sah hübsch aus und verschwendete nicht, außer für seine Kleidung. Sie nahm keine teuren Geschenke an, obwohl er sich in Briefen an seine Mutter eigens Geld erbettelte. Aber das war ihre einzige, stumme Ermahnung, zu sparen für die gemeinsame Zukunft. Auch erreichte er niemals, daß sie in der Woche das Geschäft versäumte. Sie war eine gute und zuverlässige Arbeiterin, Fräulein Raspe bestätigte es, obwohl Marie jetzt am Sonnabend und Sonntag den Jungen habe. So näherte sich der Frühling, und wie viele herrliche Pläne für die wärmere Zeit hatten Mingo und Marie! Da kam ein Schreiben des Gemeindevorstehers in Warmsdorf, daß Frau Elisabeth Lehning einen Schlaganfall erlitten habe und im dortigen Krankenhaus liege. Marie als Tochter, die Arbeit habe, werde angehalten, für ihre kleinen Geschwister zu sorgen. Angesichts der allgemeinen Lage müsse die Gemeinde dies ablehnen.

Marie besprach sich mit Fräulein Raspe, die gutwillig war. Aber grade zum Sommer konnte sie unmöglich anfangen, Marie zu bezahlen wie eine erste Kraft, obwohl sie gern bestätigte, dies sei Marie. Sie möge doch lieber auf dem Lande zusehen und im Herbst wiederkommen. Marie wußte: Es gibt mehr erste Kräfte, es gibt so furchtbar viele Kräfte, und hier war ich gut, solange ich fast nichts bekam! Mingo brachte sie zum Bahnhof. Er fragte nicht viel, was sie zu tun gedenke. Er versprach: »Nächsten Monat komm ich auch!« Das schien ihm für alles zu genügen.

Marie auf ihrer Fahrt zwischen den Leuten der dritten Klasse wußte genau, wie es kommen mußte. Die drei Kleinen, die noch auf dem Bauernhof saßen, sollten dort bleiben, dort war es am billigsten und nahrhaftesten. Das ging nur, wenn auch Marie beim Bauern wohnte. Sie hatte für die Verpflegung ihrer Geschwister aufzukommen, und das konnte sie nicht mit Schneiderei. Was gab es während des Sommers in Warmsdorf zu tun, und dort nähten schon mehrere! Nein, sie mußte für ihre Mutter einspringen und dieselbe Arbeit verrichten, mit der ihre Mutter die Kinder ernährt hatte. Es gab keinen Ausweg, sie mußte.

Sie dachte beschwörend: Damit bin ich noch nicht, was Mama war! Das hat nur seine Zeit, und höchstens sechs

Monate, dann kommt es auch mal anders! Dabei strich sie mit der Hand über ihr seidenes Kleid. In dem seidenen Kleid besuchte sie auch noch ihre Mutter, die gelähmt dalag und sie nur ansah mit stummen, harten Augen. Statt ihrer sagte der Arzt: »Das ist die Quittung für ein arbeitsreiches Leben.«

Er machte mit der Hand eine Bewegung – weiter als er wußte und wollte, sie reichte über die Krankenbetten hinweg, sie führte hinaus und von abgenutzten Frauen zu denen, die vielleicht besser abschlossen. Die hatten begriffen, daß das weibliche Geschlecht sich bezahlt machen kann und allenfalls das Leben sichert, ohne daß die Frau sich verunstaltet durch Arbeit, sich abstumpft durch immerwährende Ermüdungen, bis sie ganz vergessen hat, was sie einst war, und endlich stillsteht wie eine zersprungene Maschine – als hätte sie nie geliebt, nie Kinder geboren –, kein Menschenrest ist übrig, nur die dauernd unbrauchbaren Trümmer eines Dinges.

Die Tochter setzte an, um den Doktor zu fragen, ob ihre Mutter noch mal aufkommen werde. Aber sie ließ es. Die arbeitet nicht wieder, dachte sie und ging hin, um auf dieselbe Art das Essen zu verdienen – den Sommer über, länger nicht! Mehr ließ sie sich bestimmt nicht gefallen! Dafür bin ich nicht auf der Welt. Das ist schon zu lange her, daß ich wie die Leute hier war. Mit den Pantinen über die Dörfer war schließlich ein Spaß. Diesen Sommer vertreibe ich mir mit Kartoffelpflanzen!

Denn damit fing es an – und war gar nicht schwer, so antwortete Marie den Arbeitern und Tagelöhnerinnen, die nur darauf warteten, sie auszulachen. Nein, lieber lachte sie selbst. Löcher in die Erde machen sollte eine Arbeit sein? Das konnte jeder. »In der Stadt lernt man Sachen, die sind schwerer!« Am Abend aber hatte sie sich viele hundert Male gebückt und kam kaum noch hoch. Gleichviel, sie zeigte es nicht.

Im Mai während der Heumahd meldete sich jemand aus Warmsdorf mit Grüßen von Mingo. Er war zu Hause und erwartete sie am Sonntag zum Tanz. Nach so langer Zeit zog sie sich wieder an und legte Teint auf, sie hatte schon bald eine Farbe wie die wirklichen Landarbeiterinnen! Das Lastauto, das sie mitgenommen hätte, fuhr am Sonntag nicht, sie mußte gehen. Es war warm nach dem Mittagessen, Marie wunderte sich, welche Mühe ihr der Weg machte. Erst nach einer Stunde fiel ihr ein, es könnte von der Arbeit aller dieser Wochen sein. Das wollte sie nicht! Sie schlief doch jede Ermüdung aus und war wie vorher! Sie war doch jung! Um so mehr tanzte sie, und wirklich, das spürte man gar nicht. Sie lag im Arme Mingos, wie es früher war, und während er sie langsam umherdrehte, flüsterten sie dasselbe wie immer. Nichts war dazwischengekommen – immer gleicher Blick in dies Gesicht, immer gleiches Gefühl an dieser Brust. »Du bist wieder noch hübscher geworden.« – »Du aber auch.«

»Ich war dir auch treu«, sagte der Junge. Sie rühmte sich ihrer Treue nicht erst, und er sah keinen Grund, zu fragen. Dagegen meldete er: »Meine Mutter glaubt mir jetzt auch, daß wir verlobt sind.«

»Was sagt sie dazu?«

»Gar nichts. Die hilft mir schon.«

Fliederduft und Sterne, und ihr Mingo begleitete Marie zurück über die Felder. Sie bewegten sich, die Schläfen gegeneinander geneigt, die Hüften wie zusammengewachsen, und immer langsamer. Bald fielen sie ins Heu. Marie erwachte, als der Morgen graute, sie fand sich noch immer an derselben Stelle, wohin sie mit Mingo gefallen war – aber allein. Sie schämte sich ihrer übergroßen Ermüdung, unter seinen Küssen war sie eingeschlafen! Als er sie nicht aufrütteln konnte, hatte er sich natürlich nach seinem Bett gesehnt und war gegangen. »Meine Schuld, aber es soll nicht wieder vorkommen.«

Den nächsten Sonntag blieb sie lieber auf dem Hof und beschäftigte sich mit ihren kleinen Geschwistern. Bis Mittag hielt sie dies für das Vernünftigste, und bis drei Uhr versuchte sie immer noch zu glauben, daß Mingo gar nicht erst das Tanzlokal betreten werde, weil sie nicht da war. Um halb vier überlegte sie, was gefährlicher sei, ihn allein zu lassen oder noch ermüdeter als das erste Mal hinzulaufen durch den Staub. Um vier wußte sie, daß sie das Falsche gewählt hatte. Sie fand weder Ruhe noch Entschluß, wollte sich umkleiden, ohne sicher zu wissen, ob sie aufbrechen werde – da fuhr ein Mietsauto in den Hof, und Mingo schwang sich vom Führersitz.

Er bemerkte nicht einmal, daß sie Arbeitskleidung trug; er zog sie sofort bis hinter den Stall. »Ich war wie verrückt«, sagte er. »Ich hab überall nur deine Augen gesehn!«

Sie seufzte: »Was ist an ihnen Besonderes!« Aber sie sah ihn an und kannte ihre Macht.

Er blieb bei ihr bis in den späten Abend. Sie vermied es, den Leuten zu begegnen, er war zu gut angezogen. Sooft sie sich hinsetzten, legte er seinen Trenchcoat unter, der durfte Flecken bekommen. Obwohl ein Gewitter heraufzog, fuhr sie ein Stück mit ihm, damit das Zusammensein auch noch diese Minuten dauerte. Beim Abschied versprach er: »Nächstes Mal hole ich dich mit dem Wagen ab.«

Darauf wartete sie am folgenden Sonntag vergebens. Sie hatte sich schöngemacht und saß jetzt auf ihrem Bett, in dem Winkel des ehemaligen Stalles, hinter dem baumwollenen Tuch, das sie als Vorhang aufgespannt hatte. Draußen spielten und schrien die Kinder. Die Leute lärmten im Wirtshaus, auch das war zu hören über die weite Stille der Felder hinweg. Mingo segelte vielleicht mit Badegästen. Den Verdienst durfte er nicht verlieren. Nein! Geld bekam er leichter von seiner Mutter. Wenn aber sein großer Bruder ihn zwang? Nein! Mingo ließ sich nichts gefallen. Er tat nur, was ihm grade paßte, und darum vergaß er heute Marie, sosehr sie einander liebhatten. Er war flüchtig, sollte es immer bleiben, und auf ihn zu bauen für alle Zukunft wäre unvernünftig.

Am Montag aber kam sein Brief; er hatte wirklich gesegelt und sich beim Abspringen vom Boot den Fuß verstaucht. Sie möge ihn doch bald, bald besuchen. Das tat sie schon am Mittwoch, sie hielt es nicht länger aus, heimlich lief sie von der Arbeit weg. Sie dachte ihn zu Hause zu finden, er bewegte sich aber schon wieder am Strande, wenn er auch leicht hinkte. Er kannte mehrere Jungen, die Badegäste waren, aber weniger danach aussahen als er. Marie erinnerte sich erst jetzt, daß sie in ihrem alten Kleid herbeigeeilt war, ihm dagegen machte es nichts aus. »Das ist meine Braut«, sagte er zu den anderen Herren. Die geplante Kartenpartie im Strandpavillon wurde darum nicht aufgegeben. Marie saß dabei, sie wurde immer müder, bis sogar Mingo es bemerkte.

»Komm nach Hause, Marie! Mama gibt dir ein Zimmer.«

»Ja, das wohl.«

»Aber?«

Sie dachte: Dann ist seine Mutter sich darüber klar, daß wir niemals heiraten werden.

Daher machte sie auch noch den Rückweg zu Fuß, und er ließ sie gehen, ihr Widerstand hatte ihn verstimmt.

Natürlich versöhnten sie sich, er holte sie mit dem Wagen ab, sie aber zeigte ihm, daß sie die Nacht durchtanzen konnte und dennoch am Morgen zur Arbeit zurückkehrte, als hätte sie ausgeschlafen. Immer ging es zwar nicht, und wie Marie sich sträuben mochte, sie fühlte Abstand entstehen, je mehr der Sommer vorrückte, zwischen ihr, die Essen beschaffte, und ihm, der am Strand lungerte. »Bist du eigentlich nur noch Badegast?« fragte sie einmal. Darauf hielt er eine ganze Rede.

»Nun sagst du das auch schon! Damit liegen sie mir

doch zu Hause genug in den Ohren! Warum ich nichts tue! Ich tue nichts, weil mein Meister mich den Sommer über fortgeschickt hat. Es gibt keine Arbeit. Jawohl, ich bin arbeitslos. Abgebaut bin ich, grade wie du!«

Marie dachte: Ich arbeite doch! Aber da es ihm nicht einfiel, schwieg auch sie darüber. Mingo entrüstete sich.

»Immer wollen meine Leute, daß ich mit ihnen zum Fischen fahre. Und meine Hände? Ich hab nun doch mal ein Handwerk gelernt, Feinarbeit in der Tischlerei – soll ich mir mit dem Fischen die Hände verderben? Das wollen sie nicht einsehen, nur Mama, die hält zu mir. Sie meinen nicht mal das Geld, das ich verdienen soll, mein großer Bruder kann bloß nicht leiden, daß jemand in der Woche seidene Hemden trägt. Was will er, von ihm verlang ich doch nichts. Ich bin sogar auf das Arbeitsamt gegangen nach Travemünde und hab mich arbeitslos gemeldet!«

»Ach! Haben sie dir etwas gegeben?«

»Bis jetzt noch nicht. Erst haben sie mich gefragt, wo ich wohne. Bei meinen Eltern. Was mein Vater verdient. Ich sage: eine Menge, mit der Fischerei, den Dampfern und so! Wieviel Taschengeld ich kriege. Ich sage: Es geht. Ob wir auch ein Auto haben. Nein. Dann werden wir Ihnen eins verschaffen, sagt der Mann. Hat er mich nun verkohlen wollen? Ich bin doch bloß der Ordnung wegen hingegangen!«

So war Mingo. Er schloß seine Rede mit voller Überzeugung. »Ich freue mich gradezu, daß ich jetzt bald wieder in die Stadt komme und arbeiten kann. Dann muß ich die guten Lehren nicht mehr hören. Dann kommt meine süße Marie auch wieder mit, und dann ist es so schön, wie es war!«

Er hielt den Arm um sie, er war groß und breit, seine langsame Stimme klang ernst und zuverlässig, ja, eine Träne der Rührung lief über sein Jungengesicht.

»Ich komme auch mit!« wiederholte Marie, ohne die Träne, aber entschlossen.

Der Sommer war noch kaum zu Ende, da packte sie schon ihre guten Kleider ein, bat den Bauern, die Kleinen dort zu behalten, sie werde für sie zahlen, und fuhr nach Lübeck. Fräulein Raspe empfing sie mit sonderbaren Blicken.

»Ich dachte, du heiratest jetzt endlich, Marie.«

»Ja«, sagte Marie. »Aber bis er seine Tischlerei hat, muß ich meine drei Geschwister ernähren.«

»Das auch noch? So viele können von meinem Geschäft nicht leben, Marie, die Zeiten werden immer schlechter. Wenn du allein wärst und nur wenig Bargeld brauchtest –« Fräulein Raspe unterbrach sich. »Was hast denn du für Hände?«

In ihrer Verwirrung hatte Marie ihre weißen Zwirnhandschuhe abgezogen, und die waren eigens bestimmt gewesen, ihre zerarbeiteten Hände zu verdecken. Man mußte sie doch nicht gleich beim Antritt zeigen! Als Fräulein Raspe sie aber bemerkt hatte, bekam ihr Gesicht etwas Verschlossenes; Marie sah sofort, daß es jetzt für das Fräulein nichts mehr zu überlegen gab. Hier war es aus.

Beim Abschied sagte die Schneiderin: »Von mir gehst du natürlich zu den anderen. Behalte nur überall deine Handschuhe an! Es kommt immer noch früh genug heraus, daß deine Hände schwer geworden sind. Außerdem haben die anderen auch nicht genug Geld für euch vier. Warum willst du nicht auf dem Lande bleiben? Die Arbeit ist doch gesünder. Ich konnte mir dieses Jahr keine Sommerfrische leisten!«

Marie versuchte es weiter, aber die anderen Schneiderinnen standen meistens noch schlechter und boten ihr noch weniger. Den Bauern hätte sie davon nicht bezahlen können, sie hätte für alle vier ein Zimmer in der Stadt nehmen müssen. Wie sollte sie dann aber ihre Geschwister pflegen und beaufsichtigen. In der Mittagspause, die je nach der Arbeit kürzer, länger oder nur grade ausreichend zum Essen war? Sie kämpfte darum, hier zu bleiben, bis ihr Geld grade noch für die Karte nach Warmsdorf reichte. Sie kaufte aber noch keine, sondern gab die Schlafstelle auf, die eine arme Frau ihr vermietet hatte, hungerte den ganzen Tag und verbrachte die Nacht in den Anlagen.

Während der wenigen Augenblicke, die sie einnickte, hoffte sie auf Mingo. Er begegnete ihr in einer Straße, die Vorübergehenden hatten weiße Bärte, traurige Gesichter, Mingo aber lachte unbesorgt, reichte ihr die Hand, und sie waren angelangt. Erwacht, dachte Marie nach, wo sie wohl angelangt gewesen waren? Mingo wußte gar nicht, wo sie umherging und was ihr hier zustieß. Er war keiner, der danach fragte – oder der sie suchte und fand, sogar an dieser dunklen Stelle der öffentlichen Anlagen, des Nachts. Auf ihn hoffte Marie nur im Traum.

Sie ging in den Bahnhof, um sich zu waschen. Durch das Fenster konnte sie einen Zug ankommen sehen, und was ihr auffiel, ein Mädchen lief ihm entgegen. Es winkte nicht, auch von den Leuten, die in den Fenstern lehnten, grüßte keiner von weitem. Es sah einzig der Lokomotive entgegen, lief mit unsicheren Füßen auf der äußersten Kante des Bahnsteiges, und ihr Gesicht war voll schmerzlichen Mißtrauens, als fände sie die heranbrausende Lokomotive noch nicht schnell genug. Schon hatte aber die große Maschine das Mädchen überholt, enttäuscht blieb es stehen, sein Kleid flog auf von dem Wind, den der fahrende Zug machte.

Marie begriff, was jenes Mädchen gewollt hatte. Das hat sie nötig? Das wäre doch ein Verbrechen gewesen! Wegen der Arbeit, des Essens tut sie das? Oder wegen eines Jungen, oder weil sie noch eine Zeitlang Geduld haben muß? Nein! entschied Marie, jetzt steig ich in diesen selben Zug. Wir werden schon sehen. Ich komme wieder!

Der Bauer empfing sie: wäre sie noch länger fortgeblieben, hätte er die Kinder der Gemeinde geschickt. »Ich tue sowieso nur meine Menschenpflicht, wenn ich euch alle den Winter durchfüttere. Außerdem geh mal nach Brodten. Aus dem Krankenhaus haben sie deine Mutter entlassen, weil sie wieder ein bißchen kriechen kann. Jetzt ist sie in Brodten im Armenhaus.«

Am nächsten Sonntag besuchte Marie ihre Mutter. Statt des harten Gesichtes, das sie kannte, fand sie ein geängstigtes. Auch sprach Frau Lehning mehr als früher, obwohl sie darin behindert und nicht mehr ganz zu verstehen war. Aber sie mußte sich über die Kost beklagen. Nur darauf kam sie unaufhörlich zurück, sie fürchtete zu verhungern! Die Tochter sah sie essen und wunderte sich; es war mehr, als Elisabeth Lehning in ihrem ganzen Leben gehabt hatte. Einst hatte sie alle Nahrung, die aufzufinden war, ihren vielen Kindern überlassen. Auch was sie unter der Schürze mitbrachte bei ihrer Heimkehr von der Feldarbeit, mußte sie sogleich verteilen an alle die Hungrigen, die in dem Katen große Augen machten.

Jetzt erst, da sie alt war und nicht mehr arbeitete, erinnerte sie sich ihres eigenen Hungers und wollte zum Schluß alles nachessen, was sie sich vorher entzogen hatte. Kein anderer Gedanke beschäftigte ihren geschwächten Kopf, davon sah sie geängstigt aus. Sie hielt die Tochter am Kleid fest und jammerte nach Essen. Marie versprach, es ihr zu bringen, und sie ging, von Schrecken gepackt.

Auf ihrem nächsten Weg nach Brodten hatte sie die Manteltaschen voll von Eiern und Butter. Den Schinken, den sie zum Frühstücksbrot hätte essen dürfen, sparte sie auf und nahm ihn mit, Eier und Butter waren unerlaubt, aber sie kamen ihr von selbst unter die Hand, denn Marie kochte jetzt auch. Die andere Arbeit reichte im Winter nicht aus. Der Bauer vertraute ihr seine Vorräte an; schon nach zwei Wochen ließ sie eine ganze Mettwurst mitgehn,

Frau Lehning hatte danach geweint wie ein Kind. Es dauerte auch nicht lange, bis an ihrer rechten Hand, die sie zuerst noch unter dem Mantel versteckte, eine Gans hing. Etwas mehr Zeit brauchte sie, um sich daran zu gewöhnen, daß alle, die ihr begegneten, die Gans oder die Speckseite offen neben ihr schaukeln sahen.

Endlich hatte sie vergessen, daß es auffallen konnte und daß es verboten war. Sie behielt, als der Winter halb vergangen war, nichts mehr übrig von der Menschenfurcht, die man in der Stadt erlernte, und von dem Gesetz, nicht zu essen, wenn man nichts besaß. Ein grader Weg führte von der Vorratskammer des Bauern zu dem Armenhaus in Brodten, das war die richtige Bahn für Marie, denn es war die natürliche. Sie hatte eine Mutter, eine alte Landarbeiterin, die nach ihren lebenslangen Entbehrungen um eine Wurst weinte wie ein Kind. Die mußte essen, und auch die drei Kleinen im Stall mußten essen – sonst hätte Marie lieber in der Stadt ein sitzendes Leben geführt, ihre Finger, die um die Hälfte schmäler wären, strichen über weiche Stoffe und schon am Sonnabend nach Geschäftsschluß ginge sie selbst in Seide!

Sie bekam wieder ein einfaches Gesicht, ohne Erwartung, ohne Eile. Im vorigen Jahr hatte sie sich immer auf etwas gefreut, vor etwas gefürchtet – die Wege zu den Kundinnen, die Kleider, die sie sich selbst machte, und alles, alles, was auf sie eindrang mit Mingo. Sie dachte daran wenig und unbestimmt, weil ihre gröberen Sorgen, die so nahe lagen, jenen Abend in der Tanzbar und diese von Küssen erstickte Stunde weit zurückdrängten. Sie las einen Brief von Mingo, ja, dann bekam das andere Leben wieder Blut, sie glaubte nochmals daran und lächelte für Augenblicke mit einem hier unbekannten Gesicht.

Mingo fragte, was sie so lange dort mache, er verstehe sie nicht mehr. Er war ihr treu, wie er schrieb. Jedenfalls hatte er nichts vergessen, das bewies die Mühe, die er sich mit dem Brief gab; und keine andere ersetzte Marie, das begriff sie. Gern hätte sie es ihm gesagt, aber schon die Finger, mit denen sie schreiben wollte, verboten ihr, in Worten seine Stirn und seinen Körper zu liebkosen; denn die Finger selbst waren dafür verdorben. Statt dessen schickte sie ihm Karten – nicht mit der Gegend oder dem Hof, sondern mit einer Rose, einem schönen Mädchen.

Nur zweimal schrieb er im ganzen, aber dann verlor sie für Wochen ihre gedankenlose Ruhe. Ihr fiel ein, daß sie einst hergekommen war – schon gleich ein Jahr, und damals hatte sie sich beinahe als Gast angesehen. Sie wußte, es gab Werkstudentinnen, die vorübergehend auf den Feldern halfen. Alles andere, nur nicht Landarbeiterin! Das war ihr fester Vorsatz gewesen. Genauso wollte aber früher ihre Mutter, die doch alle Härten der Armut und selbst ihre Schrecken gekannt hatte – eins wollte sie nicht, gegen eins kämpfte sie an: das Armenhaus in Brodten, und grade dort mußte sie landen. Marie dachte eine Woche lang: Es hat nichts geholfen. Ich bin nun doch Landarbeiterin! Dann erstarb langsam der Schrecken. Marie bekam wieder ganz und gar das Gesicht, das sie nur hier hatte, es ging bis zur Einfalt und das langsame Sprechen bis zum Dösen.

Der Bauer sah sie einige Male merkwürdig an. Anfangs fürchtete sie: wegen der Gänse und des Specks. Später bemerkte sie, daß es zusammenfiel mit den Briefen von Mingo. Das erste Mal bemerkte der Bauer nur, daß sie nachher anders wurde. Beim zweiten rief er sie schon in ungehaltenem Ton, um ihr den Brief zu geben. Er ließ die Wirkung vorübergehen, dann wollte er ihr etwas mitteilen, sie waren im Haus grade allein; er verschob es aber. Der Bauer war grau und knochig, ein fünfzigjähriger Witwer ohne Kinder, der nie die Zähne auseinander- und die Pfeife selten herausnahm. Als er Marie das zweite Mal so nachdrücklich beobachtete, wußte sie, was er sich überlegte.

Eines Abends, die wenigen Leute hatten die Stube schon verlassen, räumte Marie langsamer auf als gewöhnlich. Der Bauer begann endlich: »De Stall is upp de Läng man keen Hüsung.«

Sie meinte, es müsse dabei bleiben. Im Hause war nur die eine Schlafstube. Ja, erwiderte er nach einer Weile, und dann das Zimmer mit den Schränken. Darin war das Leinen, und auch noch die Sachen der Frau lagen dort. Die könnten heraus, erklärte er, und die Betten der drei Kinder könnten hinein. Auf die Art erfuhr sie, wo ihr eigenes stehen sollte: neben seinem.

Ihre Antwort blieb aus, endlich fragte er nach ihrem Bruder Kasper. Nein, gestand sie, von Kasper hörte sie nichts. Sie wußte ebensowenig, wo ihre Schwester Antje hingekommen war und wer von den Ihren noch lebte. Sie mußte allein für die Hiergebliebenen aufkommen, die Gemeinde verlangte es, und wenn sie fortgehen wollte, wohin dann? Sie sagte es gelassen, er konnte weder einen Wunsch noch eine Zusage heraushören. Er horchte und gab sich Mühe, genau zu verstehen. Er war schwerhörig, sie mußte laut sprechen. Trotzdem gab er ihr die Hand, als wäre die Sache in Ordnung, und sie nahm sie auch. Gleich darauf wurde sie blaß und trat von ihm weg. Was sie jetzt sagte, kam viel schneller, sie sprach auch leiser, ohne an sein Gebrechen zu denken. Er verstand sie nicht, aber sein Gesicht wurde ungehalten, wie bei der Ankunft des zweiten Briefes von Mingo. Darauf sahen sie einander nicht mehr an, bis Marie die Stube verließ. Bevor sie die Tür schloß, rief der Bauer ihr nach: »Du kannst es dir überlegen, Marie!«

Es wurde April, das Düngen und Graben hatte begonnen. An einem Sonntag gegen Abend kehrte sie von Brodten zurück, da sprang hinter einem Knick ein Mann hervor. Sie blieb stehen und hielt ihre Fäuste bereit, er kam aber munter auf sie zu und zog den Hut. Marie bemerkte, daß alle seine Bewegungen schnell waren, den Sprung aus dem Busch hatte er auch nur auf seine natürliche Art gemacht. Dazu stimmte, daß er zwar abgerissen, aber städtisch gekleidet war. Die Lackschuhe glänzten sogar noch, obwohl Erde daran klebte.

Wo hatte Marie dieses überhebliche Lächeln schon einmal gesehen? Es mußte sehr lange her sein. Überheblich, hinterhältig, und doch nur ein blasser, armseliger Junge, der bettelte.

»Hätten Sie nicht zufällig irgend etwas zu essen bei sich, Fräulein?« fragte er leichthin, als wäre es Nebensache. Als sie aber nichts hatte, verzerrte sich sein Mund.

»Das sagen mir nun die vollgefressenen Landbewohner seit vier Wochen. Dabei soll man bestehen!«

Sie wollte weitergehen, erstarrte aber, denn er hatte gesagt oder wenigstens hatte sie gehört: »Sie sind doch Marie Lehning.«

Sie wartete, ob er es wirklich gewesen war, und richtig wiederholte er: »Natürlich bist du Marie!«

»Dann bist du Kurt«, stellte sie fest.

»Noch immer Kurt Meier«, gab er zu und griff nach ihrer Hand, die er schüttelte. »Zehn Jahre, und jetzt sehen wir uns doch noch wieder! Du mußt mittlerweile achtzehn sein, denn wir sind siebzehn, ich meine uns Zwillinge, meine Schwester und mich. Wir waren ein Jahr hinter dir, Marie. Nun sprich auch mal ein paar passende Worte!«

Sie ließ ihn wohl allein reden, aber vieles bewegte sie. Beim Anblick des wiedergefundenen Kurt stand sie auf einmal unter dem schönsten Sommerhimmel ihrer Kindheit, sie lief im weichen Seewind über den Strand mit einem Jungen, einem Mädchen, und zu ihr stieß Mingo, ihr Freund. Jetzt? Jetzt hatte Mingo sie verlassen, so sah sie plötzlich – dieser aber war wieder da. Ihr Vater war inzwischen von der See geholt, Frieda von der Bosheit der

Menschen, und wo blieben Antje, Kasper und die anderen? In Brodten saß ihre Mutter, und einsam über die dunkelnden Felder ging Marie, heute wie immer, und nie kam einer ihr entgegen. Da sprang Kurt aus dem Knick und war wieder da. Dies bewegte sie, und als sie es ganz begriffen hatte, erwiderte sie sein Händeschütteln. Er bemerkte: »Na, das hat ein Weilchen gedauert. Dafür ist es goldecht, wie, Marie? Ich freue mich aber auch ehrlich, glaube es mir!« Hierbei verlor er den letzten Rest seiner Überheblichkeit. Er lächelte nicht mehr, als machte er sich einen Witz mit seinem eigenen traurigen Zustand ebenso wie mit Marie. In dem Augenblick erkannte sie ihn kaum wieder, daher wurde sie befangen.

»Ihnen geht es wohl schlecht?« fragte sie.

»Ihnen?« wiederholte er. »Du kannst ruhig du sagen. Erstens bin ich der altbewährte Kurt Meier, und Geld? Geld scheinen wir beide nicht zu haben.«

»Wie ist das bei dir gekommen?«

»Wollen wir uns hinsetzen?« Er suchte nach einer möglichst sauberen Stelle. »Ich habe nur den einen Anzug mit«, erklärte er.

»Du wanderst schon vier Wochen?«

»Nein, wieso?«

Er hatte seine eigene Angabe vergessen.

»Ich habe mich herumgetrieben, allerdings, es war nötig.«

Seinem Gesicht sah sie an, daß bei ihm wirklich alles in schlimmster Unordnung war – nichts einfach und gleich zu erzählen, weder die Sachen, aus denen er kam, noch, was ihm bevorstand. Sie legte die Hand auf seine Schulter, um ihn zu beruhigen. Langsam sagte sie: »Du kannst Arbeit bekommen, Kurt. Noch hat der Bauer die Leute nicht alle aufgenommen.«

»Mich wird er behalten?« fragte er ungläubig.

»Wenn ich ihm zurede.«

»Ach, dann!« Er betrachtete sie von oben bis unten, sie wurde rot dabei. Sie wäre aufgestanden und hätte ihn dagelassen, aber war er nicht hilflos? Sie stellte nur fest, daß er schon wieder ein unverschämtes Lächeln zeigte.

»So warst du schon mit neun Jahren«, sagte sie.

»Und ich habe noch dazugelernt«, meinte er. »Obwohl du es mir längst ansehen könntest, daß ich dich die ganze Zeit bewundere, Marie, jetzt mußt du es erfahren. Du hast dich über Erwarten entwickelt.«

»Dummer Junge! Bei den Lehningschen Mädchen ist das immer so.«

»Was dieser Typ überhaupt nur liefern kann –«

Er betrachtete sie nochmals, es bedeutete: das hast du. »Was macht Mingo?« fragte er und schlug sich vor die Stirn. Sie wich aus.

»Und die Berliner Mädchen sind anders? Du kommst doch aus Berlin?«

»Ja, ja.« Er stand auf und nahm sofort den schnellsten Schritt an, Marie hatte Mühe, ihn einzuhalten, gesprochen wurde nicht. Vor dem Hof blieben sie stehen, beide gleichzeitig.

»Ich möchte nicht stören«, sagte Kurt.

»Warte mal solange hier draußen!« Marie trat ein.

»Da ist ein Arbeiter«, berichtete sie dem Bauern.

»Hat er Papiere?«

»Ich kenne ihn auch so. Schon sehr lange, da waren wir beide klein. Die Leute waren einmal Badegäste.«

»Ach so. Das kann ich dann wohl nicht brauchen.«

»Der ist ein fixer Junge. Er arbeitet, ich passe auf ihn auf. Sie dürfen es ruhig versuchen.«

Der Bauer kratzte sich den Kopf, er wurde mißtrauischer, je mehr Marie sprach.

»Soll er hereinkommen?« fragte sie. Er antwortete nicht, er ging selbst hinaus. Beim Anblick Kurts bemerkte er: »Na ja.« Er ließ sich Zeit mit der Abschätzung der blassen, windigen Gestalt, schließlich verweilte er bei den Lackschuhen.

»So was will jetzt auch arbeiten! Du machst doch nach zwei Stunden schlapp!«

Kurt entgegnete mit seinem frechsten Gesicht: »Ihr Urteil ist abwegig, mein Herr. Wie Sie mich hier sehen, habe ich mal einen Jungen aus dieser Gegend verprügelt, das hätten Sie auch nicht geglaubt. Marie kann es bezeugen. Mingo hieß er, wie, Marie?«

Hierauf blickten Marie und der Bauer einander ratlos an. Zuletzt kam der Bauer zu einem vorläufigen Entschluß: »Laß ihn bei den Knechten in der Scheune schlafen!« Damit begnügte Marie sich. Kurt sagte sogar: »Heißen Dank!« Alles, was sie ihm zu essen brachte, verschlang er, und er schlief schon längst, als die Knechte ins Heu krochen.

Der Bauer tat am Morgen, als hätte er den Vorfall vergessen. Mittags aber fand Marie auf dem Tisch eine offene Karte von Mingo, er zeigte an, daß er bald aus der Stadt zurückkehre. Er habe ausgelernt, »jetzt kommt die Überraschung«. Hierauf folgte nichts mehr, sooft Marie auch die Karte umwendete. Unvermutet sah sie auf und ertappte den Bauern: der hatte schon vorher gelesen, was Mingo ihr schrieb! So wütend sah er aus!

Beim Essen sprach er kein Wort; erst als sie hinausging, knurrte er: »Dein Freund ist wohl nur fürs Fressen hier. Auf dem Feld habe ich ihn noch nicht gesehn.«

Marie holte sofort Kurt.

»Du bist eingestellt.«

Sie ließ ihn einen Kartoffelacker umgraben. Nach zwei Stunden sah der Bauer nach, was der Neue gemacht hatte. Natürlich merkte er, daß dies nicht die Arbeit des Jungen war. Marie hatte für zwei gegraben. Merkwürdig, der Bauer sagte nichts. Die andern Tagelöhner und die Frauen kamen neugierig näher, aber ihnen erklärte Kurt, was sie sich einbildeten, wirkliche Arbeit sei das bißchen Buddeln noch lange nicht. Er suchte sich den Schwerfälligsten aus und stellte ihm ein Bein, das konnte er so gut wie als kleiner Junge. Als der Lulatsch lag, hatte Kurt für den Augenblick bei allen gewonnen. Der Kerl wollte ihm dann zwar zu Leibe, aber der behende Kurt war nicht zu fassen.

»So hilft man sich, wo es eigentlich für nichts langt«, gestand Kurt; er war mit Marie wieder allein. Sie fragte: »Darum erzählst du wohl auch, daß du damals Mingo verprügelt hast?«

»Hab ich das nicht?« Genau wußte er nicht mehr, daß er log. Marie aber dachte: Geholfen hat es ihm. Der Bauer behält ihn nur wegen Mingo!

Sie duldete nicht, daß er Pausen machte; trotzdem konnte er auch während der körperlichen Anstrengung nicht schweigen.

»Du kennst ihn doch immer noch? Wo ist er?«

»Wer?« fragte sie, und er lachte. Unvermittelt begann er von sich selbst. Sie würde staunen, wenn er ihr anvertraute, was er schon alles mitgemacht habe! Sie meinte, ärger als im Kino könne es auch nicht sein – und grade die Bemerkung brachte ihn erst auf manches, das zu sagen war.

»Vor allem bin ich gar nicht so arm, wie ich dir jetzt vorkomme. Meine Schwester ist sogar glänzend verheiratet.«

»Das ist nur gut.« Der Ton Maries war trocken. Je länger ihr Wiedersehen mit Kurt dauerte, um so deutlicher erinnerte sie sich, daß seine Zwillingsschwester Vicki ein ausgesprochen boshaftes Kind gewesen war.

»Wie ist es überhaupt gekommen, daß ihr verarmt seid?« fragte sie. »Haben eure Eltern kein Auto mehr?«

Er lachte stumm, dabei erkannte sie seinen sonderbar verkrümmten Mund wieder.

»Vielleicht doch« – er richtete sich von der Erde auf, die

er umgrub. »Vielleicht haben sie sogar zwei – jeder eines für sich, und keiner sagt es dem andern. Sie sind nämlich beide ausgerückt – der alte Herr hat zuerst den Laden zugemacht, die alte Dame bog sich einen Freund bei.«

Er stand da, blaß, in nachlässiger Haltung, mit seinem verrenkten Mund, und arbeitete nicht. Aber Marie berief ihn nicht. Sie dachte: Das sind die glücklichen, reichen Kinder gewesen, die Badegäste in dem schönen Sommer! Was ist nun besser, Mama in Brodten oder Eltern wie seine?

Kurt beantwortete, was sie nicht fragte: »Unser Reichtum damals, das war die Inflation, da war es kein Kunststück. Ich bewundere meinen Alten eher dafür, daß er sich nachher noch fünf oder sechs Jahre gehalten hat. Die ganze Scheinkonjunktur hat er noch mitgenommen, dann war allerdings endlich Schluß, und er verschwand. Mama war so nett, uns ihrer Schwester zu empfehlen, bevor sie sich umstellte. Tante ist auch wirklich mit Vicki auf den Presseball gegangen.«

Jetzt erwärmte Kurt sich; vor Begeisterung schleuderte er die Hand in die Luft. Den Spaten, den sie hielt, hatte er vergessen, der fiel um.

»Vicki war die Schönste! Acht Tage lang war sie die Frau, von der man spricht, und in dieser Woche ist denn auch ein großer Syndikus auf sie hereingefallen – Bäuerlein, Rechtsanwalt Ignaz Bäuerlein, katholisch. Den Namen kennst du aus der Zeitung, kennt ihn jeder. Vor vier Wochen hat er sie geheiratet – genau an dem Tage, als ich unaufschiebbar verreisen mußte. So was ärgert einen«, knurrte er, hob sein Gerät auf und ging von selbst wieder ans Graben.

»Verirren sich hierher manchmal Fremde?« fragte er plötzlich. Marie dachte nach – nicht nur über seine Frage, sondern darüber, daß er nicht gesehen werden wollte, nachdem er gegen seinen Willen Berlin verlassen hatte. Sie suchte übrigens vergeblich den Zusammenhang zu ergründen. Sie fühlte nur, daß einer bestehen mußte; ihr sagte es das Mißtrauen, das Kurt ihr plötzlich einflößte. Als ob er es wüßte, verlegte er sich auf einen ganz leichten Ton.

»Meine eigenen Abenteuer sind nicht wichtig. Als Junge von heute ist man sowieso auf manches gefaßt. Ich mußte natürlich vom Pennal fort, Verkaufmich werden und so. Wer was erleben will und kein Geld hat, lernt auch mal Unterwelt kennen, nicht so schlimm.«

Bei dem allen beobachtete er Marie – erstens, wieviel sie verstand, und dann, was er ihrer Leichtgläubigkeit zumuten konnte.

»Unterwelt – das hat sich hier auch schon herumgesprochen?«

»Ja. Im Kino.«

»Kino ist gar nichts«, behauptete er. »Mich haben die Jungens vergasen wollen. Jawohl, das gibt es. Ich wußte was von ihnen, und den einen hatte ich großartig verprügelt. Eines Abends komme ich nichtsahnend nach Hause, schon durch die Tür riecht es komisch –«

»Streng dich mal etwas mehr an, ja? Ich muß nachher alles noch einmal machen!« Jetzt wußte sie wenigstens, daß er log, denn er wollte schon wieder einen anderen verprügelt haben.

Er bestand nicht darauf, weiter zu reden. »Wenn du es nicht hören willst, es sind auch Sachen, die nicht mal mehr die Polizei interessieren, so gewöhnlich sind sie.«

Marie dachte: Polizei? Und plötzlich verreisen mußte er am Hochzeitstag seiner Schwester?

Ach was, der Prahlhans! Der dumme Junge!

An diesem ersten Abend in der Gesindestube freuten alle sich darauf, daß der Berliner nach der ungewohnten Arbeit sich nicht mehr werde auf den Füßen halten können. Er kam auch nicht auf den Füßen herein – auf den Händen kam er! Das hatte der Junge sich ausgedacht, um die Landbewohner gleich in der ersten Runde zu schlagen. Keiner konnte es ihm nachmachen. Dafür wollten sie nach dem Essen sofort in das Heu klettern. Der Junge rief hell: »Geschieht das auf Wunsch der Damen? Oder hat es noch ein Weilchen Zeit, meine Damen?« Dabei zog er auch schon ein Spiel Karten hervor und begann, Kunststücke zu zeigen. Sie vergaßen beinahe ihre Müdigkeit. Hierauf versuchte er ihnen ein Spiel zu erklären. Als keiner begriff, sagte er: »Leicht ist es nicht, aber der Aufgewecktestе von euch hat es schon heraus, ich sehe es ihm an.« Er winkte dem armen plumpen Kerl, dem er heute ein Bein gestellt hatte. Es half nichts, der mußte mit ihm spielen, und Kurt brachte es fertig, daß der Knecht gewann.

»Wenn Hannes das kann«, raunten die andern. Kurt erklärte sich bereit, auch mit ihnen zu spielen, nur Geld habe er keins. Von seinem ersten Lohn zahle er alles. Wirklich schuldete er zuletzt jedem etwas. Dies blieb nicht ganz so. An den folgenden Abenden verlor auch einmal einer seiner Partner, aber nie lange, und Kurt ließ sich den Gewinn von einem anderen wieder abnehmen – bis er am Abend, als der Bauer die Löhne gezahlt hatte, allen ohne Unterschied einen Teil ihrer Habe entzog. Er ging darin nicht zu weit; Marie, die anfing, ihn zu kennen, bewunderte besonders dies. Sie erzählte es dem Bauern, sie rühmte den Jungen in jeder Hinsicht, seine Überlegenheit wie seine Vorsicht.

Der Bauer verfinsterte sich, aber so war es ihr recht. Er hatte noch immer »Grappen im Kopf«, das merkte Marie, grade wenn er sich unbemerkt glaubte; und die wollte sie ihm austreiben. Mingo oder nicht Mingo – seit der Rückkehr ihres Spielgefährten Kurt wußte sie wieder, wie jung sie war und daß auch ihre verlorenen Hoffnungen noch nicht weit sein konnten, die fanden unfehlbar zu ihr zurück! Einen alten Mann heiraten? Sie lachte, während der Bauer dabeistand!

Er ließ sich den Berliner hereinkommen und klopfte selbst mit ihm Karten. Es mußte beide befriedigen, denn sie wiederholten es. Durch die Tür hörte Marie, daß sie sich laut unterhielten. Bei ihrem Eintritt schwiegen sie.

Aber Kurt sprach zum ersten Mal mit Marie von Mingo.

»Warum sagst du mir denn nicht, daß du mit ihm verlobt bist?«

»Weil es nicht wahr ist!« Sie wunderte sich gleich darauf selbst. »Oder wenn wir es wären, geht es keinen etwas an. Wir können auch jeder tun, was wir wollen.«

»Das ist vernünftig, Marie. Du denkst dir natürlich, daß er davon Gebrauch macht. Solange wie der Junge fortbleibt! Es wird bald sogar warm in Warmsdorf. Ein Muster von Zuverlässigkeit soll er auch sonst nicht sein – erst Fischer, dann Tischler, und was kommt jetzt?«

»Was kommt bei dir? Laß ihn mal erst hiersein, dann kannst du ihn wieder verprügeln!«

Sie ging in den Stall, wo noch immer ihr Bett stand. Es war Sonntag, aber sie hatte ihre kleinen Geschwister mit den Nahrungsmitteln nach Brodten geschickt. Die Leute saßen im Wirtshaus. Marie war weit und breit allein. Plötzlich riß eine Hand den Vorhang weg, Kurt sagte zitternd und bebend, aber mit seinem wilden Gesicht: »Na, Marie?«

»Was willst du?«

»Was denn wohl? Wir sind immer zusammen, das übrige ergibt sich doch von selbst.«

Er hatte sich schon über sie geworfen, er küßte und biß. Sie war im Grunde vorbereitet, sonst wäre sie mit ihm nicht fertig geworden – weniger als einst mit dem Landarbeiter, der verhungert war und dem sie Wurst für Liebe geben konnte. Kurt wollte im Ernst, was er wollte. Er hatte seinen verkrümmten Mund, und in seinen schmalen, langen Augenspalten funkelte es böse; sie kannte es vom

Strande her, als der Neunjährige sie umstieß. Erst allmählich merkte sie, daß sie auch den letzten Rest ihrer Kraft aufbieten mußte gegen diesen toll gewordenen Wurm. Zuletzt stemmte sie ihn, auf dem Bett liegend, mit beiden gestreckten Armen empor, er schwebte, zappelte, konnte nichts machen. Aber in diesem Zustand der Ohnmacht erreichte sein über ihr hängendes Gesicht, das vollkommen weiß war, einen Ausdruck von Haß – ihr verschlug es den Atem. Vor Schrecken öffnete sie die zusammengebissenen Zähne, schon spuckte der Junge ihr in den Mund.

Sie schleuderte ihn fort, in diesem Augenblick vermochte sie es. Er fiel hart zu Boden, sprang sofort wieder auf und nahm nochmals einen Anlauf. Da hatte sie aber vom Nagel ein Seil gerissen und schlug ihm ins Gesicht, bis er nichts mehr sah. Mit Schlägen trieb sie ihn hinaus.

Nachdem ihr Keuchen sich gelegt hatte, horchte sie, was er machte. Er schluchzte. Sie sah ihn durch den Türspalt, er war nicht weit gekommen, hatte sich lang auf die Erde geworfen und weinte in seine Hände mit Tönen, als wäre es um ihn geschehn.

Marie ertrug dies nicht; sie lief fort in die Felder hinein und weinte selbst.

Am Abend flüsterte er ihr zu: »Ewige Braut!« Sie sah sich um, ob jemand es gehört hatte. Er flüsterte noch schärfer: »Nett war es heute doch!« Höhnisch, bös, aber wie ein krankes Kind. Und jetzt haben wir Heimlichkeiten! dachte Marie.

Drittes Kapitel

Sie pflanzten dieser Tage zusammen Kartoffeln. Marie hackte das Loch, Kurt warf in jedes zwei Stück. Ihr Gesicht war, da sie gebückt ihre kurzen Schritte machte, dem Erdboden näher als seins. Als sie plötzlich einen Fremden dort hinten stehen sah, wunderte sie sich gleich, daß Kurt ihr nichts gesagt hatte. Der Fremde war doch ihret- und seinetwegen da, das merkte sie sofort. Er stand in einem Acker, er mußte sogar über einen Graben gesprungen sein, jetzt aber bewegte er sich nicht, beobachtete nur – und das Beobachten hieß nicht blicken, es hieß dasein. Beinahe keine Augen unter dem runden Hut, nur breite Züge, aber die schwere Gestalt in dem schwarzen Mantel, den der Wind nicht bewegen konnte, war da und hätte am liebsten den ganzen Himmel verstellt.

Da konnte sie nicht mehr. Marie war kein Kind wie einst, als sie Boldts Haus hatte anzünden wollen – auf dem Strand, über den sie flüchtete, erwartete damals derselbe Fremde sie wie ein Stein; eine rächende Gewalt hatte ihn hinversetzt, und sie mußte, mußte vorbei an ihm! So war es diesmal nicht. Marie wischte mit dem Handrücken die feuchte Stirn ab, und unter der Hand hervor erkannte sie ihn noch deutlicher im klaren grauen Licht. Natürlich, das war er, er war auch nur ein Mensch; kein geröteter Morgenhimmel und auch ihre kindliche Unschuld nicht vergrößerten ihn oder machten ihn furchtbar.

Sie sagte ruhig: »Sieh mal den! Was will er?«

Kurt stellte sich, als arbeitete er, war aber nur darum besorgt, den Fremden immer im Rücken zu behalten.

»Hab doch keine Angst!« sagte Marie, noch in der Erinnerung an ihre erste Begegnung mit dem Fremden.

»Wovor denn?« fragte er und wendete sich endlich hin. Hierauf verstummte er, warf den Sack mit den Kartoffeln weg und machte einen Schritt und noch einen gegen den Fremden. Er wollte es keineswegs, Marie bemerkte es wohl. Er versuchte bis zuletzt, zu tun, als müßte es nicht sein. Jetzt war er dennoch angelangt bei dem Mann, und der rührte sich sogar, er rückte an seinem Hutrand – nicht um Kurt zu begrüßen, vielmehr, um ihn bequemer zu mustern von dem nackten Hals bis zu den verklebten Lackschuhen.

»Hier bist du also untergetaucht«, sagte der Mann mit durchaus gewöhnlicher Stimme, vielleicht lag sie nur zu hoch für seine Schulterbreite.

»Rückwanderung aufs Land, Herr Kirsch«, entgegnete Kurt. »Die wird uns Jungen empfohlen.«

»Na ja, du bist erst siebzehn. Das richtige Landleben für dich wäre die Fürsorge.«

»Sie wissen doch, daß wir da bloß weiter verdorben werden. Lassen Sie mich ruhig hier! Ich garantiere für mich, außerdem können Sie mir nichts beweisen. Nicht viel, wollte ich sagen... Ich hatte den Ganoven bloß den Tip gegeben – in aller Unschuld, ich ahnte überhaupt nicht, was sie wollten, ich bin ein Jugendlicher.«

»Aber was für einer!« Kurt atmete hörbar auf, weil der Mann sprach. Solange hatte Kurt jedesmal, wenn er den Mund halten wollte, noch etwas zugegeben – gehorcht hatte er dem zwingenden Schweigen des Mannes.

»Hör zu, mein Junge!«

»Ja«, sagte Kurt eifrig.

»Die Sore ist wiedergefunden.«

»Ich weiß gar nicht, was Sore ist«, behauptete Kurt und riß die Augen auf, um den Mann fest anzusehn. Der bekümmerte sich darum nicht.

»Frau Fuchs hat alles durch uns zurückbekommen. Sie kann sich bedanken, aber sie schimpft noch. Ihr fehlt der große blaue Stein. Wo hast du ihn?« Die Frage schoß er ab, ohne vorhergegangene Pause. Kurt erschrak denn auch.

»Herr Kirsch! Ich schwöre Ihnen, ich weiß von keinem blauen Stein. Adele lügt. Ich wollte sagen: Frau Fuchs lügt. Sie hat mich nie gemocht. Ich habe Feinde. In meinem Zimmer wollten sie mich vergasen, Herr Kirsch!«

»Du brauchst Fürsorgeerziehung mit Arzt im Hause«, sagte der Mann um so ruhiger, je mehr Kurt sich aufregte. »Nein, Frau Fuchs hat nicht gegen dich ausgesagt. Als von dir die Rede war, behauptete sie plötzlich, daß sie nie einen großen blauen Stein besessen hat, wir müßten sie mißverstanden haben.«

»Sehen Sie, so ist sie!« rief Kurt. »Unzuverlässige Angaben macht sie!«

»Dann kennst du den Stein? Deine Freundin Adele will dich bloß decken?«

»Wieso Freundin?« rief Kurt wütend und mit Seitenblick nach Marie, ob sie zuhörte. »Eine alte Frau? Und lügt auch noch? Nur weil ich jung bin und die ekelhaften Sachen, die sie von mir verlangt, nicht tätigen will?«

»Was regst du dich auf, mein Sohn? Du warst in ihrer Tanzbar wie das Kind vom Haus, das wissen wir. Dir hat sie auch anvertraut, wo sie ihren Schmuck versteckte.«

»Nicht im Harem!«

»Nein, in ihrem Lokal natürlich nicht. Aber du hast in ihrer Wohnung mit ihr zusammen gelebt – sooft ihr Mann verreist war.«

»Das ist nicht wahr! Ich habe höchstens mal meinen Mantel dort hängen lassen.«

»Und deinen Pyjama. Warum bist du so aufgebracht gegen die Frau? Sie deckt dich doch. Wahrscheinlich wartet sie, daß du wiederkommst.«

»Die kann warten!«

»Aber von dem großen blauen Stein wissen wir nicht bloß durch Adele. Die ganze Bande gibt zu, daß er dabei war.«

»Sie haben sie alle gekriegt?« Der Mann mußte es ihm von den Lippen lesen, Kurt hatte keinen Ton mehr. Von jetzt an wurde der Mann furchtbarer, er wuchs, er breitete sich drohend aus, indessen der schmale Junge sich zusammenzog und versinken wollte.

»Alle. Wir haben auch den Jungen, der so gut stottern kann, wenn er zu viel gefragt wird.«

»Der ist mein Feind! Der Hinze hat mich vergasen wollen!« flüsterte Kurt.

»Aber verraten hat er dich nicht. Keiner von der Bande weiß, wo der blaue Stein hingekommen ist – Hinze auch nicht... Das wundert dich selbst, wie? Erst geben sie zu, daß der Stein bei der Sore war, dann soll er plötzlich verschwunden sein, und vorher hattest du doch gestanden, daß du ihnen den Einbruch ausbaldowert hast. Wie erklärst du dir das?«

Kurt fand keinen Ton, er fand auch keine Worte mehr.

»Dann will ich es dir erklären. Die Jungens lassen absichtlich den Stein, wo er ist, und sitzen ohne dich ihre Strafe ab, macht sowieso bloß ein Jahr, denn der Schmuck ist wieder da, die Diebe sind arme Jungen, und für Adele tut das Gericht nicht gern etwas. Aber sie schweigen bloß, damit sie dich in der Hand behalten. Nach einem Jahr kommen sie heraus, und ihr erster Weg ist zu dir, und du mußt ihnen wieder irgendwo den Weg frei machen, vielleicht bei deinem Schwager, Rechtsanwalt Bäuerlein.«

»Nicht noch einmal!« Kurt hatte einen Ton gefunden, schrill wie nie.

»Sie haben dich in der Hand. Oder sie glauben es wenigstens. Laß nur, ich will nicht wissen, wo der Stein ist. Die Verhandlung ist gewesen, nächste Woche haben wir das Urteil, und du wirst überhaupt nicht vorgeladen – schon, weil wir dich nicht hatten, du warst ausgerückt, dein Schwager hat uns nicht gesagt, wohin. Dabei laß es nun aber auch!«

»Ja, Herr Kirsch!«

»Bleib gefälligst hier und rühr dich nicht!«

»Ja, Herr Kirsch!«

»Dir bekommt Berlin nicht. Dauert keine fünf Minuten, und wir haben dich wieder auf dem Hals.«

»Ja, Herr Kirsch!«

»Hier kannst du so breite Schultern kriegen wie ich.«

»Und dann bin ich auch sonst so wie Sie – als Fachmann, Parteimitglied und Charakter.«

Der Mann hielt es für unnötig, den törichten Hohn des Jungen zu beachten. Er überblickte sowohl ihn wie den Acker, auf dem sie standen, und auch drüben das Mädchen.

»Sie heißt Marie«, erklärte Kurt.

»Entschieden besser als Adele.«

Damit drehte der Mann sich in seiner ganzen Masse um und ging fort. Marie hatte sein Gesicht lange und genau betrachten können. Es war hauptsächlich verdrossen. Sie wußte nicht, ob es hart war, wie einst, als sie ihn noch für einen Stein hielt. Zuweilen im Verlauf des Gespräches hatte er sichtlich nicht hart sein wollen, eher gut, und wenn nicht gut, dann freundlich und pflichterfüllt – bewußt einer freundlichen Pflicht. Vieles arbeitete sich hervor in dem Gesicht des Mannes unter einer Decke von Verdrossenheit, sogleich aber fiel diese wieder darüber. Jetzt verschwand auch die zweite der breiten Schultern hinter der Scheune.

Kurt kehrte grinsend zurück, sein bleiches Gesicht hatte einen Anflug von Röte. »Hast du das gehört?« fragte er, als wäre es ihm gleichgültig.

»Wer ist er?« fragte Marie.

»Der? Onkel Kirsch. Du hast doch gehört, er interessiert sich für mich und für meine ganze Familie, meinen Schwager Bäuerlein, meine Tante Adele.«

»Du lügst«, sagte Marie ruhig. »Dein Onkel ist er nicht. Er ist von der Polizei.«

»Wozu fragst du, wenn du es weißt.« Er verkrümmte den Mund, er warf ihr einen haßerfüllten Blick zu. »Ich muß doch lügen! Soll ich ihm erzählen, daß ich den großen blauen Stein habe? Und vielleicht habe ich ihn wirklich nicht«, setzte er schnell hinzu, aus Mißtrauen gegen Marie, wie sie wohl sah. Sie sagte mit derselben Gleichmut: »Vor mir brauchst du keine Angst zu haben. Deine Räubergeschichten habe ich mir immer alle angehört. Als ob sie einen wie dich vergasen werden! Deine Schwester soll reich sein, und dich läßt sie auf Tippeltour gehen!«

»Das verstehst du nicht! Meine Schwester hält zu mir!« Hier wurde er zum ersten Mal leidenschaftlich, Marie erkannte die Wahrheit in seinem bebenden Gesicht.

»Dann hat deine Schwester den großen blauen Stein«, stellte sie fest. Er hätte sich auf sie geworfen, seine Fäuste waren schon erhoben; aber sie zuckte die Schultern.

»Laß nur. Ich hab doch nichts dagegen! Ich kann mir denken: ihr wißt selbst nicht, wie es gekommen ist, daß ihr das alles gemacht habt.«

So war es; daher hielt er mitten in der Bewegung an, seine Arme senkten sich ganz langsam. Er dachte: So etwas gibt es? Dies Bauernmädchen will auf einmal wissen, wieviel Vicki und ich damals durchgemacht haben, die Sache mit Adele, was Vicki mir riet als letzte Rettung vor unserem Abrutsch in die Unterwelt – und richtig, als ich die Jungen zu Adele reingelassen hatte, da hab ich von meinem Anteil Vicki neu eingepuppt, und in ihrem schönen Kleid, für das ein Einbruch verübt worden war, hat sie auf dem Presseball den Syndikus Bäuerlein geschnappt. Grade konnte Vicki noch heiraten, dann flog die Sache auf, die Alte hatte Anzeige gegen mich erstattet, ich mußte fort, mein Schwager verlangte es. Wegen Vicki, alles wegen Vicki. Ein Bauernmädchen will das wissen?

Marie hatte so viel auch nicht erraten. Sie dachte nur an ihre eigenen Gänge nach Brodten – zuerst unter der Schürze wenige Eier, später neben ihrem ausschreitenden Bein hängend Gänse und Speckseiten. Sie erinnerte sich einfach nur, wie sie gestohlen hatte, ja, ihr wurde überhaupt erst recht klar, daß sie gestohlen hatte. Daher kannte sie auch den Weg des Jungen – nach Brodten oder anderswohin, ein vorgezeichneter Weg. Sie sagte: »Wir wollen weiterarbeiten.«

Sie machte Löcher mit dem Spaten, er warf in jedes zwei Kartoffeln.

Erst als es dunkel wurde und sie einander nicht mehr genau sahen, hielten sie ein und sprachen wieder.

»Jetzt kennst du mich«, sagte Kurt. Marie antwortete: »Das – ist auch nichts anderes –«

Er begriff: das, was er getan hatte. Sie ergänzte: »Als was wir sonst tun müssen.«

Er verstand sehr wohl. Arbeiten, verlassen werden, hungern und für andere sorgen, nie das Morgen kennen, am Ende sterben – und dazwischen Unrecht tun; alles müssen wir. Während sie auf den Hof zugingen, hielten sie einander bei den Händen.

Im Lichtschein der Gebäude gab er ihre Hand frei, denn jetzt wollte er wieder lügen.

»Mit der bewußten Adele habe ich nichts gehabt. Das glaubt Kirsch. Du bist nicht so dumm. Was täte ich mit einer alten Bordellwirtin, die mich noch dazu der Polizei verpfeift. Ich kann dir schwören –«

»Warum«, warf sie ein. Aber er ließ sich nicht aufhalten.

»Bei dem Leben meiner Schwester!« sagte er und erschrak selbst. Nur nicht abergläubisch! ermahnte er sich. Da sie schon das Haus betraten, flüsterte er eindringlich: »Du weißt doch, wie meine Freundin sein muß, zuerst mal gesund! Dann bin ich auch treu – treuer als dein Mingo, ein ganz fauler Junge. Er soll in Warmsdorf schon gesehen worden sein, bloß hier nicht.«

Darauf konnte sie nichts mehr erwidern, weil in der Stube die Leute zuhörten. Natürlich war kein Wort wahr!

Sie bekam auch alsbald recht, schon am Sonntag darauf erschien Mingo. Er kam zu Fuß, weil das Wetter angenehm war, stand, ohne anzuklopfen, bei Marie im Stall – die Kinder waren nach Brodten, Kurt schlief in der Scheune, und Mingo stand da. Sie küßten einander, sie sprachen nichts und holten alle Liebe nach, das war das erste. Als es Zeit war zu reden, erklärte Mingo, daß er sie nicht wieder verlasse, er bleibe hier.

»In Warmsdorf?«

»Oder Umgegend. Wo sich etwas findet.«

»Eine Tischlerei!«

»Es muß schließlich keine Tischlerei sein.«

»Du hast doch gelernt!«

»Das kann sein.«

»Mingo! Wozu lernst du etwas und läßt es dann? Zuerst warst du Fischer.«

»War ich nie.«

»Dann Tischler.«

»Auch bloß nebenbei.«

»Was bist du dann? Nur ein schöner Junge. Wenn deine Mutter dir mal nichts mehr geben kann, muß ich dich ernähren.«

»Und mir seidene Hemden kaufen.«

Sie scherzten; dennoch fühlte Marie die Hoffnungslosigkeit um sie her einen Kreis ziehen, einen immer weiteren Kreis, darin wurde sie fortgerissen, ein Wind sauste, und Mingo entschwand ihr aus den Augen. In Wirklichkeit berührte er noch immer ihre Hüfte mit der seinen. Auch er hatte übrigens seine Sorgen und Vorwürfe gleich mitgebracht.

»Wo ist denn der fremde Junge? Tu nicht so, du weißt schon.«

»Natürlich. Das ist doch Kurt, mit dem wir am Strand gespielt haben vor zehn Jahren.«

Mingo schlug sich auf den Schenkel. »Badegast Meier!« rief er. »Weiter ist das nichts? Mir haben sie unten zackige Sachen erzählt von euch beiden. Na, mit Meiers bin ich damals fertig geworden. Der ist keine Gefahr für mich bei meiner –« Er stockte, ihm war etwas eingefallen, und es erschütterte ihn.

»Sieh mal das!« Er holte einen geschlossenen Brief hervor.

»Es steht kein Name darauf.«

»Das ist es grade. Jetzt verstehe ich alles. Der Brief ist gestern abend von Köhns Hotel zu uns gebracht worden, ich möchte ihn hierher mitnehmen, einer der Arbeiter hier im Hof habe eine Bekannte, die wohnt dort.«

»Seine Schwester«, flüsterte Marie.

»Wer sollte auch sonst in Köhns Hotel absteigen und hier einen kennen. Das sind Meiers!« rief er erfreut. »Meiers, täuschend ähnlich!«

»Gib mir den Brief!« verlangte sie.

»Du willst ihn –?« Er bewegte verstohlen die Hand. »Marie, das können wir wohl nicht machen.«

»Du kennst die beiden nicht, wie ich sie jetzt kenne. Mit ihm ist sowieso manches los. Wenn wir noch seine Schwester zu ihm lassen, wird es ganz schlimm. Glaube mir nur! Du mußt den Brief in Köhns Hotel wieder abgeben und dem Portier sagen, daß hier niemand ist!«

»Aber mine lütte Marie!« sagte Mingo sehr zärtlich, denn sie brauchte Trost, ganz gleich, wofür. »Du bist doch niemals bange, und jetzt wegen Meiers? Wir beide sind auch tüchtig, das sollen sie merken, wenn sie gegen uns was ausbrüten. Dein Mingo – und dann die fremden Leute!« Er umschlang sie fest, und in seinem Arm führte er sie vor die Tür. Sie spürte seine Kraft, seine Weichheit und in seinen Muskeln, seiner Stimme die unwandelbare Zuverlässigkeit und Treue. In diesem Augenblick schlich aus der Scheune gähnend Kurt.

Beim Anblick des Paares grinste er, Mingo seinerseits lachte schallend. »Das ist doch Meier! Gleich wiedererkannt, Meier! Da hast du deinen Liebesbrief!«

Kurt betrachtete den Umschlag ohne Aufschrift, er steckte ihn einfach weg. Zu Mingo sagte er: »Freut mich, dich auch noch mal zu erleben. Ich fürchtete, das würde nicht mehr vorkommen, so viel Zeit hast du dir gelassen. Ich habe allerdings nicht bemerkt, daß jemand hier deshalb zugrunde gegangen wäre.«

Er nickte höhnisch, aber wohlwollend, und schlenderte weiter, die Hände in den Hosentaschen. Trotz seinem abgerissenen Arbeitsanzug hatte er den eleganten Jungen glatt zum Schweigen gebracht. Auch hielten Marie und Mingo einander nicht mehr umarmt.

Auf die Schwelle seines Hauses trat der Bauer. Mingo zog es vor, ihn zu begrüßen. Marie dachte: der auch! Sie blieb lieber zurück. Indessen kamen Mingo und der Bauer ins Gespräch; Marie konnte noch hören, daß es sich um den Wert des Hofes handelte, dann gingen sie zusammen ins Haus. Um Gottes willen, was läßt Mingo sich jetzt wieder von dem Alten für Grappen in den Kopf setzen, fragte Marie im stillen.

»Du siehst auch aus wie bestellt und nicht abgeholt«, sagte Kurt, der wieder vor ihr stand. Sie wendete sich zornig ab, er blieb aber neben ihr.

»Der Brief«, sagte er, »war von Onkel Kirsch. Er eröffnet mir, daß meine Bewährungsfrist möglichenfalls bald vorbei ist. Die anderen Jungen sitzen glücklich im Kittchen, mein Liebling Hinze hat sogar achtzehn Monate. Jetzt ist für mich keine dicke Luft mehr in Berlin, meint Kirsch.«

»Du lügst!«

»Du kannst den Brief lesen!« Er tastete sich ab, als ob er ihn suchte.

»Ich weiß schon, von wem er ist. Deine Schwester wohnt in Warmsdorf.«

»Und sie benutzt deinen Freund Mingo als Boten. Ich wollte dich nur schonen.«

»Das hast du nicht nötig. Mingo kennt sie gar nicht.«

»Das erzählt er dir?« fragte Kurt, und Marie erschrak – nur über sein Gesicht, nicht weil er ihr etwas weismachen wollte. Aber einen so vielsagenden Ausdruck kannte sie nicht auf Gesichtern, auch Kurt selbst hatte noch niemals so vollständig sichtbar gemacht, was er meinte. Dadurch aber kam merkwürdigerweise etwas wie Leben und Bewegung in seine Lügen.

»Du kannst viel erzählen«, sagte Marie, um mehr zu hören. Das war das Schreckliche: sie wollte noch mehr hören! Kurt zuckte die Schultern. Erst auf ihren dringenden Blick antwortete er widerwillig: »Meine Schwester schreibt, er läuft ihr nach.«

»Du Schuft!« rief Marie, während er bedauernd grinste.

»Ich möchte dir helfen, Marie. Ich würde mit Vicki sprechen, sie ist hochanständig. Aber ich kann unmöglich in diesem verkommenen Zustand zu ihr gehen. Was machen wir da?«

Nach kurzem Warten sagte er: »Na Wiedersehn!« Denn Mingo erschien drüben.

»Die Sache würde klappen«, berichtete Mingo ihr. »Der Bauer verkauft den Hof, er ist überschuldet, ich hatte mich erkundigt. Ich schrieb dir doch, jetzt käme eine Überraschung.«

»Das ist keine mehr. Du willst wieder mal was anderes anfangen, und fertig wirst du mit nichts. Auf dich ist kein Verlaß, weil du ein Schwächling bist!«

»Mine lütte Marie!« Der große Junge jammerte. Niemals hatte er so harte Töne von ihr gehört.

»Ich bin nicht dein. Du heiratest mich nie!«

»Deswegen kaufe ich doch grade den Hof! Da bist du dann die Frau. Nur deinetwegen stelle ich mich um, Marie.«

»Nicht wegen Vicki Bäuerlein.«

»Wer ist das?« fragte er. Sie schämte sich weiterzugehn. Gegen ihren Willen sagte sie: »Ihr sollt euch schon ganz gut kennen.«

»Ach so. Meiers! Da haben wir sie wieder. Wo steckt der Junge, daß ich ihn mir mal vornehme.«

»Der ist anständiger als du!«

»So. Daher kommt es wohl, daß ich überall zu hören kriege, du sollst hier mit einem durchgegangenen Studenten flirten. Das Wort flirten haben sie von den Badegästen.«

»Mingo«, bat sie und sah ihn inständig an. »Noch weiter dürfen wir es nicht kommen lassen.«

»Meine ich auch.«

»Kurt will mit seiner Schwester sprechen.«

»Wovon denn? Ich kenne seine Schwester nicht.«

»Ich glaube es dir. Aber ich will, daß er ihr sagt, sie soll abreisen!«

»Du bist verrückt« – dies sagte er zärtlich, oder doch mit Nachsicht, ja, er legte auch wieder den Arm um sie. Nur schien er ihr nicht so stark wie vor zwei Stunden. Sie flüsterte: »Mir ist, als könnte ein furchtbares Unglück über uns kommen.«

»So eine große starke Deern!« meinte er, ohne sie zu verstehn. Indessen kamen sie überein, daß Mingo einen seiner Anzüge heraufschicken sollte, damit konnte Kurt sich dann in Warmsdorf blicken lassen.

»Das Zeug wird an ihm schlottern, und er muß die Hosen aufkrempeln.« Hierüber lachte Mingo wenigstens noch; sonst aber gelangten sie zu keiner Fröhlichkeit, sie blieben befangen bis zum Abschied.

An einem gewöhnlichen Wochentag nach der Mittagspause, alle arbeiteten, da fuhr eine Dame eigenhändig ihren offenen Rennwagen vor den Hof und verlangte Herrn Kurt Meier zu sprechen. Der Bauer nahm die Mütze ab, was niemals vorkam, und gehorsam rief er über das Kornfeld: »Herr Kurt Meier!«

Kurt erhob den Arm zum Gruß, blieb aber bei Marie.

»Komm her, Vicki!« Als sie da war, empfing er sie: »Ich mähe. Siehst du, das schneidet man ab und heißt dafür Schnitter. Später mal soll die Sache Brot ergeben, ich weiß nicht, ob auch unter dem System.«

»Ohne Halskragen und mit kaputter Hose siehst du glänzend aus. Überhaupt ist die Landwirtschaft anmutig«, bemerkte die Schwester, während Marie schon wieder mähte.

»Wenn du mich fragst, ich lege keine Wert darauf, ich könnte von amerikanischen Konserven leben«, erklärte Kurt. »Darf ich dir Marie vorstellen?«

Die Schwester tat, als zweifelte sie, welche der Arbeiterinnen gemeint sei. »Die große, dicke?« fragte sie nicht besonders leise. Marie entfernte sich Schritt für Schritt hinter ihrer Sense.

»Vicki!« sagte Kurt warnend. »Schon aus deinem Brief ging hervor, daß du eifersüchtig auf Marie bist.«

»Du schwelgtest in der Beschreibung ihrer Reize etwas mehr, als mir in deiner Lage praktisch schien. Wir haben uns wahrhaftig Dringlicheres zu sagen.«

Der Bruder faßte ihren Arm, er führte sie von den Schnittern weiter fort bis an den Rand des noch ungemähten Getreides. Es stand hoch, die Geschwister waren nicht groß genug, daß man sie jeden Augenblick sehen konnte – nur wenn der Wind die Ähren beiseite bog. Der Bruder betrachtete seine Schwester.

»Wie wundervoll gepflegt! Der künstliche braune Teint macht bedeutend mehr Eindruck als ein natürlicher. Vicki, mir wird immer klarer, was aus dir noch werden kann.«

»Mir auch«, sagte sie. Ihr Gesicht, dunkel und glatt ohne einen Fehler, die Lippen frisch geschminkt in der Modefarbe, und von der Kappe gleichmäßig umrandet diese beiden Halbmonde schwarzen Haares, die dünn ausrasierten Brauen, alles befriedigte den Bruder tief; aber er lächelte ironisch, genau wie sie. Es waren zwei Paar lange schmale Augen.

»Und was ich auch mache«, sagte die Schwester, »wir werden immer ähnlicher.«

»Ich sehne mich manchmal nach dir. Dann male ich mir die Augen und sehe im Spiegel deinen Blick.«

»Schön!« sagte sie begeistert. »Wer denkt an so etwas bei einem Landarbeiter!«

»Im Ernst, Vicki, ich habe es satt und will nach Hause.«

»Gott, wer ist zu Hause. Ich – bei Bäuerlein?«

»Die Bande sitzt, und solange sie noch sitzt, muß ich die Zeit benutzen. Wie lange hat man denn?«

»Du kannst noch nicht nach Berlin kommen. Bäuerlein will es nicht, Kirsch hat zur Bedingung gemacht, daß du hier bleibst.«

»Und dein Mann läßt sich auf Bedingungen ein? Einen Syndikus hab ich mir energischer gedacht. Kirsch will nicht fliegen, so viel weiß ich.«

»Genug, Bäuerlein ist vorsichtig. Noch gibt mein Ignaz mir kein Geld für dich, keinen Pfennig. Zur Sicherheit bekomme ich selbst nur das allernötigste Bargeld, im Hotel muß ich mit Schecks zahlen. Ich könnte dir kaum die Fahrkarte kaufen, Anzug, Hemden und eine geschmackvolle Krawatte überhaupt nicht. Deine Lackschuhe haben auch schon gelitten, wie ich feststellen muß.«

»Vicki! Wozu redest du? Ich bin Kurt, wenn du dich

bitte erinnern willst, und ich weiß, wie du aussehen mußt, damit Bäuerlein dir mit zitternder Hand die Scheine hinschiebt. Das wäre richtiggestellt. Jetzt fragt sich nur, warum du, du selbst nicht wünschst, daß ich nach Berlin komme.«

»Weil die Fuchs dich sofort wieder verhaften ließe.«

»Das ist es auch noch nicht ganz.«

»Natürlich nicht. In Wirklichkeit würde sie dir mit der Verhaftung nur drohen, wenn du nicht zu ihr zurückkehrst – und das tätest du auch! Was solltest du sonst tun. Aber ich will es nicht.«

»Arme Vicki! Immer nur Eifersucht – auf Marie, auf Adele. Meinst du, daß der Gedanke an deinen Ignaz mich kaltläßt? Wir wollen aber doch leben, und es darf nicht zu schwer sein. Dann ist es noch lange nicht leicht.«

»Bei Adele Fuchs kann es dir allerdings nicht leichtfallen.« Plötzlich bekam sie einen Ausdruck, wirksam, wie sein eigener, wenn er log. »Übrigens war sie bei mir und hat ihren Stein von mir verlangt.«

»Und du –« Kurt konnte nicht zu Ende sprechen, er war weißer im Gesicht, als seine geschminkte Schwester werden konnte.

»Ich habe sie hinausgeworfen.«

»Das hättest du nicht tun sollen. Außerdem lügst du.«

Die Schwester flüsterte, sie duckte sich dabei hinter das Getreide. »Gebe ich ihn ihr, dann sind wir alle der Alten ausgeliefert. Sie wird erpressen, sie wird –«

Auch der Bruder hatte sich gebückt, beide spähten durch die hin und her wehenden Ähren, ob sie beobachtet würden. Marie war weit entfernt, sie fing kein Wort auf, nur manchmal überraschte sie den verstohlenen Schimmer zweier Gesichter, die ineinanderflossen. Das Gespräch der beiden wurde drohender, es rückte ihr näher, obwohl sie sich versteckten; das Angstgefühl Maries verriet es ihr.

Kurt sagte: »Lassen wir Adele! Du willst, daß ich hier

bleibe? Dann hilf mir wenigstens, Marie zu bekommen!« Sie ließ ihn sich ganz erklären. »Du mußt ihren Freund Mingo verführen«, verlangte er.

Vicki lachte – nur wenig unanständig, mehr liebevoll.

»Ich sehe sie dir nach. Das Große, Dicke ist deine Schwäche.«

»Sie ist nicht dick, sie ist stark!« Das nächste sagte er ihr ins Ohr, es war der Auftritt im Stall, als Marie ihn mit hinaufgestemmten Armen über sich gehalten hatte, bis er den Weinkrampf bekam.

»Das wird sie büßen«, versicherte Vicki und schloß die Augen bis auf ein kleines, böses Funkeln.

Kurt war zufrieden. »Vergiß ihren Freund nicht! Er hat die größte Lust, sie sitzenzulassen. Jetzt gehe ich mähen.«

»Erst antworte! Liebst du sie?«

»Hüte dich lieber, Vicki, du wirst dich noch in Bäuerlein verlieben! Auch der ist groß und dick.«

Diesmal lachten beide Geschwister hell auf. Kurt kehrte zur Arbeit zurück, Vicki wartete im Schatten. Der Bauer persönlich brachte ihr Milch, und sie erzählte ihm, was für ein großer Mann ihr Gatte sei, ihr Bruder aber brauche eigentlich gar nicht zu arbeiten, er solle durch dies einfache Leben erzogen werden, übrigens stelle eine amerikanische Milliardärin ihm nach. Alles kam der Schwester Kurts leicht über die Lippen, auch sie war immerhin erst siebzehn Jahre alt. Der Bauer fühlte sich von einer zu hohen Achtung ergriffen, er wurde mißtrauisch und beschloß bei sich: Dat Söhnken smiet ick rut.

Als alle Schnitter zum Abendessen gingen, wandelte auch Kurt mit Marie herbei, und Vicki eilte ihnen entgegen.

»Das ist doch Marie! Ich habe dich richtig herausgefunden, Marie«, sagte sie überzeugend und nett. »Gib mir die Hand! Wir sind so alte Bekannte.« Sie schien nicht zu bemerken, daß sich die Hand der Arbeiterin anders anfühlte als ihre.

»Ich ziehe mir nur ein trockenes Hemd an«, sagte Kurt, obwohl er augenblicklich kein zweites besaß, und ließ Marie mit Vicki allein.

»Tut er dir nicht leid?« fragte seine Schwester. »Du bist die einzige, die ihn als Kind gekannt hat. Er ist ein armer Junge, er hat die Anlage, bös zu sein, und nur eine gesunde, starke Frau, die gut sein will, könnte ihn –«

Marie blieb sichtlich ungerührt. Vicki versuchte es anders. »Weißt du, daß Mingo mir nachläuft? Rate mir, was ich machen soll, er gefällt mir! Mit euch sei nicht mehr viel los, behauptet er. Das ist doch nur eine Falle für mich, wie? Sei offen, Marie! Du siehst, ich bin es.«

»Haben Sie den Anzug für Ihren Bruder mit?«

»Ich antworte dir erst, wenn du mich duzt.«

»Hast du den Anzug?«

»Das will ich meinen. Mingo hatte dabei die beste Gelegenheit, zu mir ins Hotel zu kommen. Ich glaube doch, ich lasse ihn abfallen. Dir ist es vielleicht lieber.«

»Dann komme ich mit Kurt nächsten Sonntag nach Warmsdorf«, sagte Marie und wollte Vicki stehenlassen. Die aber hängte sich in ihren Arm.

»Ich finde dich schön, Marie.« Das klang wirklich hübsch. Marie zögerte. »Und mir gibst du kein gutes Wort?« Marie sprach endlich: »Trotzdem denke ich öfter als du an den Sommer, als wir zusammen spielten.«

»Aber nur wegen Mingo! Stimmt's? Was wir jeder seither durchgemacht haben, Marie! Du natürlich mit Mingo – unter anderem.«

Dies »unter anderem« und die Pause davor erschien Marie abscheulich von Grund auf. Sie hielt es zugleich für leichtherzig und für unheilvoll. »Du bist klug, das muß ich sagen« – Marie äußerte es in dem freundlichen Ton, den sie von Vicki lernte. »So hübsch und vornehm, und dann bekümmerst du dich noch um meine kleinen Angelegenheiten. Nun will ich dir auch erklären, daß es mit mir und Mingo ernst ist. Es ist ernst, bis –« Sie wollte sagen: bis wir beide tot sind – brachte es aber nicht hervor, es schüttelte sie von tief innen.

Sie kämpfte ihre furchtbare Erregung nieder und schloß ganz anders. »Bis eine wie du mir erzählt, daß Mingo – Mingo mich verrät und dir sagt, mit uns sei nichts mehr los. Dann wird es komisch.«

Marie wollte lachen, aber das gelang nur Vicki, sie lachte gutmütig und frisch.

»Siehst du, Marie, jetzt verstehen wir uns. Ich habe geschwindelt, du hast es gemerkt, und jetzt freue ich mich erst recht darauf, dich mit deinem Mingo zusammen zu sehen. Ach, muß Liebe schön sein!« hauchte sie – und immer kleiner und ängstlicher: »Denn meine Ehe, o Gott, meine Ehe –!«

Marie wußte tatsächlich nicht mehr, ob hier nicht doch die Echtheit anfing. Dann wäre Vicki ganz und gar entschuldigt durch ihr Unglück? Sogleich erkannte sie aber das Gesicht des boshaften kleinen Mädchens wieder unter diesem künstlich geglätteten. Die Brauen, ausrasierte Striche, konnten natürlich nicht mehr wild und gefährlich gefaltet werden, wie einst. Aber es blieb Viktoria Meier.

Der nächste Sonntag begann schon mit der ersten Überraschung; Kurt, der am Morgen verschwunden war, fuhr nachmittags mit einem Auto vor und holte Marie ab.

»Das Kleid, Marie, hast du dir wirklich selbst gemacht? Sieht aus wie ein Modell!«

Er seinerseits hatte etwas von einem Komiker, in dem hellgrauen Anzug Mingos, der an ihm schlotterte. Aber er zeigte auch die Sicherheit eines Schauspielers, ihn störte nichts. Er machte sie auf seine alten Lackschuhe aufmerksam. »Hättest du geglaubt, Marie, daß Mingo kleinere Füße hat als ich? Seine Nummer paßt mir nicht.«

Sie wußte es. In der ausgetretenen Bekleidung wölbten sich seine Ballen wie die eines riesigen Affen. Der schmale, feine Junge war gezeichnet durch seine Füße; aber er lachte, und damit überzeugte er Marie, daß es nichts zu sagen hatte. Übrigens fuhr er den holprigen Weg mit einer Schnelligkeit, die hier noch niemand erreicht hatte; aber wohin steuerte er?

»Du fährst ja nicht zum Hotel!«

Er hielt vor dem Mertenschen Haus, Marie hatte sich noch nicht besonnen, schon erblickte sie im Garten die Gesellschaft, Vicki im Schoß der Familie, Mutter, Vater, der große Bruder – und Mingo reichte ihr Obst. Er ging Marie entgegen, unter einer tiefhängenden Baumkrone küßte er sie.

»Nun sollst du mal was sehen, mine Lütte!« raunte er wie ein Verschwörer. »Diese Meier – das ist ja eine – na, das Wort kannst du dir denken. Ich hab manches erlebt bei Weibern, aber so was! Du, heute werden Meiers abgelohnt für ihre sämtlichen Gemeinheiten!«

»Ich bitte dich um etwas, Mingo.« Marie faßte seine beiden Schultern. »Komm fort mit mir – gleich!«

»Aber Marie! Meine Leute erwarten dich. Endlich mal Familienkreis, und du in deinem guten Kleid!«

»Wegen der andern – ihretwegen sitzen alle da!«

»Und das benutzen wir, Marie! Heute abend wird unsere Verlobung öffentlich.«

Er war ehrlich wie immer, und wie noch jedesmal beging er die Dummheit, die ihnen beiden zum Verhängnis wurde. Marie begriff es, aber schon wurde gerufen nach ihnen, sie mußte mitkommen. Die erste, die sich erfreut zeigte, war Vicki! »Wenn du dir das Kleid nicht selbst gemacht hast, Marie, ist es ein Modell!«

Die männlichen Verwandten Mingos begegneten ihr wie einer Dame. Seine Mutter und Vicki gewährten ihr ungefähr den gleichen Grad einer Herzlichkeit, auf die kein Verlaß ist. Frau Merten hatte viel mit der Bewirtung ihrer Gäste zu tun, Marie half ihr. Vicki gewann inzwischen den Vater, den großen Bruder – dies über dem Tisch, aber darunter beschäftigte sie sich mit Mingo. Marie sah alles. Übrigens verständigte Mingo sie mit Blicken.

Als die Zigaretten geraucht waren, brachen die beiden jungen Paare nach dem Strand auf. Frau Merten selbst legte es ihnen nahe, sie war der Verantwortung schon müde. Marie wollte lieber nicht wissen, ob die Mutter Mingos vielleicht damit rechnete, die andere Frau könnte den Sohn ablenken von Marie und Marie werde den Kampf aufgeben. Sie lief nicht davon, das wäre zu leicht gewesen. Sie blieb an der Seite Kurts, der ihr über der See die Farben des Abends zeigte. Was für ein Abend! Vicki gelangte inzwischen mit Mingo außer Hörweite.

»Du möchtest, mein Junge«, sagte Vicki. Die Dämmerung umwebte sie, nur sie selbst gab sich schleierlos. »Das kann ich verstehen, ich möchte auch.«

»Nicht möglich!« bemerkte er und versuchte wenigstens ihre Hüfte mit der seinen zu bestreicheln.

»Deine Ironie – du Ärmster! Die ganze Zeit hast du deiner Braut Zeichen gegeben, als ob du nur Theater mit mir machtest – und du warst noch nie so scharf. Ich übrigens auch nicht.«

Hierauf antwortete er nicht, weil ihm zu schwül wurde. Sie sagte klar: »Morgen reise ich ab. Jetzt kannst du dir selbst sagen, was du zu tun hast.«

»So schnell?« fragte er erschrocken.

»Auch ein Held!« bemerkte sie.

»Wegen – Marie«, brachte er hervor.

»Das ist deine Sache. Du liebst sie, wie? Ein für alle Male, nur sie... Abgemacht, aber das geht mich nichts an. Berührt meine Interessen gar nicht.«

»Ich komme nach Berlin!« rief er kopflos.

Sie lachte hoch auf – rein förmlich, als hätte ihr Begleiter etwas zum besten gegeben und sie wäre genötigt, Beifall zu äußern. So klang es, aber Marie, die das Lachen hörte, ließ sich nicht täuschen. Sie machte schnellere Schritte – bis Kurt den Arm um sie legte und sie zwang, auf den Brettern mit ihm zu tanzen. Aus dem Strandpavillon ertönte Radiomusik. Marie dachte: Wenn ich hingelangt wäre, hätte ich das Geschöpf dann niedergeschlagen?

Vicki hatte gelacht, jetzt sagte sie: »Berlin, ausgeschlossen. Ich bin verheiratet und anständig.« Der Griff ihrer Hand um seinen Arm sagte ihm alles übrige, ihm blieb nichts zu erwidern auf ihren Griff, in diesem Fieber, diesem Schwindel, die ihn hingerissen.

Sie verschwanden im Strandpavillon, sie tauchten unter die Tanzenden, die einander unaufhörlich anstießen, betasteten, mit den Körpern übereinander hinstrichen, jedes der Paare für sich und im Gedränge gemeinsam alle Paare. Auch Marie und Kurt wurden gleich nach ihrer Ankunft ein Teil des einzigen, runden und vielgliedrigen Wesens, das den Raum füllte und ihn in langsame, fleischliche Drehung versetzte. Einmal mahlte die gesamte Bewegung diese vier, Marie-Kurt, Vicki-Mingo, zum Greifen nahe aneinander; Marie erblickte, größer als sie hätten sein dürfen – überlebensgroß erblickte sie die Gesichter Mingos und der Frau, sie waren hingegeben und verschlossen zugleich, wie begraben erschienen sie ihr.

Da ist nichts mehr zu machen – fühlte Marie. Wir werden geholt, der Damm stürzt ein, wir rutschen in den Abgrund, schon spritzt er nach uns, und donnert. So hatte sie es erfahren, als ihr Heimatkaten von der See verschlungen wurde. Damals war sie noch entkommen. Hier gab es keine Rettung, für Mingo nicht, für sie nicht; und trotz Schweigen und schläfrigem Umherdrehen geschah doch alles mit der übertriebenen Lebendigkeit der Katastrophe. Man war betäubt, man widerstand nicht der Gewalt.

Später wußte sie vieles nicht mehr. Hatten sie alle vier zusammen getrunken? Hatten sie sogar gelacht? Eine unbestimmte Zeit lang war sie vielleicht allein über den

Strand geirrt. Dann holte Kurt sie ein, sie erwehrte sich seiner, aber er wollte sie diesmal nur fortziehn. Sie sah sich dann auch unter den Fenstern von Köhns Hotel, das war nachher ihre klarste Erinnerung. Zwei Schatten glitten stumm über einen Vorhang. Da es das einstige Zimmer ihrer Schwester Antje war, glaubte sie zu verstehen, wo die beiden sich niederließen, wenn ihre Schatten einsanken und sich vermischten. Als sie aber ganz untergingen und das Zimmer leer schien, da erst drang ihr Bild auf Marie ein, so heftig, daß sie schrie. Kurt hielt ihr den Mund zu.

Er sagte, sie müsse sich erholen, und schleifte sie die Treppe des Hotels hinauf – ohne Rücksicht darauf, daß sie anstieß und auf die Knie fiel. In einem Zimmer, dessen Tür er verschlossen hatte, jammerte sie: »Du – du liebst mich nicht.« Kurt antwortete wütend: »Dumme Person! Der Junge nebenan liebt dich!« Sie biß ihn, und in der Wut vereinigten sie sich.

Sie wurde bewußtlos, und als sie ihren Geliebten wieder erblickte, lag er aufgestützt, rauchte und sagte: »Doch auch schön – obwohl meine Abenteuer gewöhnlich mehr sportlicher und wirtschaftlicher Natur sind.«

»Du liebst keine Frau?«

»Außer Vicki. Das ist ideal.«

»Und was bin ich?«

Darauf antwortete ihr nur sein sprechender Ausdruck, aber der veranlaßte sie, ihn schallend zu ohrfeigen. Kampf, neue Vereinigung, und endlich wieder das hoffnungslose, vereinsamte Sinnen Maries: über ihre erste Umarmung mit Mingo – über eine Bewegung von damals, eine einzige, von ihrem leidenden Geist immerfort zurückbeschworene –, als sie damals mit ihren Händen sein Gesicht ganz langsam dem ihren zuführte. Es kam ihr näher, jetzt unterschied sie noch die dunklen Wimpern, die gesenkt waren, jetzt nicht mehr.

»Ihr laufen wahrhaftig die Tränen herunter«, knurrte Kurt und drehte ihr die Schulter zu. Sie sprang auf den Fußboden, während er widersprach.

»Was ist los? Gib schon Ruhe! Nebenan schlafen sie.«

Marie hatte das Kleid übergezogen, sie war halb aus der Tür. Kurt streckte sich und legte sich in die Mitte, indes Marie durch die Nacht und über das Land floh.

Die ganze Erntezeit verging, ohne daß Marie und Mingo einander wiedersahen. Sie dachte: Der ist geliefert, und das verdient er auch! Der hat sich neue seidene Hemden gekauft und eine Fahrkarte nach Berlin genommen. Soll er bleiben, wo er ist! – Ja, sie brachte es fertig, daß ihre eigene Härte sie nicht schmerzte. Mehr Teilnahme forderte sie von sich für Kurt, einen armen Jungen, der niemand hatte als sie. Den schützte sie. Der Bauer wollte ihn fortschicken, aber Marie drohte, dann auch zu gehen, so durfte er bleiben.

Der Bauer nahm sich Marie vor, als er sie endlich einmal ohne Zeugen in der Stube hatte. »Du machst schöne Sachen, Marie! Von dir reden sie auf sechs Meilen in der Runde. Sie sagen: der Bauer will sie heiraten, und sie schläft mit dem Landstreicher. Aber der Bauer ist ein Rindvieh und heiratet sie doch!«

Marie lachte böse: »Sie wollten den Hof an Mingo Merten verkaufen. Dann hätten Sie fortziehen müssen. Sehen Sie, wieviel besser es jetzt für Sie ist? Man weiß nie, was kommt, das kenne ich allmählich. Mit uns beiden hat der liebe Gott vielleicht auch noch was vor.« Sie schrie, damit er alles verstand – und war dem Erschrecken nahe, als auf dem alten Gesicht eine kleine Spur von Glück erschien.

»Sag es mir man bloß gleich, wenn du den jungen Menschen satt hast!« bat der Bauer. »Dann schmeiß ich ihn raus.«

Kurt und Marie besuchten des Sonntags die ganze Umgegend, nur nicht Warmsdorf, das war schweigend verabredet. In einem Wirtshaus stand vor Marie plötzlich Mingo. Sie stellte fest, daß Kurt verschwunden war und daß die Leute alle aufgehört hatten zu sprechen.

»Tag, Marie«, sagte Mingo in die Stille hinein. »Dich muß man aber lange suchen – jeden Sonntag, überall.«

»Du hast die ganze Woche Zeit.«

»Jetzt nicht mehr. Ich lerne.«

»Du lernst schon wieder was Neues?«

»Nichts Neues, aber das Richtige. Ich fahre mit meinem Bruder zum Fischen. Bald kann ich allein in See stechen und den Kaptän machen. Ich heiße schon bei allen der Kaptän.«

»Dann adjüs, Kaptän«, sagte Marie und stand auf. Er begleitete sie aber aus dem Wirtsgarten und weiter, eine sehr trockne, unebene Straße, sie beachteten beide nicht, wohin.

»Marie!« sagte Mingo, als wollte er sie aufwecken. »Das ist doch alles gar nicht dein Ernst?«

»Freut ihr euch nicht?« fragte sie. »Deine Mutter freut sich bestimmt. Und du?«

»Marie! Glücklich kannst du nicht sein, ob du mich noch magst oder mich vergessen hast.«

»Nichts hab ich vergessen, besonders nicht die Nacht in Köhns Hotel.«

»Das war das einzige, was nicht so wichtig war.« Das klang ruhig und zuverlässig, wie der alte Mingo. Marie empörte sich laut und wirr.

»Du bist ja so schlecht! Du bist ja so schlecht!«

»Ich hab es nicht so gemeint, Marie. Es sollte nichts bedeuten für mich und dich.« Mingo wurde dringlicher, seine Sprache erfuhr eine ungewohnte Steigerung. »Ach Gott, Marie, du weißt, mit uns kann doch gar nichts anders werden.« Noch mehr: hier tat Mingo etwas, das Marie ihn niemals hatte tun gesehen, er schlug sich mit beiden Fäusten auf die Brust. »Solang ich lebe!« stöhnte er. »Und solange du lebst!«

Sie sah blendend klar: Das ist wahr, weil es aus meinem eigenen Herzen kommt und Mingo es ausspricht. Ich wollte, es wäre Kurt, dann dürfte ich ihn auslachen.

Es war Mingo, daher wendete sie sich ihm ganz zu und sagte ihm in die geliebten Augen, in den vom Schmerz geöffneten Mund: »Aber ich bin schwanger.«

Der Mund Mingos zuckte, und dann schloß er ihn. Er schloß auch die Augen, sie hatten noch Zeit gehabt, im Gesicht Maries die Schatten zu erkennen. Die Schatten unter ihren Augen verbreiteten sich über das halbe Gesicht, und es war kleiner, war viel kleiner geworden! Sie stirbt mir! dachte er, und ihm zitterten die Knie. Sie stirbt an dem Kind von dem andern!

Er sackte ab, plumpste auf den Grabenrand und versteckte sich zwischen seinen eigenen Armen. Marie stand über ihm und wartete, ob sein tief inneres Schluchzen nicht ausbräche, ihn nicht befreite und sie mit. Es geschah nicht. Sie half nach, sie streichelte seinen Kopf – wie einst, nach ihrer ersten Umarmung, als sie ihn trösten mußte für das übergroße Glück. Damals schluchzte er. Jetzt geschah es nicht.

Sie bekam Zeit, ergeben und gefühllos zu werden, so lange währte dies. Ihre Finger in seinen Haaren erschlafften und glitten ab. Sie wartete nur, daß er aufstehe. Nebeneinander, noch nebeneinander gingen sie zurück, die lange, schwere Strecke, die dennoch enden sollte, und dann war es aus, war aus!

Bevor das Wirtshaus in Sicht kam, bog Marie ohne Abschied auf das Stoppelfeld ab. Mingo rief mit erstickter Stimme: »Ich komme wieder, Marie! Ich komme wieder!«

Nur ihren Schultern, die sich beugten, konnte er anmerken, daß sie ihn verstanden hatte.

Sechs Wochen später erfuhr sie von anderen, daß er sich als Matrose eingeschifft hatte auf einem Überseedampfer.

Da war es schon wieder Herbst. Marie blieb mit Kurt

auf dem Hof zurück. Sie bediente den Bauern, und sooft sie am Abend die Stube verließ, erwartete sie voll Furcht und Schrecken ihre Entlassung, daß er ihnen beiden kündigte, ihr und Kurt. Der Bauer war nicht mehr berechtigt, nur den einen von ihnen fortzuschicken. Alle bis nach Warmsdorf hinunter kannten den Zustand Maries und wußten, wer der Vater war.

Nach wochenlangem Schweigen zeigte der Bauer eines Abends auf den Leib Maries und sprach zu laut für diese Worte, aber er war bei Ostwind noch tauber: »Du kannst sagen, daß es von mir ist!«

Im ersten Augenblick starrte sie wie auf ein Wunder, dann senkte sie den Kopf. Sie begriff, daß er dieses Mittel gefunden hatte, um sie zu behalten und ihren Geliebten zu entfernen. Sie erwiderte sehr demütig: »Es soll alles sein, wie Sie wollen. Haben Sie bloß noch Geduld! Der arme Mensch will erst das Kind noch sehen, er hat doch Angst, daß mir was zustößt.«

Nein, sie verwechselte, ohne daß es ihr ganz klar war, diesen mit einem anderen. Ein Seemann in der Ferne hatte Sorgen um sie. Er war eilig angeworben auf einem schlechten kleinen Schoner, der keine Mannschaft mehr bekam, und er wurde mit den anderen Leuten halbnackt hinaufgetrieben an Deck, das legte der Sturm senkrecht. Er war selbst in Lebensgefahr; dennoch, Mingo dachte an sie.

Kurt litt zu sehr am eigenen Leibe, seit es Winter wurde. Er konnte keinen Sinn haben weder für die Mutter noch für das Kind. Er vertrug den scharfen Ostwind nicht, er bekam Krämpfe im Bauch, lag da und krümmte sich, mit einem Gesicht wie hundert Jahre. Marie bemitleidete ihn, sie nahm den kranken Menschen oft in ihre Schlafstube, damit er Wärme bekam. Sie wohnte nun doch in dem Zimmer der verstorbenen Bäuerin. Kurt hielt sich das Herz und stöhnte: »Ich muß von hier fort.«

Davon war er besessen. »Der Anzug muß geschont werden! Hast du den Anzug weggehängt?« Er meinte den von Mingo geliehenen, das blieb seine Verbindung mit der Welt. Manchmal indessen verzweifelte er. »Ich muß sterben in dem Kaff!« Und er versuchte zu weinen. Ihr entging nicht, daß er in sein wahres Elend immer noch etwas einschmuggelte, das nicht echt war. Er seinerseits bemerkte sofort, wenn er ihr mißfiel; die Einsamkeit und der Sturm verschärften sein Gefühl. Dann drückte er ihre Hände und sprach mit Inbrunst.

»Hilf mir fort! Ich bin ein verlorener Junge, selbstsüchtig und verlogen, ich habe mit einer alten Frau gelebt. Aber du kannst es nicht verantworten, daß ich dafür noch mehr gestraft werde. Es langt. Hilf mir fort!«

Aber sie hatten ihr Geld ausgegeben, solange die Tage lieblicher waren, und im Winter gab es keinen Lohn. Er verlangte von ihr, daß sie es dem Bauern wegnehme, sie hatte doch die Schlüssel! Aber den Schrank mit dem Geld verschloß der Bauer selbst. Übrigens hatte er, um sie später zu heiraten, nur die eine Bedingung gestellt: kein Geld mehr für den Studenten! Er hätte eher erlaubt, daß sie mit Kurt noch schlief. Erst das Geld, das der Student bekam, machte den Bauern eifersüchtig. Marie stellte dies unbezweifelbar fest, als sie versuchte, den Alten durch Furcht gefügig zu machen. Sie deutete an, wozu der verrückte und verzweifelte Junge fähig sei; aber es wirkte nicht. Ein verfallender, noch zäher Mensch liebte sie, und er blieb beharrlich auch gegen Gefahren.

Sie hätte sich nicht geweigert, den Schrank zu öffnen. Der grade, einfache Weg, der mit den Schinken nach Brodten geführt hatte, er machte auch wegen des Geldschrankes keinen Bogen, und so gut wie einer verhungernden alten Frau hätte Marie dem Jungen geholfen, damit er fort in sein Leben konnte. Er war ihr Mann gewesen. Aber auch das Kind hatte an sie Forderungen. »Wenn ich das

Geld stehle – das ist das einzige, was den Bauern dahin bringt, daß er uns alle mitsamt dem Kind vor die Tür setzt.«

Kurt dachte bei ihren Worten: Immerhin habe ich dann das Geld und bin schon getürmt! Uns alle, sagt sie. Wenn ich sonst keine Sorgen hätte als sie und ihren Bauch! Hier zuckte er sogar die Schultern, obwohl er seine Meinung doch nicht verraten durfte. Andererseits lag es ihm nicht, den Schrank mit seinen eigenen Händen zu erbrechen.

Da hier sich entschieden kein Ausweg bot, schrieb er der Berliner Lokalinhaberin Adele Fuchs, bat um Geld; und geschickt flocht er ein, was ihm an größeren Unregelmäßigkeiten in ihrem Betrieb bekannt war. Er erwähnte den Kuppeleiparagraphen leichthin und nicht ohne zärtliches Zurückdenken. Der Antwort lag leider kein Geld bei, aber er entdeckte etwas anderes, das unfreiwillige Geständnis eines Herzens, dessen Sehnsucht über alle Enttäuschungen siegte. Adele liebte ihn noch immer, nachdem er sie an die Einbrecher verraten, sie verleugnet und ohne Abschied verlassen hatte! Die inzwischen vergangene Zeit hatte ihr das Bild Kurts nur liebenswürdiger gemacht. Daher graute ihr, wenn sie daran dachte, sie sollte mit einem der Stammgäste –: dies stand inmitten der heftigsten Behauptungen, nie werde Kurt von ihr einen Pfennig erben.

Kurt war im Gegenteil versichert, er werde noch manches von ihr erlangen. Bis dahin allerdings schlich er groteskerweise auf einem Bauernhof umher, ihn fror, er lebte von Gnaden, und seine Geliebte sollte niederkommen. Immer erst sieben Monate! Immer noch zwei warten, damit nach Ankunft des Kindes der Bauer vielleicht gerührt das Reisegeld vorschoß für den Vater! Es war nicht auszuhalten, Kurt bekam wieder seine Bauchkrämpfe.

Dies war der Dezember, der Ostwind Stärke zehn tobte um das Haus, in zwei Betten lagen sie eines Abends nebeneinander. Beide hatten sie Schmerzen; Marie wimmerte in ein Kissen, Kurt phantasierte in ein anderes hinein mit Worten, die alle vom Stöhnen abgerissen wurden. Er lallte dies und jenes über sein einstiges Wohlleben mit Adele, sein Glück bei ihren Verkehrsdamen, Frauen von Klasse. Marie verstand ihn nicht, er konnte sich gehenlassen und trieb es denn auch, mit oder ohne Willen, bis zu dem ganz großen Anfall. Die Zähne klapperten ihm, ungefüge Laute entwanden sich ihnen qualvoll, und gleichzeitig stieß er seine versteiften Glieder von sich mit einer widersinnigen Kraft. Der eine seiner ausgestreckten Arme drängte eisern in die Seite der aufschreienden Frau, die andere Faust kippte ruckweise den Nachttisch um, bis die brennende Kerze herabfiel. Sie erlosch nicht sogleich, ein niederhängendes Bettuch fing Feuer.

In demselben Augenblick war der Anfall vorbei. Kurt warf sich über das Tuch, er war tapfer vor Entsetzen, er erstickte die Flamme mit seinem Leibe. Als er sich keuchend nach Marie umwendete, hatte sie das Bewußtsein verloren. Er rannte und rief Hilfe herbei. Noch in der Nacht gebar sie.

Gegen Morgen blieben sie wieder allein. Das Kind lag neben Marie, und sie tastete über das weichliche Stückchen Fleisch mit ihren von der Arbeit aufgequollenen Fingern, die nicht mehr genug fühlten. Aber ihr Herz schlug dem Wesen entgegen, nie abgestumpft von allen seinen Arbeiten im Laufe ihres ernsten Lebens. Ein neues Wesen, endlich ganz ihres, und sie durfte es verteidigen und es lieben für immer! Ihr blutleeres Gesicht mit den müden, beglückten Augen dämmerte nach ihm hin, das Kind vermischte sich ihr mit Mingo. Der Verlorene war zurückgekehrt, er lebte, denn das Kind lebte. Ach, war sie glücklich, im Halbschlaf glauben zu können, es sei sein Kind!

Kurt war geteilt zwischen Ratlosigkeit und Reue. Er

wußte nicht, wohin mit sich. Es drängte ihn, die Mutter seines Kindes auf sich aufmerksam zu machen, ihre Hände zu küssen, unhaltbare Versprechungen zu machen und womöglich hinzuknien. Nachdem er alles dies halbwegs versucht hatte, verschwand er leise im entferntesten Winkel. Dort weinte er über sich selbst, und dies aufrichtig.

Auch der Bauer sah sich das Kind an, aber er sprach nicht, scheinbar beabsichtigte er keinerlei Veränderung. Marie begriff trotzdem: Er wartet, bis Kurt fort ist. Er heiratet mich, ich habe mein Kind versorgt, ich kann es verteidigen, es lieben. Und dafür muß Kurt fort!

Sie berieten und kamen überein, daß Marie selbst seiner Schwester Vicki schreiben solle – ihr die Geburt eines kleinen Jungen berichten und den großen Jungen in Schutz nehmen gegen seine allzu schweren Verpflichtungen. Was konnte Kurt tatsächlich hier draußen für sein Kind tun! Er mußte, gefestigt durch sein Erlebnis als Vater, in Berlin seine Existenz begründen. Es war keine Gunst für ihn, es war seine Pflicht, und Vicki sollte sofort das Geld schikken!

Dies diktierte er ihr, soweit es ihn und Vicki betraf. Dann warteten sie, und täglich stellte er ihr die Aussichten auf Erfolg dar. Die wechselten mehrmals, denn der Schwager Kurts, von dem zuletzt alles abhing, konnte von seiner Eigenschaft als Katholik oder auch durch seine Interessen als Syndikus bestimmt werden. Je nachdem nahm er sich des jungen Vaters mildtätig an oder verwarf ihn als unbequem. Bald meinte Kurt, Rechtsanwalt Bäuerlein habe genug Zeit gehabt, sich zu entscheiden. Schlimmstenfalls hätte Vicki sogar hinter seinem Rücken handeln können. Statt dessen schrieb sie, Ignaz müsse Kurt in sein Büro nehmen, dies allein bürge ihr dafür, daß der junge Vater vernünftig werde. Aber ihren Ignaz dahin zu bringen erfordere Taktik.

Genug, Kurt stieß nach wie vor auf die Abneigung seiner Schwester, sich mit Adele Fuchs abzufinden. Denn natürlich war ihr klar, daß dort und sonst nirgends die Zukunft Kurts lag. Das mit Ignaz waren Vorwände. Sie hielt den schon wieder Verzweifelnden hin; einmal meldete sie sogar ihr Erscheinen an und kam nicht. Ihm wurde es zu bunt. Er drohte den Schweinen, die er füttern mußte, mit seinem Selbstmord, aber seine Worte waren für Marie bestimmt. Sie wußte, daß er unberechenbar war, daher schritt sie zu einer bisher abgelehnten Handlung. Sie verkaufte Nahrungsmittel, die zum Versand an einen Kaufmann bereitlagen – trug sie in kleinen Mengen aus dem Hause und nahm von den Händlern die halben Preise, damit sie schwiegen.

Das Geld für die Reise Kurts nach Berlin war beschafft. Er sagte: »Ich müßte eigentlich noch Schuhe haben.« Aber es hielt ihn keinen Tag länger. Auch Marie sah ein, daß es besser wäre, eine gewisse Entfernung zwischen sich und den Bauern zu bringen, bis er den Abgang seiner Waren entdeckt hatte. Wenn sie nicht dabei war, konnte er ihre Gründe leichter verstehen. Nach einiger Zeit begrüßte er wahrscheinlich ihre Rückkehr. Daher entschloß sie sich, Kurt nach Lübeck zu begleiten – mit ihrem Kind auf dem Arm. Kurz vor der Haltestelle der Bahn begegneten sie noch dem Briefträger, er hatte einen Brief von Vicki, die wieder einmal eintreffen wollte, und zwar am Sonntag. Heute war Freitag. Sie konnten nicht umkehren, nur damit Vicki vielleicht doch wieder ausblieb.

Kurt strahlte, sie hatte ihn nie so glücklich gesehen wie auf der Fahrt. Er bezeugte sogar Dankbarkeit. »Wenn ich über dieses grauenhafte Jahr hinweggekommen bin, nur dir verdanke ich es, Marie! Da es möglichenfalls ein Abschied fürs Leben ist –« Er sah, daß er sie betrübte, und ergänzte schnell: »Ich wünsche es uns nicht. Jetzt sind wir erst richtig gute Freunde. Aber was glaubst du wohl, daß aus mir wird? Schwer vorauszusagen, wie?« Er lachte leichtsinnig auf, mit einem dennoch ahnungsvollen Gesicht – und sprach sogleich von etwas anderem. Sie vergaß diesen Augenblick nicht.

In der Holstenstraße raunte er ihr zu: »Sieh dir meine Schuhe an – aber unauffällig!« Ihr war es bekannt, die Lackschuhe klafften, der letzte Versuch, sie auszubessern, war längst gescheitert. »Soll ich damit in Berlin ankommen? Das kostet mich achtzig Prozent meiner Chance. Der erste Eindruck kann entscheidend sein.« Er spiegelte sich in einem Schaufenster. Der graue Anzug Mingos paßte nicht, aber er schlotterte auch nicht mehr. Marie hatte dafür gesorgt. Einen Hut brauchte sein schwarzes Haar nicht, es lag wie ein Helm um den Kopf. »Anständig, solange die Schuhe verdeckt sind. Ich müßte es möglich machen, anfangs nur mit dem Oberkörper aufzutreten – ich winke aus einem Vorhang heraus, oder ich schiebe einen Klubsessel vor mir her.«

»Das Geld ist alle«, sagte Marie. »Was soll ich machen.«

»Das ist leichter gesagt als getan«, raunte Kurt. Als sie ihn ratlos anblickte, fragte er: »Na wo stehn wir denn – mine lütte Marie?« Es war nicht zärtlich gemeint; er gab ihr nur zu verstehn, daß sie begriffsstutzig sei. Wirklich bemerkte sie erst jetzt, daß dies Schaufenster in dem großen Warenhaus lag. Sie hatte Kinderspielzeug vor sich, und sowenig geeignet der Zeitpunkt war, sie mußte denken, daß einiges davon schön gewesen wäre für ihren kleinen Jungen, der ihr im Arm schlief.

»Sieh nicht hin, die Schuhe sind nebenan«, raunte Kurt.

»Die Abteilung ist im ersten Stock«, sagte Marie ebenso leise. »Ich weiß Bescheid.«

»Na also.«

Sie machten sich von ihrem Platz los und trieben in der Menge fort. Gesprochen wurde nicht. Erst in einer kleinen Seitengasse sagte Marie: »Ich gebe solange das Kind ab. Du kannst hier warten.«

»Nein. Es ist besser, wir werden nicht mehr zusammen gesehen. Wenn du nachher durch den Haupteingang wieder herauskommst, bemerkst du in dem Gedränge meinen hellen Anzug – von rückwärts natürlich. Aber ich habe Augen hinten, und was du fallen läßt, kommt in die richtigen Hände. Mach's gut!«

Er drückte sich hinter einen Vorsprung, während sie vorüberging. Gedämpft rief er ihr nach: »Aber keine mit Einsätzen!«

Marie ließ ihr Kind bei der armen Frau, die sie einst beherbergt hatte, während sie Arbeit suchte. Das Kind hätte ihre Hände behindert für das, was sie vorhatte; es sollte auch nicht dabeisein. Von Kurt war nichts zu sehen; im größten Gedränge des späten Nachmittags gelangte sie in das Warenhaus und über die Treppe. Sie war nicht erregt, sie bedachte nur, daß es das beste wäre, wenn man gar nicht erst Zeit bekäme, sie zu beobachten. Dies ergab eine ungewollte Hast und beeinträchtigte die Umsicht. Zu allem anderen war sie auch noch besorgt, eine zu kleine Nummer zu erwischen.

Ihr Mantel zeigte nur eine geringe Ausbuchtung; man konnte glauben, es sei einfach ihre Hand, die in der Tasche sich ballte. Dennoch sprach plötzlich ein junges Mädchen sie an, es war nicht älter als Marie, es war auch nicht unfreundlich, aber von dem, was es sagte, wurde Marie kalt. Soeben hatte sie wieder die Treppe erreicht, das Gedränge trug sie hinunter, gleich wäre alles vorbei gewesen!

»Ich kann Sie verstehn. Geben Sie die Schuhe ruhig wieder her, dann melde ich es nicht«, hörte Marie, und sie allein konnte es hören. Unerwartet duckte sie sich und schlüpfte zwischen den Beinen der Leute hindurch. Atemlos erreichte sie den Haupteingang, schon erkannte sie den hellen Rücken Kurts; seitwärts im Spiegel sah sie auch, daß er sie bemerkt hatte. Sie ließ die Schuhe fallen.

In der nächsten Sekunde holte ein Arm Marie an der Schulter zurück.

»Sie kommen mit!« Das war nicht mehr das freundliche junge Mädchen, sondern eine Art Landjäger in Damenkleidern. »Heraus mit den Schuhen!«

Marie leugnete nicht, daß sie welche habe, sie ließ sich von den harten Händen abtasten. »Sie haben sie aber gehabt! Wir haben Zeugen. Hören Sie mal, Fräulein, Ihnen kann es nichts mehr nützen oder schaden, aber für die Verkäuferin ist es günstiger, wenn Sie sagen, wo Sie die Schuhe gelassen haben.«

Marie dachte an das freundliche junge Mädchen, sie gab zu: »Als Sie mich anfaßten, habe ich sie vor Schrecken fortgeworfen.«

Die Detektivin lächelte; jetzt hatte sie wenigstens das Geständnis. Die Schuhe? Die waren aufgehoben worden von jemand, der zu der Diebin gehörte oder auch nicht. Jeder Unbeteiligte hob sie gradesogut auf – erklärte die Detektivin dem Schupo, dem sie Marie übergab. Heute war es zu spät, sie dem Schnellrichter vorzuführen, Marie verbrachte die Nacht im Polizeigefängnis. Kurt saß im Zug nach Berlin. Ihr Kind schlief bei der armen Frau. Vor Marie standen Drohungen, unklar und schreckensvoll – die ganze, ruhelose Nacht.

Der Schnellrichter verurteilte sie zu vier Wochen. Sie hatte nicht nötig, ihre Tat lange zu erklären – und warum grade Herrenschuhe. Sie wurde zunächst auf freiem Fuß gelassen mit der Weisung, in ihren Dienst zurückzukehren. Sie ging aber zu ihrem Kind, und als sie es wiedergesehen hatte, schlief sie aus. Sie schlief den Abend und die ganze Nacht. Am Morgen gab die arme Frau ihnen beiden noch Milch und Kaffee, dann mußten sie gehen.

Marie hatte kein Geld für die Rückfahrt, aber hätte sie es auch gehabt, als verurteilte Diebin nahm der Bauer sie wahrscheinlich nicht auf. Sie wußte wohl, daß er schon mehrmals anders gehandelt hatte, als sie erwarten konnte; diese Nachgiebigkeit aber hätte sie selbst nicht gewollt, noch weniger von dem alten Mann als von Fremden. Wo gab es für sie eine andere Arbeit, da sie hier in der Stadt keine gefunden hatte, früher, als noch niemand dazwischentreten und sie zum Absitzen einer Strafe holen konnte – und auf ihrem Arm trug sie damals nicht das Kind, dem sie Nahrung schuldete. Dies Kind hatte sie verteidigen wollen, hatte es lieben wollen!

Mit einem Blick erkannte sie, daß kein Ausweg da war. Sie war gefangen. Das Gefängnis, das sie erwartete, war nicht fester und undurchdringlicher als diese offenen Straßen und alle diese Menschen. Sie hatte ihren Mantel ausgezogen, um nur das Kind noch einzuhüllen, der Februarmorgen schien ihr rauh wie noch niemals einer. Sie kam vorbei an den Anlagen, in denen sie eine Nacht eines fernen Spätsommers verbracht hatte. Sollte sie am Ende dieses Tages sich mit ihrem Kind dorthin legen? Sollte sie warten, bis es laut weinte vor Hunger und Frost? Und wenn sie ins Gefängnis mußte, was wurde aus ihm? Sie nahmen es ihr! Der Diebin Marie nahmen sie ihr Kind!

Sie ging schneller auf den Bahnhof zu. Sie lief nur darum nicht, daß niemand sie aufhielte und zur Rede stellte. Sonst fürchtete sie nichts. Was sie tun mußte, war so gut wie geschehen, da es unausweichlich war. Sie fürchtete sich davor nicht, und sie begriff es. Oh! Wie sehr kannte sie jetzt jenes Mädchen, das einst den Bahnsteig entlanggelaufen kam, mit unsicheren Füßen auf der äußersten Kante des Bahnsteiges und mit einem Gesicht voll schmerzlichen Mißtrauens, als fände sie die heranbrausende Lokomotive noch nicht schnell genug. »Ich glaubte, sie hätte es nicht nötig! Ich war schön dumm!«

Dies vertraute Marie nur ihrem kleinen Jungen an, und da umgab sie schon die große, geschäftige Halle. Auch sie verlor keine Zeit, schon unterwegs hatte sie die zwanzig

Pfennig hervorgekramt für die Bahnsteigkarte. Für wenig andere Dinge hätten sie gereicht, aber sie reichten hierfür. Trotz ihrer Pünktlichkeit konnte sie indes nicht verhindern, daß der einlaufende Zug ihr zuvorkam. Als sie vor ihn hin auf die Schienen sprang, stand er schon fast. Mit dem letzten kleinen Teil einer Bewegung zerbrach die Lokomotive ihr einen Fuß. Auch schlug Marie mit dem Kopf an und verlor das Bewußtsein. Unter sich hatte sie rechtzeitig ihr Kind geborgen.

Die aussteigenden Reisenden liefen zusammen, soweit sie nicht dringend abgehalten waren; schon wurden die Frau und das Kind auf den Bahnsteig gehoben. Die Tragbare mit den Sanitätern erschien, sie betteten die Frau und legten gleich das Kind dazu, obwohl die Frau bewußtlos war. Eine Dame, vornehm gekleidet, jung, mit brauner Gesichtsfarbe, konnte sich von dem Vorfall nicht trennen, sie war die einzige der angekommenen Fahrgäste, die mit der Bahre auf die Unfallstation des Bahnhofes ging. Dort erklärte sie: »Ich kenne die Verunglückte. Wir stehen in näheren Beziehungen. Ich wünsche, daß sie in eine gute Privatklinik gebracht wird, ich übernehme alle Kosten. Hier ist meine Karte. Übrigens komme ich gleich mit.«

Viertes Kapitel

Marie erwachte in einem Zimmer, das sie an die Diakonissinnen bei Warmsdorf erinnerte. Ihr fiel auch ein, daß sie sich, wie damals, nach einer Katastrophe befände. Die Pflegerin fragte, wie es ihr gehe. Damals hatte eine Diakonissin ihr erklärt, daß sie kein Kind mehr sei. War jetzt nicht wieder ein neuer Abschnitt erreicht? Vom ersten Öffnen der Augen an fühlte Marie, daß sie dem Leben werde anders begegnen müssen als bisher.

»Mein Kind!« befahl sie der Pflegerin. Diese antwortete: »Es geht ihm gut. Es ist im Hause.«

»Bringen Sie es mir!«

Das Mädchen ging hinaus, aber sie holte nicht das Kind; herein trat Vicki.

»Ich höre, es geht schon wieder«, sagte sie. »Wegen des gebrochenen Fußes mußt du liegen. Deinem Gesicht ist nichts geschehen, das ist die Hauptsache. Der Verband um den Kopf kleidet dich sogar.«

»Warum bekomme ich mein Kind nicht?«

»Wenn du es wissen willst, es wird grade gepudert. Es hat seine eigene Pflegerin. Mit ihm ist alles in Ordnung. Ich dachte, zuerst sollten wir beide uns aussprechen.« Vicki nahm einen Stuhl.

»Weiß die Polizei, wo ich bin? Die Sache ist die, daß ich für Kurt Schuhe gestohlen habe und zu vier Wochen verurteilt bin.«

»Das hat noch gefehlt! Aber eigentlich macht es auch nichts mehr. In den Berichten über den – Unglücksfall wird ohnehin kein Name genannt werden, das laß meine

Sorge sein! Was liegt denn schon viel daran, ob du vier Wochen sitzt.«

»Dir nicht, Vicki. Aber mein Kind würden sie mir wegnehmen.«

»Kommt nicht in Frage, ich behalte es solange.«

Marie betrachtete sie eindringlich, grübelnd sogar – bis es Vicki zuviel wurde.

»Es ist das Kind meines Bruders! Verstehst du?«

»Ja, Vicki. Ich habe mir nicht eingebildet, daß du nur meinetwegen die Klinik bezahlst und in Lübeck bleibst. Ich verstehe auch, warum du nicht willst, daß Namen in der Zeitung stehen. Das nützt dir aber nichts.«

»Möchtest du mir drohen, Marie? Laß das lieber! Lieg da und sieh schön aus!«

»Sie können mich aber doch, wann sie wollen, ins Gefängnis abholen. Ich muß mir einen Anwalt nehmen, damit er mir Bewährung verschafft. Dabei spricht man dann allerdings wieder von dem – Unglücksfall, wie du es nennst.«

»Marie! Du bist plötzlich kein Trottel mehr! Verzeih, es ist mir ausgerutscht. Du willst etwas von mir haben. Sag es nur! So bist du mir lieber.«

»Ich will mit meinem Kind zu dem Bauern zurück. Wenn ich nicht sitzen muß, nimmt er mich wieder.«

»Aber ohne das Kind, bitte!«

»Es ist meins!«

»Das Kind meines Bruders wächst nicht bei den Schweinen auf. Ich hab auch ein Recht darauf.«

»Wir wissen beide, daß ich ganz allein das Recht habe.«

»Wie denkst du dir dann den Vergleich? Soll ich es dir abkaufen? Ich wiederhole dir, das Kind meines Bruders aufzugeben, ziehe ich überhaupt nicht in Betracht.«

»Ich brauche dein Geld nicht. Ich kann den Bauern heiraten.«

Kaum hatte Marie dies ausgesprochen, da sah sie im Gesicht Vickis, was sie von ihr zu erwarten hatte. Der Bauer sollte erfahren, daß Marie eine verurteilte Diebin war!

»Wenn du das tust, Vicki –!«

»Schon wieder drohen? Du hast dich wirklich zu deinem Vorteil verändert. Sagen wir uns lieber ein für alle Male, was wir voneinander denken! Du trägst mir die Sache mit Mingo nach; daher alle Schwierigkeiten, die du machst. Deine Geschichte mit Kurt war mir aber ebenso unerwünscht«, log sie. »Jede von uns hat getan, was sie wollte!« setzte sie der Ironie wegen noch hinzu.

Was ich wollte! Marie wäre aufgesprungen. Soviel wie sie zu erwidern hatte, ließ sich nicht sagen mit einem festgelegten Fuß und diesem Kopf, den sie vor Schmerzen nicht rühren konnte. Sie rang alles hinunter, sie wurde todbleich von der Anstrengung. Der Tag sollte kommen, fühlte sie, der Tag sollte kommen! Auch Vergeltung macht ihren Weg, wie das Unrecht den seinen gemacht hat – vom Tage der Ankunft Kurts und von noch weiter her, bis heute, als Marie mit ihrem Kind vor der Lokomotive lag!

Der Erfolg ihrer Selbstüberwindung trat sogleich ein; Vicki schlug vor: »Komm also mit dem Kind nach Berlin!«

Das hatte Marie hören gewollt, jetzt aber erschrak sie und verstummte. Was war ihr? Der Bauer hätte sie vielleicht niemals geheiratet, und wenn Vicki sie an ihn verriet, dann sicherlich nicht. Übrigens war der Hof überschuldet; bitter um ihn kämpfen zu müssen blieb das einzige, was sie hoffen durfte. Gleichviel, mit ihrem Kind unter dem eigenen Dach – oder auch auf der Landstraße und im Dienst bei Fremden, aber allein mit ihrem Kind: alles lieber als bei dieser Frau! Sie unterschied nicht, wovor sie Grauen empfand – vor Vicki, vor dem Unbekannten, vor sich selbst? Aber sie wußte in diesem Augenblick genauer als jemals später, daß sie in das Verhängnis ging.

»Nach Berlin mit meinem Kind, darüber ließe sich reden.« Ihre Stimme war trotz allem nicht schwächer als begreiflich bei einer Kranken, und sie schwankte nicht.

Vicki sah Marie genau an, bevor sie weiterging. »Du scheinst Bedingungen stellen zu wollen«, sagte sie. »Aber natürlich mußt du selbst für euch sorgen. So reich bin ich nicht, daß ich dich und das Kind einfach übernehmen kann.«

»Und meine Mutter. Und meine drei Geschwister.«

»Sie mußt du der Wohlfahrt überlassen, dafür zahlen wir Steuern. Willst du dein Glück machen oder nicht? Du bist groß, blond, vollschlank, ich sehe dich gradezu schon auf dem Kurfürstendamm. Laß mich raten! Der leicht degenerierte Vetter zweiten Grades aus einem Konfektionshaus, der ist es! Er erbt nicht, aber er wird sachte mit durch die Krise geschleppt. Noch kein Auto, bitte. Genügt dir das?«

»Sage mir lieber, ob du mir Arbeit als Hausschneiderin verschaffen kannst.«

»Du bist sachlich. Du kommst vom Lande, das setzt dich in Vorteil. Sollten wir jemals wegen eines Mannes – Genug, Hausschneiderei kannst du zuerst bei mir haben; und wie du aussiehst, findet sich davon mehr. Aber das ist noch nicht alles. Ich wünsche mir auch etwas, nämlich, daß mein Ignaz vollständig draußen bleibt. Er darf von den Sachen, die wir gemacht haben –«

»Wir«, wiederholte Marie.

»– kein Sterbenswort erfahren. Warum betonst du, daß auch ich etwas gemacht habe? Dein eigenes Konto würde ihm vollauf genügen, dich hinauszuwerfen, sobald er davon hörte.«

»Und was er über dich hören könnte? Siehst du, Vicki, davor hast du die ganze Zeit einzig und allein Angst. Deshalb sitzt du hier. Deshalb soll ich auch nach Berlin, denn bei dem Bauern draußen hätte ich dich immer noch in der Hand. Du kannst ihm sagen, daß ich gesessen habe. Aber ich schreibe deinem Mann, daß du mit Mingo geschlafen hast.«

»Du stellst dir meinen Ignaz falsch vor«, bemerkte Vicki einfach. »Außerdem aber vergißt du, wozu Mingo fähig wäre, um eine Frau zu schützen. Der ist doch sicher noch ein Ritter, wenn ich ihn auch nur flüchtig kenne, und in meinem Scheidungsprozeß schwört er einen glatten Meineid. Das hättest du davon. Mir dagegen kann im Grunde niemals etwas geschehen. Wir sind also einig«, schloß Vicki. »Dann lasse ich dir das Kind bringen.«

Ihr kann niemals etwas geschehen! Marie hatte die niederdrückende Gewißheit, daß es wirklich so war – ohne daß sie hätte sagen können, woran es lag.

Vicki nahm für Marie den Anwalt, der einer besonders guten Familie angehörte. Dieser erreichte wirklich, daß die Verzweiflungstat einer armen Mutter und ihr Schmerzenslager vom Gericht als hinlängliche Sühne des versuchten Diebstahls angesehen wurden. Marie war frei. Vicki kam eigens wieder aus Berlin herbei, um sie abzuholen. »Ich habe in Schlesien eine Tante«, erklärte sie, »und die ruft mich zuweilen an ihr Sterbebett. Heute komme ich von ihr. Wenn ich dich nächsten Montag als Hausschneiderin aufnehme, hast du mich vorher nie erblickt. Willst du dir das merken?«

Solange sie in dem Abteil allein waren, äußerte Vicki noch: »Kurt steht unter Beobachtung, du weißt, weshalb. Du kennst auch den Kommissar Kirsch. Warum heißt er eigentlich nach einem Schnaps? Er hat dich gesehen, aber es wäre Kurts wegen durchaus peinlich, wenn er dich wiedererkennte. Sorge dafür, daß du nicht mehr bäurisch aussiehst, sondern wie das, was du bist, eine schlechte Schneiderin. Vor allem darf weder Kirsch noch ein anderer Freund des Hauses erfahren, daß du das Kind hast! Das wäre das peinlichste. Ich gebe dir eine Chance. Gib du Kurt eine!«

Als Mitreisende hinzukamen, verleugnete Vicki ihre Begleiterin. Nach der Ankunft bestieg sie allein ihren Wagen, Marie sah es von weitem. Sie selbst hatte Geld genug für eine Autotaxe bekommen, lieber fragte sie sich aber durch. Ihr Kind auf dem Arm, erreichte sie endlich das Haus, in dem für sie ein Zimmer gemietet und bis Ende des Monats auch bezahlt war.

Sie wurde mit Auszeichnung begrüßt, und bald war es deutlich, daß Frau Zahn, die Wirtin, einen unbeschreiblichen Eindruck von Vicki empfangen hatte. Die Erscheinung der Frau Direktor, wie sie Vicki nannte, verkörperte ihr restlos, was sie unter Erfolg verstand und übrigens persönlich nie gekannt hatte. Es konnte nur das Auftreten Vickis sein, denn schließlich hatte sie für nichts den Beweis erbracht – daß sie reich und Frau Direktor war oder auch nur die Milchschwester Maries, wie sie behauptet hatte. Hiervon war Frau Zahn überzeugt, daher die besondere Achtung. Sie hatte ein vom Kummer eingedrücktes Gesicht, an das nicht häufig frische Luft schlug.

»Ich muß nur einen Spalt offenlassen«, sagte sie, zog die Tür an sich und sah der Mieterin zu, wie sie ihr Kind pflegte. »Der Junge ist Ihnen gelungen. Sie kommen direkt vom Lande?«

»Von Norddeutschland«, antwortete Marie. Denn Berlin lag für sie südlich.

»Und bleiben lange hier?«

»Das weiß ich nicht.«

»Es hängt wohl von Frau Direktor ab?«

»Das kann ich auch nicht sagen. Aber sie will mir Arbeit verschaffen.«

»Das Zimmer ist mit Küchenbenutzung«, erklärte Frau Zahn; sie hatte immer ein Auge auf den Türspalt. »Ihnen darf ich trauen. Schon bevor Sie kamen, habe ich gewußt, daß Sie ein guter Mensch sind. Nur Gott kann Sie geschickt haben, denn an dem Tage, als Ihre Milchschwester für Sie mietete, sollte ich exmittiert werden. Sie haben mich gerettet.«

»Oh!« machte Marie erschrocken. Selbst von Gefahren verfolgt, hätte sie einer anderen eine Wendung gebracht?

Die Wirtin schielte unruhig nach dem Türspalt. »Die beiden Holländerinnen könnten mein Gemüse fortholen aus der Küche. Man hört sie nicht. Es ist erst halb gekocht, aber die essen alles. Haben Sie die beiden gesehn? Wenn es an der Flurtür läutet, sind sie früher da als ich. Sie wollen die Wohnung haben. Sie können es nicht erwarten, daß ich exmittiert werde. Sie haben Geld, weil ihr Konsulat sie unterstützt. Außerdem schneidern sie.«

»Ich auch«, sagte Marie.

»Sie hab ich wahrhaftig durch die Kraft des Gebetes herbeigerufen! Sie müssen den Holländerinnen die Kunden wegnehmen, dann ziehen sie aus, und ich behalte die Wohnung. Es ist das einzige, was mir aus der Zeit meines Mannes geblieben ist, und wir waren gut bürgerlich.«

Das sah man noch. Das Bett war stattlicher als jedes, in dem Marie bisher geschlafen hatte. Das Unbehagen, das sie fühlte, ging nicht von der Einrichtung aus, aber die Häuser gegenüber standen zu nah, ragten zu hoch, und in diese tiefgelegene Wohnung gelangte nur auf Umwegen ein Rest des Tageslichtes. Indes Marie dies feststellte, riß Frau Zahn die Türe auf. Gebrochen wendete sie sich her.

»Sie haben es.«

»Das Gemüse? Aber Frau Zahn, dann laufen Sie doch!«

Die beiden Mieterinnen waren noch nicht ganz vorüber an der Tür, als die Wirtin sie aufriß. Deutlich hatte Marie, trotz der Dunkelheit des Ganges, zwei kurze dickliche Gestalten erkannt. Im Nacken hingen ihnen graue Rattenschwänze.

»Das geht doch nicht, Frau Zahn! Wenn Sie nichts tun, will ich selbst –«

Die Frau schloß einfach die Tür. »Ich habe aufgepaßt. Gott hat es anders beschlossen.«

»Dann wollen Sie heute nichts essen?« fragte Marie mit Empörung.

»Das überlaß ich ihm auch«, antwortete Frau Zahn. Marie erinnerte sich der belegten Brote, die von der Reise übrig waren, sie gab eins der Frau. »Sehen Sie!« sagte diese.

Beide aßen. Der Junge trank an der Brust Maries. Die Mutter fühlte: Er soll groß und stark werden wie Mingo, und er soll sich wehren! Der Anblick von Hilflosigkeit und Niedergang erfüllte sie mit Widerwillen. Sie sah sich selbst bedroht, da andere es bis dahin kommen ließen. »Ihnen hat gewiß noch kein Mieter richtig gezahlt«, bemerkte sie, achtete dann aber wenig auf die Geschichte, die Frau Zahn sofort berichtete. Ein Schauspieler und seine Frau hatten monatelang auf ihre Kosten gelebt, worauf sie verschwanden. Aber auch hier war Gott in Gestalt der Polizei endlich Sieger geblieben.

Marie fragte: »Ist in Berlin die Polizei sehr mächtig?«

»Gar nicht«, sagte Frau Zahn. »Es kommt auf die Kraft des Gebetes an.«

Von der Ohnmacht der Polizei war Marie befriedigt, es blieb dunkel, warum. Flüchtig erschien ihr die Gestalt des Kommissars. Hier ging er umher und wachte. Sie war sicher, ihm in einer dieser zahllosen Straßen zu begegnen; aber gleich jetzt beschloß sie, daß er sie nicht erkennen sollte. Noch vor dem Schlafengehen stellte sie ganz klar, daß sie sich hier gegen alle und jeden zu behaupten haben werde. Sie war darüber belehrt, wie es kam, wenn man vertraute, nachgab oder nicht seine volle Kraft einsetzte. Sie schwur, es künftig zu tun. Ihrem Sohn schwur sie es.

Sie hatte einen langen Sonntag allein zu verbringen. Sie

fing damit an, daß sie nach Möglichkeit ihr Aussehen veränderte. Sie hatte Vicki genau angesehen, jetzt rasierte auch sie sich die Brauen. Frau Zahn holte ihr das Messer aus dem Zimmer eines Mieters, während er noch schlief. Dabei ließ sie ein Markstück mitgehen, es hatte merkwürdigerweise neben dem Messer gelegen, was doch wohl auf höhere Absichten schließen ließ. Übrigens war der junge Mann ihr ohnehin Geld schuldig.

Da staunten beide Frauen, was sich mit ausrasierten Brauen und gefärbten Lippen aus einem Gesicht machen ließ! Die gestrickte Kappe, das selbstgefertigte Seidenkleid, am ärmlichsten leider die Fußbekleidung – Frau Zahn stellte fest: »Wie vom Lande sehen Sie nicht mehr aus. Sie hält man schon für eine kleine Schneiderin aus dem Norden, Invalidenstraße.«

Vicki hatte gesagt: eine schlechte Schneiderin. Das findet sich, dachte Marie. Jedenfalls zog sie aus, um von Berlin Besitz zu ergreifen. Sie fühlte Mut, weil sie ein Ziel hatte, wenn auch ein bis jetzt noch namenloses. Frau Zahn erklärte ihr die verschiedensten Beförderungsmittel, aber vergebens. Sie zeigte ihr an der nächsten Ecke ein großes U, dort sollte Marie unter den Erdboden hinabsteigen. Sie war durchaus abgeneigt. Nicht nur die Untergrundbahn, die ganze Unübersehbarkeit des Verkehrs flößte ihr Mißtrauen ein. Sie beschloß, zu Fuß zu gehen.

»Wie weit wollen Sie damit kommen«, sagte die Frau. »Lassen Sie mir wenigstens das Kind hier, ich bekümmere mich darum. Wenn Sie morgen zur Arbeit gehen, muß ich es doch übernehmen; das ist mit Frau Direktor schon verabredet.«

»Heute hab ich es noch selbst.« Aber sie ließ sich gefallen, daß die Portiersfrau ihr einen Kinderwagen lieh. Den schob sie vor sich her und bewegte ihre Füße, gleichmäßig und ohne Ermüdung, wie beim Pflanzen oder Mähen. Der eine war kürzlich gebrochen, in Wirklichkeit hielt er weniger aus, aber das ließ sie nicht gelten. Nach Umwegen und langen, mühseligen Stunden kannte sie endlich den Weg und das Haus. Dort oben, zwei Treppen, wohnten Bäuerleins. Marie betrachtete es lange und eindringlich von der anderen Seite der Straße her.

Es war ein Haus wie alle anderen in der Reihe, sehr viel großartiger, als Häuser sein müssen, denn was stak in Wahrheit dahinter? Eine Vicki, ein Kurt und ein noch unerforschter Ignaz, der wahrscheinlich auch mehr vormachte, als er hielt. Es war gut, alles zu wissen. Nach vornhinaus aßen sie vermutlich und empfingen andere feine Leute, bei denen ebensoviel nicht stimmte. Aus dem Durchgang, der Marie deckte, sah sie sich rechts und links nach dem Kommissar um.

Wie sie Kurt kannte, lag er auf der Rückseite der Prachtwohnung noch immer im Bett, obwohl bald Mittag war. Er ahnte nicht, daß gegenüber in dem Durchgang Marie mit dem Kinde, das von ihm war, die Wand des Hauses auf- und niederblickte, ja, daß sie hindurchsah. Seine Schwester hatte ihn schon längst unterrichtet über alles, was geschehen war, seit er mit den von Marie gestohlenen Schuhen aus dem Warenhaus entkommen war. Er hatte sich nicht gemeldet. Das schien auch klüger, da er es nicht nötig hatte. Man muß klug sein, muß Kraft und Gewalt haben, dachte Marie. Sie hatte eine Eingebung. Mehr Klugheit, Kraft und Gewalt als dies Haus, dachte sie. Mit ihm muß ich fertig werden!

Es war gut, alles zu wissen, daher wartete sie, bis Rechtsanwalt Bäuerlein aus dem Haus käme. Kurz nach Mittag erschien er – mit Vicki, und auch das Auto fuhr vor. Der Gatte Vickis verhielt sich dick und gütig, er hätte Marie getäuscht, wenn sie nicht auf der Hut gewesen wäre. Sie bemerkte, daß er bei seiner Schwere etwas Federndes hatte und sich ganz schnell vergewisserte, wer in der Nähe war – vielleicht auch er wegen des Kommissars?

Marie fühlte voraus, daß sie es mit dem wohlbeleibten Mann noch besonders zu tun bekommen werde.

Sie wußte genug, große Überraschungen fürchtete sie nicht mehr. Auch war es Zeit, dem Kinde die Brust zu geben. Der Weg zurück dauerte nicht halb so lang. Ihr Ortssinn war gut, weil sie durch alles unbeirrt blieb, wie auf einer Landstraße mit entgegengetriebener Hammelherde und Wolken, die darüber hinziehen.

Am Montag wurde sie in Empfang genommen von einem hübschen Dienstmädchen, das zuerst einmal ironisch lächelte. Warum, fragte sich Marie, die niemals ohne einen Grund das Gesicht verzog. Sie befürchtete, daß ihr ein Streich gespielt werden sollte, besonders da Vicki unsichtbar blieb. Das Mädchen Lissie, wie es sich nannte, führte die Hausschneiderin in ein Zimmer und zu einem Tisch, wo die Arbeit bereitlag. Es erklärte sie ihr in durchaus wegwerfendem Ton. Marie sagte ungeduldig: »Gehn Sie nur!« Das hatte Lissie nicht entfernt erwartet, sie zuckte die Schultern und ging wirklich. Die ist nicht von hier, dachte sie. Die begreift noch nicht, daß meine Ironie ebensosehr der Herrschaft bestimmt ist wie ihr. Und überhaupt möchte ich wissen, ob man sich anders verhalten kann gegenüber dem Quatsch, der Leben heißt!

Das Zimmer, in das Marie sich setzte, hatte eine geschlossene Tür nach dem Flur und eine offene ins Eßzimmer. Es war ein bewundernswertes Eßzimmer mit flacher Anrichte, ovalem Tisch, Sesseln, die ovale Lehnen und hellgelbe Kissen zeigten, alle Möbel gelblich und spiegelnd, die Wände rot gemalt und voll von Bildern. Die fortgehende Lissie war unhörbar auf dem roten Bodenbelag. Sie entschwand in ein Damenzimmer, wie es schien; nur der Winkel beim Fenster blieb noch sichtbar. Die Zimmer lagen nicht in einer Reihe, sondern offenbar im Halbkreis um den Flur, der selbst ein Raum zum Sitzen war; Marie hatte es bemerkt, bevor Lissie schloß.

Jenseits des Eßzimmers machte die Straße ihr Geräusch. Das Fenster, vor dem Marie arbeitete, bekam Licht aus einem Hof. Die Tür mußte geöffnet bleiben, damit dieses Zimmer hell genug war. Übrigens hatte es gleichfalls eine ansehnliche Ausstattung, kein Vergleich mit der einstigen Arbeitsstätte Maries bei Fräulein Raspe. Dennoch wurde sie erinnert an jene glücklichen Tage – seit je die glücklichsten, wie sie glaubte; in ihrer Erinnerung lachten alle Gesichter von damals. Die Arbeit war ein Spiel, sie geschah um ihrer selbst willen, noch nicht, damit soundso viele Menschen zeitweilig vor dem Verhungern bewahrt blieben.

Paßt Frau Zahn jetzt wirklich auf Mi auf? fragte Marie. Sie nannte ihren Jungen bei sich Mi; das konnte Michel bedeuten, wie sie ihn getauft hatte. Es konnte auch Mingo sein. Ferner berechnete sie, wieviel das ausmachte, der Lohn für acht bis zehn Stunden täglichen Nähens. Wenn ihre Miete bezahlt war, konnte sie dann noch den Zuschuß leisten für das Essen ihrer immer hungrigen Mutter in Brodten, und erübrigte sie außerdem den Beitrag, den die Gemeinde Warmsdorf von ihr verlangte, damit man ihre drei jungen Geschwister zum Teil versorgte? Arbeiten mußten sie natürlich auch schon. Marie dachte, daß Mingo doch einmal zurückkehren werde von seiner langen Fahrt. Dann werde er sie selbst nicht mehr finden, wohl aber begegnete er ihrer kleinen Schwester Inge, die ihr immer ähnlicher wurde. Dann, wenn nicht früher, bekam die Gemeinde Warmsdorf den geschuldeten Beitrag; Marie wußte es tief im Herzen, obwohl nicht einmal das Herz es in Worte faßte.

Wenn damals die Arbeitswoche zu Ende gewesen war bei Fräulein Raspe, hielt Marie sechsunddreißig Stunden lang in ihren Händen und unter ihren nie gestillten Blikken das Gesicht ihres Freundes – der Liebe selbst, das einzige auf Erden, mit dem die Liebe jemals Marie ansehn sollte, und daher mußte es verlorengehen. Das Herz zog sich ihr zusammen, da sie zurückdachte; aber sie berief sich selbst. In Wirklichkeit hatte noch jede Zeit ihre Ängste und ihre Rückschläge gehabt, sogar die mit Mingo. Vielleicht sehne ich mich auch nach dem schönen Zimmer bei Bäuerleins noch einmal zurück!

Niemand kam. Nur Lissie glitt mehrmals über den Bodenbelag, mit Gläsern voll Blumen oder mit blankgeputztem Silber. Sie übersah Marie, die aber einfach ein Glas Wasser verlangte. »Sie können es sich aus der Küche holen«, antwortete Lissie. Auf diesem Wege kam Marie durch andere Zimmer, für die Dame, für den Herrn, zum Schlafen, Ankleiden, Baden, sogar ein Zimmer, wo nur Pingpong gespielt wurde, nach der ironischen Aussage Lissies. Dort aber hing eine Erdkarte, mit allen Meeren – einzig ihretwegen blieb Marie stehen. »Was machen Sie denn?« fragte Lissie ausnahmsweise verwundert. »Ich zeige Ihnen eine ganz große Klasse nach der andern, und hier kieken Sie!«

Zurückgekehrt an ihren Arbeitstisch, bedachte Marie zum ersten Mal, was sie eigentlich in diesem Haus wolle. Das kam, weil von den Leuten keiner sichtbar wurde. In der Wohnung war niemand, jetzt um elf. Als Marie sie betreten hatte, um neun, waren sicher alle noch darin gewesen; aber sie hatten sie verlassen, ohne daß es zu hören war. Nicht einmal Vicki hat Kenntnis davon genommen, daß ich da bin! Kurt schläft gewiß, es wird ein verschlossenes Zimmer geben. Und was will ich hier?

Ich muß Geld schicken, dachte sie wieder. Das wird noch schwieriger sein als bei dem Bauern. Die Leute wissen von mir so viel weniger. Ja, ich habe das Kind von dem einen hier, aber warum? Ebensogut könnte es einer aus dem anderen Stockwerk sein, und das schlimmste ist, wie alles zufällig ist. Spielen sie eine Treppe höher auch Pingpong? Statt einer anderen hasse ich grade Vicki!

Sie erschrak und ging über den Haß hinweg. Ich mit Kurt, sie mit Mingo, jede hat getan, was sie wollte! Marie sprach es Vicki nach, obwohl sie kein Wort glaubte. Ihr kam alles ebenso unerwünscht wie mir, wiederholte Marie geduldig, obwohl sie schon in der Klinik gefühlt hatte, daß Vicki log. Aber was hätte es ihr genützt, zu hassen? Kann ich Rache üben in einem Hofzimmer, das keiner betritt? Rache an wem, wofür – und mit welchen Mitteln? Wenn Vicki sie so lange allein ließ, um ihr den Mut zu nehmen, dann war es erreicht. Zum Schluß dachte Marie: Ich diente immer nur als Spielball und muß es bleiben!

Da war es halb eins geworden, sie hatte eine halbe Stunde zu lange gewartet, ihr Kind sollte zu trinken bekommen. »Fräulein, Sie kriegen doch Essen!« rief Lissie ihr nach, als Marie die Treppe hinunterlief.

Am Nachmittag war es sichtlich dasselbe. Das Eßzimmer zeigte keine Spuren einer kürzlich vergangenen Mahlzeit. Aus einem der entfernteren Zimmer ertönte plötzlich eine Stimme, bald blieb aber kein Zweifel, daß sie nur aus dem Radioapparat kam. Sie sagte Wetter- und Börsenberichte her, wurde übrigens im besten Zug unterbrochen. Plötzlich ging im Eßzimmer die Beleuchtung an, und Rechtsanwalt Bäuerlein persönlich begab sich zu dem Likörschrank.

Er trank den Schnaps im Stehen, daher arbeitete er wohl entweder allein im Herrenzimmer, oder stärkte er sich für eine Verhandlung, die er dort haben sollte? Marie drang in die Vorgänge des Hauses ein, weil alles sie anging. Andererseits glaubte sie den Leuten nicht, daß sie in Wahrheit von ihr keine Kenntnis nahmen. Sie taten nur so. Der Neugierigste von ihnen bekam Lust auf ein Gläschen, nur um einen Blick auf Marie zu werfen. Das machte er genau so schnell und unauffällig, wie er sich gestern der Straße vergewissert hatte. Der war nicht der Mann, sich Zufällen auszusetzen und ohne Rückendeckung zu bleiben! Er hatte Blicke, die er fließen lassen konnte, ohne daß man sie kommen fühlte. Er sah scheinbar aus dem einen Augenwinkel, aber aus dem anderen schlängelten sie sich, und sicher war auch das nicht.

Dem Syndikus stand die Nase kühn über dem Mund, der ausgezeichnet in Ordnung gehalten war. Im Gegensatz dazu hatte er große schläfrige Wangen, seine Behendigkeit aber war darum nicht geringer. Er trug seinen Körper so geschickt, daß die Beleibtheit wie komische Absicht wirkte, bestimmt, ihn in Gesellschaft beliebt zu machen – ähnlich wie das stürmische Gelock um eine kleine Glatze. Marie fühlte deutlich, daß er einer Menge von Frauen gefiel. Während er austrank, meinte sie ihn in Ruhe betrachten zu können. Plötzlich traf er sie mit den Augen voll ins Gesicht, fragte: »Auch einen Schluck, Fräulein? Nein? Dann nicht.« Federnd war er fort, und hinterlassen hatte er ein Lächeln voll tiefer Ironie, Lissie ihres verschwand daneben.

Marie räumte schon ihre Sachen auf, da erschien endlich Vicki. Leise sagte sie: »Ich komme soeben nach Hause. Was hat er gemacht?«

»Radio gespielt und Schnaps getrunken.«

»Hat er nichts gesucht? Nicht? Das tut er sonst am liebsten.«

Dazwischen sprach sie laut. »Fräulein, der Bolero ist schon verkracht. Bei den Zeiten! Na, früher hätte ich Sie auch niemals zum Schneidern genommen. Morgen versuche ich es noch mit Ihnen. Dann hab ich eventuell genug.«

Wieder leise: »Das ist nur für ihn gesagt.«

»Er ist nicht so dumm, glaube ich.«

»Im Gegenteil. Er ist der geborene Kriminalist. Ich muß immerfort Sachen erfinden, und er bringt sie heraus. So erhalte ich unsere Ehe frisch. Ich will übrigens dein Kind sehen. Geh nur voran, ich hole dich mit dem Wagen ein. Er hat mich dann in einem ganz anderen Verdacht.«

An der übernächsten Straßenecke konnte Marie auch wirklich zu ihrer Freundin in das glänzende Auto steigen. Solange der Chauffeur die Tür noch offenhielt, sagte Vicki: »Fräulein, den Stoff haben Sie doch zu Hause, damit ich mich nicht umsonst bemühe?« Als der Wagenschlag geschlossen war, erklärte sie: »Der nimmt auch von Ignaz.«

So beglückt war Frau Zahn nicht oft gewesen seit ihrer gut bürgerlichen Zeit. Sie konnte Frau Direktor in keinen Salon führen, denn die Möbel ihres ehemaligen Empfangszimmers waren über die ganze Wohnung verteilt. Trotzdem spielte sich alles, was folgte, in einer eingebildeten guten Stube ab. »Wenn Frau Direktor gestatten, ich hole das Kleinchen. Nur ein Viertelstündchen mußte ich fortgehen. Inzwischen ist das Kleinchen in allerbesten Händen.«

»Wo?« fragte Marie entsetzt, als die Wirtin schon draußen war. »Bei der Portiersfrau oder bei den Holländerinnen?« Sie berichtete, wer das sei.

»Dein Kind kann hier nicht bleiben«, entschied Vicki. Sie überlegte: »Oder ich muß mir die Holländerinnen ansehen.« Diese begleiteten übrigens Frau Zahn, und alle Frauen umringten Marie, die das Kind trug.

»Es interessiert mich persönlich«, erklärte Vicki. »Es ist mein Patenkind. Ich sähe es am liebsten in zuverlässiger Pflege, die Mutter arbeitet außer Hause.«

»Wir sind immer da«, beteuerten die Holländerinnen und Frau Zahn. Marie empörte sich.

»Was soll das? Ich komme doch alle paar Stunden und stille es.«

»Damit solltest du aufhören, Marie, schon deiner Figur wegen.«

»Das Kleinchen ist doch auch schon vier Monate.«

»Kaum drei, Frau Zahn. Aber ich hab es selbst genährt.«

»Jetzt kann das nichts mehr nützen, Fräulein.«

Die Wirtin redete einfach Vicki zum Munde, denn Frau Direktor schien Gründe zu haben. Auch die beiden Holländerinnen merkten etwas, und ein Wettbewerb entspann sich zwischen ihnen und Frau Zahn, welcher Aufenthalt geeigneter für eine geliebte Puppe wäre, die Küche oder die Schneiderinnenwerkstatt. Die Holländerinnen glaubten gesiegt zu haben, als sie geltend machten, daß sie zwei seien und eine von ihnen bewache ständig die Wohnung. »Frau Zahn dagegen ist oft fort, weil sie zum Beten gehen muß.« Diese erwiderte, das müsse sie allerdings, denn leider gäbe es Menschen, die ihr nachstellten.

Genug, die Auseinandersetzung wurde persönlich; Vicki schickte die drei kurzweg hinaus.

»Marie –«, begann sie, stockte aber sogleich.

Das Kind lag auf seinem Bettchen, unbekleidet, weil gut geheizt war, und es strampelte, lachte, weinte, während Vicki auffallenderweise die Hände gefaltet hielt.

»Hast du das gesehn, Marie? Es ist Kurt – aber Kurt ist gesund, ein kräftiger, gesunder Kurt, etwas, das es gar nicht geben kann, ein Märchen.« Sie betrachtete Marie, wahrhaftig durch Tränen hindurch. »Das hast du gemacht, Marie?«

Keine Antwort, denn die Mutter verspürte einen Stoß, der sie aufweckte. In ihren Träumen war ihr Sohn ein kleiner Mingo, jetzt stieß sie plötzlich auf die Wahrheit, ja, einen Augenblick erkannte sie in ihrem Geschöpf völlig Kurt. Sie wurde davon ergriffen wie seine Schwester. Diesen Augenblick lang fühlte sie, durch ihr eigenes Kind hindurch, sowohl den Bruder wie die Schwester. Natürlich liebt sie es!

Bei Vicki waren Tränen nichts Alltägliches, Marie hätte sie ihr sogar niemals zugetraut. Eine Hoffnung auf Gemeinschaft mit dieser anderen Frau regte sich in ihr. Die Hand ergreifen! Sich aufschließen! In der Minute danach war dies vorbei, und Vicki, die ihre Tränen nicht über das geschminkte Gesicht laufen ließ, sondern sich bückte, damit sie zu Boden fallen konnten, fand aufblickend bei Marie nur Kälte. Sie sagte gleichfalls sachlich: »Das blendende Aussehen täuscht vielleicht, der Junge kann trotzdem die Anlagen Kurts haben. Weißt du, wenn ein Junge unter Polizeiaufsicht kommt, angefangen hat es manchmal damit, daß die Ohren nicht in Ordnung waren. Bei uns Frauen ist das anders, aber Männer sollten überhaupt nicht abenteuern, wenigstens die nicht, mit denen wir nichts haben, sondern die uns zu gut sind.«

»Was willst du eigentlich?« fragte Marie.

»Er muß sehr bald in allerbeste Pflege. Der Arzt im Hause ist unerläßlich.«

»Wer soll das bezahlen?«

»Ich natürlich.«

»Du bist nicht seine Mutter.«

»Grade darum. Höre, Marie, du wirst doch keine Schwierigkeiten machen. Zwischen mir und dir mag sein, was will, hier aber ist der Junge. Willst du, daß er groß wird?«

»Ich weiß besser als du über ihn Bescheid. Das ist es auch gar nicht.«

Marie beglückwünschte sich, daß sie die Versuchung, ihrer Feindin zu trauen, so schnell überwunden hatte. Was Vicki vorhatte, war unverkennbar: das Kind ihr fortnehmen – ihr Mingo nehmen, noch einmal und immer wieder!

»Was du willst, daraus wird nichts«, schloß Marie.

»Wir werden sehen. Jedenfalls, Marie, mußt du ab morgen aufhören, von deiner Arbeit alle paar Stunden fortzulaufen, damit der Junge die Brust bekommt. Sonst entlasse ich dich. Das bedeutet in Berlin: stempeln gehn. Die Weiber hier im Hause sind zwar ekelhaft, aber da du bockst, müssen sie dem Kinde seinen Grießbrei geben, anstatt daß es in anständige Hände kommt. Na Wiedersehn!«

Sie küßte Marie, es war sehr merkwürdig – als wollte sie

den Haß, der zwischen ihnen beiden bestand, körperlich fühlbar machen, und auch, als suchte Vicki die Gefahr.

Der Dienstag verlief wie der Montag, Marie blieb in der Bäuerleinschen Wohnung völlig allein. Von zwölf bis halb eins kämpfte sie mit sich, bevor sie den Versuch machte, durchzugehen. Lissie indes fing sie ab und meldete: »Die gnädige Frau läßt sagen, wenn Sie jetzt fortgehen, brauchen Sie nicht wieder zu kommen« – dies mit einer Ironie, die hier bedeutete: Na, nun möchte ich sehen!

Wirklich fügte Marie sich und bekam ihre Mahlzeit, die gut war, an ihrem Arbeitstisch. Das Eßzimmer wurde von niemand benutzt. Lissie erklärte ungefragt, daß die Herrschaften ganz andere Sorgen hätten als ihre Häuslichkeit, und zwar jeder verschiedene Sorgen. »Es kommt aber vor, daß sie sich hier zum Essen verabreden. Eine halbe Stunde vor der Zeit telefoniert gewöhnlich der eine ab und eine Viertelstunde nach der Zeit der andere. Trotzdem glückt es auch mal, daß alle da sind, sogar der Bruder.«

»Der Bruder der gnädigen Frau?«

»Den werden Sie unbedingt erleben, Fräulein. Soweit meine Informationen reichen, sind Sie ausgesprochen sein Typ.«

Marie antwortete lieber nicht; die Art Lissies, sich auszudrücken und zu lächeln, war zu vieldeutig. Sie erfuhr noch, daß der Hausherr mit ziemlicher Sicherheit am Nachmittag eine Stunde auf dem Sofa lag. Dies schien sich zu bestätigen, denn zu derselben Zeit wie gestern beleuchtete er das Eßzimmer, trat aber diesmal ohne weiteres bei Marie ein. Er stellte vor sie hin eine Kristallschale mit Schokolade. »Das essen Sie doch hoffentlich.«

Sie war aufgestanden vor ihrem Arbeitgeber. Er sagte: »Behalten Sie Platz. Dies ist keine Fabrik, wir haben noch nicht taylorisiert. Übrigens führt Deutschland in seinen Sitten die Demokratie schon durch – und wenn sie erst in den Sitten ist – Sie zum Beispiel sind mit meiner Frau befreundet!« Das schoß er ab; Marie erschrak, und Kirsch fiel ihr ein.

»Können Sie darüber aussagen, weshalb Vicki sich gestern fünfzig Minuten lang in Ihrer Wohnung aufgehalten hat? Das ist zu viel Zeit, um einen Stoff anzusehen. Seit wann kennen Sie Vicki?«

Marie zögerte. »Rein zufällig. Wir sind neulich ein Stück zusammen gereist.«

»Dann kommen Sie von Schlesien?«

Hierauf schwieg Marie lieber ganz. Bäuerlein machte federnde Wendungen durch das Zimmer.

»Nach Ihrer Aussprache sind Sie eher aus Holstein. Sagen Sie nicht ja! Dann würde ich es auch wieder in Zweifel ziehen müssen. Einigermaßen fest steht immerhin, daß Sie gesund sind. Das ist ein seltenes Fest: ruhige Augen, eine Haut, die gelüftet ist und doch hell bleibt!«

Marie fühlte Boden unter den Füßen. »Das meinen Sie auch nicht so. Sie haben doch eine Frau mit brauner Hautfarbe.«

»Das ist aber nicht, was mich an ihr besonders reizt. Wenn ich Ihnen sagen wollte, weshalb ich Vicki liebe –! Gleichviel, ich liebe sie – ein für alle Male. So was ist Sache des Entschlusses. Verstehn Sie nicht. Ich auch nur, solange ich will. Ich könnte jeden Tag ein neues Leben anfangen – Entschlußfrage.« Er führte offenbar ein Selbstgespräch, und Marie durfte zuhören.

»Was wollen Sie eigentlich von mir?« fragte sie ungeduldig.

»Sieh mal an, das haben Sie gemerkt. Ich will Ihr Einkommen erhöhen – dafür, daß Sie mich über alles, was Sie von Vicki erfahren, pünktlich unterrichten.«

»Das wäre nicht gut für mich. Ihre Frau ist rachsüchtig.«

»Das wissen Sie auch schon? Was hat sie denn dir für Streiche gespielt?«

Plötzlich duzte er sie. Auch trat er nahe vor ihren Arbeitstisch hin. Er hatte runde Augen bekommen, im Grunde schien er ihr hilflos mit seinen großen, zitternden Wangen und hätte sie rühren können. Sie paßte aber auf, das ging schon ganz von selbst, ihr Mißtrauen war immer bereit, sie zu schützen.

»Wenn die entsprechende Konjunktur einträte, würde Vicki mich umbringen«, sagte er klar und die Augen rund. Hierauf strich er die Vision fort und zeigte seine in Ordnung gehaltenen Zähne. »Unsinn natürlich!«

Marie fühlte, daß seine Ironie tiefer gemeint war, je beiläufiger er sprach. »Merke dir, Schatz, daß man meistens keine Verbrechen begeht, weil man vorher stirbt. Das Verbrechen wäre nur unser vollendetster Ausdruck, wenn wir so weit kämen. Wer bringt es dahin? Ich – eventuell; aber wahrscheinlich lasse ich es nur von anderen machen. Vicki und ihr süßer Bruder – mit Auszeichnung. Bei ihnen setze ich Sieg und Platz; und das hat mehr zu bedeuten als braune Haut, verstehst du?«

War er doch schon beim Likörschrank gewesen, als Marie nicht hinsah? Oder war er verrückt? Sie hatte immer häufiger den Eindruck, daß niemand im Grunde richtig war. Man bezwang sich, solange man beobachtet wurde. Allein gelassen, ging man wahrscheinlich über die Stuhllehnen spazieren oder machte vorsichtige Versuche, sich aufzuhängen. Gegen sie benahm dieser dicke Mann sich, als ob er allein gewesen wäre. Auch sie beachtete ihn nicht mehr, sie senkte den Blick auf ihre Arbeit. Nur hörte sie ihn äußern: »Die Gesundheit ist das höchste Gut. Wenn ich das da ansehe, müßte ich eigentlich einen schweren Kampf führen gegen meine verdammte Duldsamkeit für Krankheit und Kriminalität.«

Er machte eine Pause. »Das sitzt da und ist aus Holstein, naturblond, nordische Rasse sagt man, wenn man den Komplex hat. Und welches Verbrechen wird sie zu begehen haben, damit sie sich restlos ausdrückt?« Wieder eine Pause. »Auch in uns Gesunden steckt es. Wir brauchen nur in die Nähe zu kommen. Hüte dich vor deiner Sympathie für Vicki!«

Er sprach es nicht mehr laut, es war schon sein Abgang. Marie hatte dennoch verstanden, und sosehr sie verachtete, was sie hörte, diesen Menschen, der nichts war, weder böse noch gut – der Schauder in ihrem Rücken lief weiter. Er war noch nicht verlaufen, da bemerkte sie, daß vom Flur her jemand eintrat. Als sie aufsah, stand er schon im Zimmer. Marie ließ fallen, was sie in der Hand hielt; innerlich und aus tiefster Seele machte sie den Versuch, sich zu verkriechen. Ganz anders Bäuerlein! »Na, Herr Kirsch?« rief er munter.

Der Rechtsanwalt hatte mit einem Schlage alles Besondere abgelegt. Selbstgespräche wie die vorhin gefallenen konnte dieser Durchschnittstyp, der sich da heranbewegte, unmöglich gehalten haben. Mit ausgestreckter Hand ging er dem Kriminalkommissar entgegen. »Was bringen Sie Neues?«

Zwei breite, umfangreiche Männer begrüßten einander. »Wollen Sie einen Schnaps haben?« fragte der eine. Der andere antwortete: »Den kann ich brauchen. Sie heben auch einen, wenn ich Ihnen die Sache erzähle.«

»Wieso? Immer noch der verlorengegangene blaue Stein? Nach meiner Meinung kommt bei dem Fall nichts mehr heraus.«

»Da hab ich einen anderen Eindruck. Mit dem Stein hat er vielleicht nur angefangen.«

Der Hausherr trug Liköre herbei. Er mußte sie hier in dies Zimmer bringen, da Kirsch es trotz seiner Aufforderung nicht verließ. Marie fühlte deutlich, wie er sie musterte.

»Schießen Sie los!« verlangte Bäuerlein kräftig, nachdem beide getrunken hatten.

»Ihr Schwager wohnt wieder bei der Adele Fuchs.«
»Soviel ich weiß, wohnt er bei mir!«
»Da irren Sie.« Kirsch dämpfte die Stimme. »Er ist jede Nacht dort, und er hat einen guten Magen. Denn nebenan liegt der Ehemann und stirbt. Eigentlich ist es dasselbe Schlafzimmer; die Tür ist ausgehoben.«
»Sie glauben doch nicht –«
Eine Pause entstand in dem Geflüster.
»Ich glaube nie etwas«, behauptete Kirsch. »Ich weiß«, betonte er, »daß der Mann vor fünf Tagen frisch und gesund von der Reise gekommen ist und daß wir ihn öffnen lassen werden, sobald er tot ist.«
Bäuerlein schien zu überlegen. »Ausgeschlossen«, entschied er. »Ihr Verdacht ist abwegig. Soweit ist der Junge noch nicht. Dahin bringt auch die Frau ihn nicht. Sie können mir glauben! Ich bin mit seiner Schwester verheiratet, und die beiden sind Zwillinge.« Er raunte: »Kommen Sie doch weiter! Muß die Hausschneiderin das durchaus alles mit anhören?«
»Ihr kann es auch nicht schaden«, sagte der Kriminalkommissar – und nach diesem Wort war Marie genötigt, ihn anzusehen, sie konnte nicht anders; zu genau fühlte sie, wie er sie erkannt hatte trotz ihren kosmetischen Veränderungen – und wie er sich erinnerte. In seiner Erinnerung stand er wie damals auf jenem feuchten Acker. Kurt hatte dort seine Befehle entgegengenommen in furchtsamer Haltung, die erst allmählich dreist wurde. Marie arbeitete inzwischen, aber beobachtet wurde auch sie. So war es gewesen, und nachdem er sich zurückversetzt hatte, wußte Kirsch jetzt wieder, wer sie war. Er nickte ihr sogar zu!
Zum ersten Mal übrigens, hier in der vollen Deckenbeleuchtung, zeigte er sich ihr als ein ganz natürlicher Mensch. Zwei vorige Erscheinungen hatten ihn in ihrem Gedächtnis eher hinterlassen als Gewalt ohne Gestalt, etwas plötzlich Herversetztes, ebenso jäh Entrücktes.

Seine zweite Verkörperung, auf dem Acker, war immerhin schon weniger unförmlich gewesen als die erste, im Frühlicht vor der dämmernden See. Aber auch ein weiter Himmel mit ziehenden Wolken und wechselndem Licht nimmt doch dem Fremden, der mit unbekannten Absichten kommt, manches weg von seiner Alltäglichkeit. Hier im hellen Zimmer war es endlich so weit, daß Kirsch eine rötlich gesprenkelte Haut sowie eine behaarte Warze sehen ließ.

Marie war jetzt darüber unterrichtet, warum er dies Zimmer betreten hatte – zweifellos infolge einer Auskunft Lissies. Er suchte hier Marie, und von Kurt sprach er hauptsächlich ihretwegen! Sie sollte gewarnt werden vor Kurt, aber nicht nur das. Sie sollte wissen, daß sie selbst der Polizei bekannt war – als Warenhausdiebin und als Mutter eines Kindes, das von Kurt war. Wenn sie ihm nachreiste und hier im Zimmer seiner Schwester saß, warum konnte sie nicht auch eingeweiht sein in seine eigenen dunklen Angelegenheiten – jene mit dem berühmten blauen Stein und sogar die weit schrecklichere, von der Kirsch heute anfing zu reden.

Sie war verdächtig! Das ist aber eine Lage, in der man sich innerlich nicht mehr verkriecht, im Gegenteil spannt man sich an und rüstet zur Gegenwehr. Marie, die den Kriminalkommissar nun einmal ansehen mußte, machte dabei wenigstens ein Gesicht, als verstände sie kein Wort und könnte überhaupt nicht Hochdeutsch. Auf einmal zeigte sie einen Ausdruck wie zu der Zeit, da sie endgültig zu verbauern schien. Es war vor der Ankunft Kurts auf dem Hof. Damals blieb ihr verborgen, daß sie döste. Jetzt konnte sie es mit Bewußtsein und Absicht.

Kirsch hob seine schweren Schultern und ließ sie wieder fallen. Damit drückte er genug aus, auch wenn er die Augen schloß. Er glaubte ihr nicht! Endlich verließ er aber mit Rechtsanwalt Bäuerlein das Zimmer. Auch nebenan hielten sie sich nicht auf, die beiden Männer verschwanden in der Wohnung.

Marie sah sie nicht mehr, dadurch wurde das entfernte Gemurmel noch undeutlicher. Um so größer war ihre Angst, weil jetzt Kirsch doch sicher von ihrem Kind sprach. Sie wollten ihr das Kind fortnehmen, denn sie war bekannt als Diebin! Sie hatte die Schuhe gestohlen, daher konnte man ihr alles zutrauen! Die Schuhe waren für Kurt gewesen; hätte auch sonst niemand dies herausgebracht, Kirsch brauchte keinen Beweis – und um so eher war sie für Kirsch mit dabei, wenn Kurt noch etwas verbrach. Womöglich sah er in ihr die Anstifterin des Jungen, sie war doch größer und stärker.

Allmählich unterschied sie die Stimme Bäuerleins, zeitweilig auch, was er sagte. Denn er wurde lauter als Kirsch, er regte sich mehr auf.

»Der arbeitet seit vier oder sechs Wochen bei mir in der Kanzlei! Soll ich den Jungen auch noch persönlich jeden Abend zu Bett bringen? Meinen Sie, er ist mit meinem Willen wieder in Berlin? Aber da ist draußen etwas vorgekommen, ich kann nicht herauskriegen, was. Seine Schwester weiß es, aber die brächten auch Sie nicht zum Sprechen. Die Zwillinge machen Sie mal voneinander los! Ich bin doch mit Zwillingen verheiratet!«

Nachdem Kirsch etwas gesagt hatte, schrie Bäuerlein: »Der Lausejunge!« Dies wiederholte er öfter. »Aber wie soll ich verhindern, daß er wieder wettet. Natürlich arbeitet er nicht, sondern wettet. Mein Bürochef läßt ihn laufen, und ich bin überlastet, ich habe auch nichts zum Kriminalisten, ich bin Syndikus. Also? Machen Sie, was Sie wollen, aber stellen Sie mich nicht bloß, das haben Sie mir versprochen!«

Die nächste Antwort Bäuerleins klang ruhiger, ungefähr, als spräche er mit den Händen in den Hosentaschen. »Ich will Ihnen etwas sagen, Kirsch, ich glaube an den ganzen blauen Stein nicht mehr, sonst hätte ich ihn schon gefunden. In der Wohnung ist kein Fleck, wo ich nicht gesucht habe. Was machen Sie für Sachen, Kirsch! Sie reden sich ein, daß der Junge dieser Adele Fuchs verfallen ist, weil er den blauen Stein hat. Daraufhin bringen die beiden den Ehemann um – wie?« Bäuerlein lachte.

»Sie werden eine Enttäuschung erleben, Kirsch. Der Ehemann Fuchs stirbt eines natürlichen Todes, und mein kleiner Schwager wird über Bagatellsachen nie hinauskommen. Das ist nicht jedem gegeben. Er ist nur, was hunderttausend Arbeitslose aus seiner Schicht sind. Warum haben Sie sich die Hausschneiderin so scharf angesehen? Die gehört wohl auch zu den Hintergründen Kurts? Ihn soll nun einmal jeder Schritt der Unterwelt näher bringen – wie?«

Marie zitterte. Was entgegnete der Kommissar? Er, der alles wußte von ihr und Kurt! Da aber auch die Stimme Bäuerleins abklang und nicht wieder einsetzte, hatten die Männer sich offenbar entfernt. Sie wartete; dann sah sie nach. Die Wohnung war leer.

Am nächsten Vormittag kündigte Lissie ihr an, daß die Herrschaften heute zu Hause essen würden. Das Mädchen bezweifelte es allerdings selbst; sie war erstaunt, als sie um ein Uhr wirklich den Tisch decken mußte. Um halb zwei hatte immer noch niemand abgesagt, auch Kurt nicht. Marie dachte im voraus: Dort kommt er herein, er stellt sich, als entdeckte er mich erst heute, er sagt guten Tag – und dann? Was machen wir weiter? Sie wußte es nicht. Aber Kurt kam gar nicht. Nach einigem Warten ging das Ehepaar Bäuerlein zu Tisch.

Was sie hier trieben, machte auf Marie den Eindruck, als ob sie den Verstand verloren hätten. Ein Vorhang war zwischen die beiden Zimmer gezogen worden, aber sooft Lissie der Hausschneiderin ein Gericht brachte, verschob sich der Vorhang weiter. Dann sah und hörte Marie, wie der dicke Rechtsanwalt seiner Gattin das Essen vom Teller stahl, aus Schelmerei und kindischer Lüsternheit. »Von dem süßen kleinen Würstchen will Igi auch naschen. Puttchen hat so reizend daran geknabbert.« Er nuschelte, machte einen Mund wie ein Knöspchen, benannte sich selbst mit einem Kosenamen.

Vicki ging ihm bereitwillig auf alles ein. »Puttchen will Igi seinen Wein haben. Puttchen ist schon doß.«

»Kriegt Nuttchen aber nicht«, flötete Bäuerlein. »Sonst ist Nuttchen nachher besoffen, und Nutti Putti soll doch bei Staatssekretärs Tee trinken.«

»Nuttchen sch – scherzt aber mit Staatssekretärs«, quäkte Vicki mit der Stimme einer Fünfjährigen.

»Muttchen, warum läßt du die Hausschneiderin nicht mit bei Tisch essen? Du bist unsozial, Mutti Nutti Putti!«

»Das bin ich wegen des Tiefs über Alaska«, war die nicht zu erwartende Antwort. Das »Tief« stammte aus Wetterberichten, das andere Wort wer weiß woher. Ignaz fand die Äußerung einleuchtend. »Aha!« machte er.

»Dem Syndikus gefällt sie wohl? Der schöne kleine Syndi möchte sein Mutti Nutti Putti ein bißchen betrügen.«

»Aber Muttchen! Nein doch, Nuttchen!« Er drehte sich geschämig auf dem Stuhl umher.

»Bis Syndi soweit kommt, hat Nuttchen es schon längst demacht!« verhieß sie.

»Syndi paßt aber auf, und Onkel Kirsch funkt auch dazwischen«, behauptete Bäuerlein immer noch wie ein Junge, aber trotzig.

»Was hat Kirsch dabei zu suchen?« fragte sie und vergaß auf einmal, sich zu verstellen. Als es ihr wieder einfiel, quäkte sie: »Puttchen mag böse Onkels nicht. Puttchen Tirsch Nähnadel Hintern stechen!«

»Würde dir auch nichts helfen. Kirsch gibt die Spur

nicht auf.« Er sprach, wie in seinem Büro, mit vollendeter Ruhe und Sachlichkeit.

»Kirsch glaubt, daß Kurt den blauen Stein hat, er glaubt noch ganz andere Sachen.«

»Kann sich aufhängen«, plärrte Vicki. Es war ihr letzter Versuch in der Kinderrolle. »Wo soll der Stein denn sein?« fragte sie gereizt, aber verhalten.

»Wenn du es nicht weißt, kann ich es dir nicht sagen.« Auch er flüsterte.

»Ach! Ihr glaubt, daß ich ihn habe? Darum finde ich meine Sachen durchwühlt. Du bist das. Ich wollte Lissie hinauswerfen.«

»Bleibe, bitte, leise!« bat er, ging hin und zog den Vorhang zusammen. »Fräulein, Sie bekommen Kaffee in der Küche«, ordnete er an. Marie verließ infolgedessen das Zimmer nach dem Flur, schloß die Tür geräuschvoll und öffnete sie unhörbar wieder. Sie erlauschte dennoch nur wenig von dem weiteren Gespräch.

»Dein Bruder ist ein Ganove«, begann Bäuerlein. »Etwas von der Sore hat er bestimmt abbekommen damals bei dem Einbruch. Dank meinem Einfluß ist er aus dem Prozeß herausgeblieben. Das ist ein Schlag für Kirsch, der ihn verhaftet hatte. Das vergißt er mir nicht. Nimm jetzt an, der Stein wird gefunden – hier im Hause.«

»Ich schwöre dir bei dem Leben meiner Mutter!«

»Was folgt daraus? Daß ich selbst in Verdacht komme. Bei Kirsch bin ich es schon.«

»Du sollst eingebrochen haben?«

»Unsinn. Auch Hehlerei wird er mir nicht zutrauen. Aber geschäftlich – er wird meinen Verhältnissen auf den Grund gehen. Du weißt wohl, daß keine Verhältnisse das heute noch vertragen.«

»Ach! Du hast dich hoffentlich für alle Fälle gesichert?«

Darauf erfolgte keine Antwort außer einem schnellen Blinzeln seines linken Auges.

»Jedenfalls ist der Stein ein lächerlich unwichtiger Anlaß. Man sollte ihn entfernen«, bemerkte Bäuerlein mehr beiläufig.

»Aber wie?« fragte sie unvorsichtig.

Er beachtete durchaus nicht, daß sie noch soeben bei dem Leben ihrer Mutter geschworen hatte.

»Kennt Kurt die Hausschneiderin schon?« Die Frage schoß er ab, in der Art von Kirsch.

Sie lachte einmal auf. Dann wurde sie tief nachdenklich. Wenn ihr Ignaz den ersten Teil der Angelegenheit nur unvollkommen kannte, wie konnte er plötzlich Kurt in Verbindung bringen mit Marie? Vicki betrachtete ihren dikken Mann von unten aus halb geschlossenen Mandelaugen. War er jemals auf den Gedanken gekommen, daß der ganze Einbruch damals nur veranstaltet worden war, um ihr die große Aufmachung zu verschaffen für den Presseball, auf dem sie ihn einfing? Zum ersten Mal fiel ihr auf, daß es sein konnte oder auch nicht und daß ihr Ignaz unergründlich war.

Zweitens mußte ihm vernünftigerweise verborgen geblieben sein, daß Kurt von Marie ein Kind hatte, und alles, was sich daran schloß. Trotzdem erschienen ihm einfach beim Anblick Maries offenbar Möglichkeiten – sie selbst begriff sie noch gar nicht bis zu Ende. Manchmal fürchtete sie sich vor Ignaz.

Aufs Geratewohl und nur zur Abwehr sagte sie: »Kurt kommt selten. Außerdem ist das Mädchen nicht sein Typ.«

»Das letztere ließe sich bezweifeln. Wahr ist leider, daß ich ihm weder hier noch in meiner Kanzlei begegne. Dafür aber höre ich, daß er schon wieder wettet.«

»Kirsch ist der größte Lügner! Ich schwöre dir bei dem Leben –«

»Geht es deiner Mutter gut? Siehst du, das Wetten führt zu interessanten Bekanntschaften, und das vorige Mal sind sie in Wirksamkeit getreten bei Gelegenheit des Einbruchs. Nimm einmal an, Kurt hätte aus den Kreisen niemand gekannt, schon haben wir weder den blauen Stein, noch Kirsch –«

Vicki dachte: Noch den Presseball, noch mich. Auch Marie nicht, ergänzte sie. »Was sollte eigentlich deine Frage nach der Hausschneiderin?« erkundigte sie sich.

»Nichts Besonderes. Was ist schon der blaue Stein. Gar nichts ist er. Aber jemand muß ihn doch haben. Vielmehr, versteh mich recht, die Eigentümerin, Adele Fuchs heißt sie und ist eine berufstätige Frau, muß ihn früher oder später zurückbekommen; der Scherz hat lange genug gedauert. Na und irgendwo im Hause wird sie ihn eben finden – aber bei wem am besten? Bei dir nicht, bei mir auch nicht. Wir sind uns selbst die nächsten, so gesund bin ich.«

Inzwischen faltete er seine Serviette, er war verhindert, Vicki anzusehen. »Begriffen«, sagte sie sachlich.

Das nächste war, daß beide die Münder spitzten, einander küßten und gesegnete Mahlzeit wünschten. Draußen entfernte Marie sich jetzt wirklich. Sie hatte nicht viel gehört und noch weniger verstanden.

»Hat Syndi seinen Bauch schön dick dedessen?« quäkte Vicki.

»Nuttchen hat sich danz schön andeschickert!« stotterte ihr Gatte.

»Jetzt wünscht sich Nuttchen noch ein nettes Viertelstündchen mit ihrem eigens angetrauten Rekordmännchen!«

»Hier hast du!« Er zog die Brieftasche. »Zu der Hauptsache kommt man gar nicht mehr. Immer Deld machen, immer Deld machen!«

»Kurt ist klüger. Der sitzt im Wettbüro und schiebt den Sieger rein.«

»Der liebe Junge sollte sich auch mal seiner Familie widmen. Das ergibt gelegentlich eine hübsche kleine Aussprache, wie wir sie heute hatten. Sag ihm – höre, Puttchen, sag ihm, daß Kirsch alles weiß und sich noch mehr ausdenkt, als er verantworten kann!«

Rechtsanwalt Bäuerlein federte auf den Füßen, schon war er draußen.

Seine Frau läutete, damit Lissie abräume. Vicki verhielt sich inzwischen im Damenzimmer völlig lautlos, sie dachte nach. Als sie Schritte hörte, war es schon zu spät, sich umzuwenden; ihr Bruder küßte sie auf den entblößten Nacken. »Lumpchen!« sagte sie. »Du bekommst nichts mehr zu essen.«

»Ich brauche nur Wasser und ein Handtuch.«

»Um Gottes willen!« Er hatte ein schwarz unterlaufenes Auge, das er nicht öffnen konnte. »Ein Stoß? Wer war es? Lissie! Wasser! Eine Serviette!«

Er ließ sich nieder, seine Schwester und das Mädchen bemühten sich hingebend um ihn.

»Ein Geschäftsfreund«, erklärte er. »Ich hatte verdient. Einer kann immer nur verdienen, das wollte der Junge nicht einsehen. Ich kann das Auge nicht aufmachen, aber an seiner Stelle möchte ich nicht sein. Der liegt vierzehn Tage im Krankenhaus.«

»Du bist ein Held.«

»Ganz im Ernst!«

»Natürlich ganz im Ernst.« Denn seine Schwester sah ihn nicht anders, als er war, mit Schwindel und allem übrigen, und so war er ihr Held. Andere fand Vicki nur lächerlich.

Sie ließ ihn sich ausstrecken, sie legte ihm Kissen zurecht und erneuerte den Umschlag. »Sie können gehen, Lissie! Sagen Sie der Schneiderin, daß sie in der Küche bleiben soll. Es macht mich nervös, den ganzen Tag jemand in Hörweite zu haben. Man hat kein Privatleben mehr«, ergänzte sie, als das Mädchen gegangen war.

Kurt bemerkte: »Richtig! Wir haben ein Privatleben.«

In diesem Augenblick überzeugte Vicki sich persönlich von der Abwesenheit Maries. Sie kehrte zurück.

»Hast du arge Schmerzen, Liebling? Oder können wir reden?«

»Du hast mit dem Syndikus zu Mittag gegessen. Nur gegessen? Wenn ihr euch grade heute so abscheulich nahe ständet –«

»Laß deine Eifersucht! Ich hätte mehr Grund. Du hast ein Kind.«

»Was beweist das schon«, meinte er leicht.

»Jedenfalls ist es da. Es ist dein Kind, ist da, und die Frau dort hat es. Sie soll es nicht behalten. Ich will nicht! Ich will, was ich will!«

Sie ging nicht weiter – noch nicht, dachte sie. Ihr Bruder wurde aufmerksam. »Du liebst mein Kind?« Er sah ihre Augen feucht werden, es bewegte ihn endlich selbst. »Wenn ich könnte, solltest du es haben. Es ist doch ein Junge? Möge es dir Ehre machen, Vicki!«

»Die restlose Ähnlichkeit!« brachte sie unter Schluchzen hervor. »Und die dicke dumme Mutter! Was geht dein Kind sie an? Sie hat ihren Zweck erfüllt und muß aus dem Wege!« Sie bekam eine schöne, bewegte Bruststimme.

Ihre Leidenschaft befriedigte den Bruder tief, obwohl sie ihn auch erschreckte.

»Sei vorsichtig!« bat er. Sie aber zeigte sich völlig sicher.

»Das Kind ist schon so gut wie meins, ich bereite alles dafür vor, ich kann hingehen, sooft ich will, während die Mutter hier sitzt.«

»Wenn ich mitreden darf, Vicki: du hättest Marie lassen sollen, wo sie war. Ich habe kein gutes Gefühl dabei, wenn sie in dem hinteren Zimmer sitzt und hier alles miterlebt. Was soll es? Ich bin lieber noch gar nicht hineingegangen.«

»Dann wird es Zeit. Jedenfalls lasse ich sie nicht fort.

Mir ist nur wohl, wenn ich sie mit der Hand anfassen kann.« Vicki dachte sogar: mit den Lippen berühren.

»Du mußt sie furchtbar hassen. Meinetwegen? Vicki, das lohnt sich nicht.«

»Du wirst bald begreifen, wie sehr sie uns nützen kann.« Vicki ging zum zweiten Teil über, das waren die von Bäuerlein empfangenen Anregungen. Daher setzte sie sich auf die Couch, zart und leicht neben den verbundenen Kopf ihres Bruders.

»Was gibt es Neues bei Adele Fuchs? Ich frage, Liebling, weil du vielleicht in Gefahr bist.«

Er kam hoch. »Was weißt du?«

»Nichts Bestimmtes. Aber ist dir nicht selbst so?«

»Wenn du Kirsch meinst – an ihn bin ich gewöhnt. Gestern nacht ist der Mann Adeles gestorben, Kirsch hat natürlich die Leiche beschlagnahmen lassen.«

»Nimm an, sie finden Gift darin!«

»Sie können keins finden. Ich bin auf Mord nicht eingestellt. Mir müßte man mächtig zureden, und selbst dann – Ich kann Adele doch nicht heiraten – so gern ich ihre Bar erben möchte.«

»Aber Adele – traust du ihr zu, daß sie mit Kirsch gegen dich arbeitet?«

»Durchaus. Deshalb wollte ich mit dir reden, Vicki. Mein geschwollenes Auge kommt auch daher. Ein Ganove wollte von mir wissen, wo der blaue Stein ist. Natürlich ein Junge von Kirsch.«

»Du hast doch nicht –?«

»Das – verraten?« erwiderte er – lächelte ironisch mit seinem einzigen Auge und lehnte schnell für einen kurzen Augenblick seinen Kopf an ihre Schulter. Als er aufsah, schaukelte der blaue Stein an ihrer erhobenen Hand.

»Da haben wir ihn«, sagte Kurt zärtlich, ganz ohne Überraschung. »Ich wußte, zur rechten Zeit würde er sich wiederfinden. Darf ich ihn an Adele weitergeben?«

»Du persönlich?«

»Also mit der Post. Dann kann Kirsch uns wieder nichts beweisen. Hauptsache, sie bekommt ihn zurück. Adele ist eine gute Frau.«

»Du meinst: das bösartige Stück, das du kennst. Sie hat die ganze Sore zurück, aber mir läßt sie keine Ruhe wegen des blauen Steins, der mir Glück gebracht hat!«

Vicki kämpfte mit Tränen, ganz anderen als die um das Kind, und sie wollte sie nicht weinen. Statt dessen bekam sie die wütende Stimme eines kleinen Mädchens; ihr Ignaz würde es für den üblichen Scherz gehalten haben. Sie war aber tiefernst, und ihr Bruder tröstete sie.

»Bei der ersten Gelegenheit hol ich ihn dir wieder, Vicki. Nur jetzt muß Adele ihn bekommen. Weißt du, sie nimmt alles Geschäftliche schrecklich genau. In anderer Hinsicht hat die alte Frau sogar Herz, nur dort hört es auf. Du tust mir wirklich den größten Gefallen. Jetzt kann ich bei Adele anders auftreten. Drohungen ziehen nicht mehr.« Nebenbei versuchte er, den Stein von der Hand Vickis loszumachen; sie krümmte aber die Finger. Daher bemerkte er: »Ich habe nie verstanden, warum du an dem Ding so sehr hängst.«

»Maskott«, sagte sie.

»Und wegen einer Sache, die Glück bringt, soll man sich den Hals brechen!«

»Die halsbrecherischen Lagen kann ich nicht entbehren«, bekannte sie. »Ich werde doch noch heulen, weil ich den blauen Stein hergebe. Ich sollte es nicht tun, trotz Kirsch und dem Syndikus!«

»Dir bleibt Marie, sie leistet denselben Dienst, was Hals brechen angeht.«

»Allerdings – und das wollen wir aufbauen. Sie soll noch viel gefährlicher werden – und doch nichts machen können. Merke dir eins! Den blauen Stein wirst du Adele nicht mit der Post schicken.«

Sie glitt von ihrem Sitz, dem Bruder gab sie ein Zeichen, sich ruhig zu verhalten, schon verschwand sie durch das Eßzimmer. Kurt horchte; aber kein Geräusch ließ erkennen, was sie tat. Übrigens kannte er sie und war sicher, daß sie davon schweigen werde; er mußte es selbst herausfinden. So viel bemerkte er gleich, als sie wieder eintrat: der blaue Stein hing nicht mehr an ihrer Hand.

Sie sagte: »Ich gehe zu einem Tee. Du bleibst schön liegen und machst Umschläge. Das Auge ist nicht so schlimm, wie es anfangs aussah.« In der Tür hielt sie an. »Marie soll wieder ihr Zimmer benutzen.«

»Meinetwegen. Lieber wäre mir allerdings, du setztest sie überhaupt –« Anstatt auszusprechen, gab er seinen Hüften einen Schwung und kehrte sich der Wand zu. Vicki verschwand.

Kurt lag noch nicht lange allein, da läutete neben ihm das Telefon. Er hob ab und hörte zuerst nur ein leichtes Geklapper. Als endlich die Stimme kam, antwortete er in schlechter Laune: »Jetzt klappern dir die Zähne, Adele, und das mit Recht. Hast du es nötig gehabt, dich mit Kirsch einzulassen? Den wirst du nie wieder los. Alles wegen des popligen blauen Steins, und zum Schluß beschlagnahmt er die Leiche. Es ist nicht deine Schuld? Aber meine vielleicht, ich bin ein elternloser Junge. Nein! Nicht hierherkommen! Auch nicht, mir sind sie in den Wagen gefahren, ich liege. Nein! Hör zu! Fräulein, ich bin unterbrochen.«

»Der Teilnehmer hat eingehängt.«

Kurt ließ nochmals seine Hüften herumschnellen, aber er fand keine erträgliche Lage mehr. Zuerst die eine, überlegte er und stand auf.

Er zögerte. Aber warum nicht? Irgend jemand muß die Kosten tragen, so ist es immer. Und Vicki hat so viel Spaß davon!

»Ach! Marie!« rief er. »Hier sitzt du! Ich denke mir: sie

ist doch in Berlin. Aber weißt du, ich komme jede Woche mal nach Haus. Und sonst geht es gut? Dir sieht man nichts an. Ach ja, das Kind – es lebt doch? Na also. Du wirst lachen, ich weiß noch, daß es ein Junge ist!«

»Er ist dir nicht ähnlich«, erklärte Marie, ließ das Nähen und behielt ihn im Auge. Kurt hob die Schultern.

»Er soll mir zwar aus dem Gesicht geschnitten sein – abgesehen von dem blauen Auge, das ich mir heute geholt habe. Du fragst nicht, wo. Marie, du liebst mich nicht mehr.« Seine Ironie! Da sie noch knabenhaft blieb, mußte Marie lächeln, so gegenwärtig ihr alles Erlebte war – Kurt hatte es soeben zusammengefaßt in das Wort »lieben«!

Er äußerte: »Ich wollte nur feststellen, daß wir nach wie vor gute Freunde sind. Überall kann was vorkommen.« Meinte er damit, was auf dem Bahnhof in Lübeck vorgekommen war? »Deswegen siehst du noch immer aus wie preisgekrönt. Ich bin gespannt, was Adele zu dir sagt. Adele mit dem blauen Stein, weißt du noch?«

»Was willst du von mir?«

»Richtig, seien wir kurz! Adele kann jeden Augenblick eintrudeln. Du hilfst mir doch bei ihr! Du brauchst bloß zu allem still zu sein, mehr verlange ich nicht.«

»Deine alte Adele ist auf mich eifersüchtig.«

»Das auch – besonders, wenn sie dich erst sieht! Du brauchst ihr nicht grade anzuvertrauen, daß wir ein Kind haben. Aber abgesehen davon, mach keinen Krach, was auch vielleicht geschieht!«

Draußen läutete es.

»Jetzt hilfst du mir. An mich kommt auch noch die Reihe. Auseinander können wir jedenfalls nicht!«

Mit der geflüsterten Mahnung drückte er sich durch die Tür, um Adele gleich auf dem Flur zu empfangen. »Abschwirren!« befahl er Lissie.

»Einen glänzenden Gedanken hast du da gehabt! Kirsch beargwöhnt uns alle schon – deinetwegen. Da ist es bestimmt das beste, du kommst auch noch persönlich her. Du hast überhaupt einen guten Tag«, setzte er hinzu; denn die Säcke unter ihren gemalten Augen waren ungewöhnlich dick, ihre Wangen hingen besonders tief.

»Du auch!« Ihr funkelnder Finger zeigte auf sein Auge. »Willst du mich nicht vielleicht ins Zimmer einlassen?«

»Nein. Dort kann leichter jemand horchen als hier.«

»Und außerdem entweihe ich das Zimmer deiner Schwester.«

»Außerdem«, wiederholte er frech. Sie erhob plötzlich die gefalteten Hände. Er hörte zuerst nur das Geklapper, wie am Telefon.

»Bedenkst du denn gar nicht, daß wir beide ins Zuchthaus kommen können? Grinse nicht! Dein Grinsen allein kostet uns vor Gericht zehn Jahre mehr!«

»Wir sind unschuldig«, sprach Kurt mit Überzeugung.

»Jetzt liebe ich ihn wieder«, sagte sie entspannt und mit bewegter Brust. »Er glaubt noch an die Menschen. Herzchen, hast du eine Ahnung, wieviel Gift sie in Leichen finden? Ganz giftecht soll keine sein, und ob sie einen Angeklagten freisprechen, hängt mehr von seiner sonstigen Beliebtheit ab. Willst du nun behaupten –?«

»Nein. Wir sind nicht einwandfrei – du schon wegen deines Ladens nicht.«

»Einen Einbruch hab ich noch nicht mitgemacht.«

Er zischte, mit einem Gesicht, von dem sie zurückfuhr: »Du bist die bösartigste Sege in Berlin W 15. Wenn die Polizei dir fast alles zurückbringt, dann hetzt du Kirsch noch eigens auf mich und meine Schwester. Halte die Klappe! Natürlich ließ dir der blaue Stein keine Ruhe. Du – und irgend etwas loslassen, was dir gehört!«

»Besonders dich nicht«, sprach sie dazwischen.

»Das war allerdings die Hauptsache! Eifersucht! Mich in den Fingern halten, bis ich nie wieder herauskann!«

»Ohne mich müßtest du noch immer Mist fahren. Jetzt

ist Otto tot, wir können heiraten, du erbst die Bar, mein Gold!«

»Oder wir kommen ins Zuchthaus.«

Die ältere, gefärbte Frau bebte sofort wieder und löste sich auf. Kurt sah seine Chance.

»Du hast aus reiner Bosheit Vicki verdächtigt. Wenn du deinen verfluchten blauen Stein bei einer anderen fändest, was würdest du mit ihr machen?«

»Sie der Polizei übergeben!«

»Dann bist du mich los, das merke dir.«

»Ach so. Du weißt, wo ich ihn mir abholen kann? Hier vielleicht?«

Eine fast unmerkliche Bewegung Kurts zeigte ihr, wo. Sie öffnete die Tür und sah sich Marie gegenüber. Marie hatte es richtig gefunden, stehend aufgerichtet die Eintretende zu erwarten. Es zeigte sich, daß sie einen Kopf größer war als die alternde Person, die überall schlaffe Polster sitzen hatte an Körper und Gesicht. Adele war nicht fett, aber sie hatte getrunken seit langen Jahren. Marie kannte die Wirkung des teuren Trinkens nicht; sie wußte nur, wie man vom Schnaps aussehen wird. Adele in ihrer aufgepumpten Wohlerhaltenheit, fast noch eine Schönheit, blieb ihr rätselhaft. Dagegen fühlte sie: bis jetzt bin ich im Vorteil.

»Darf ich bekannt machen«, sagte Kurt. »Marie Lehning, Adele Fuchs. Marie schneidert hier. Sie ist mit Vicki befreundet.«

»Nur mit Vicki?« fragte Adele nebenbei. Hauptsächlich bewunderte sie Marie. »Fräulein, wieviel wiegen Sie?« fragte sie sogleich mit wirklicher Neugier.

»Hundertdreißig, aber es ist schon lange her.«

»Richtig; und auch sonst stimmt es. Sie haben ein Gesicht – wenn Sie bei mir Barfrau wären, der Gast glaubt Ihnen jede Rechnung!«

»Lassen Sie das dumme Zeug, ich muß weiter arbeiten.« Marie wendete sich dem Tisch zu.

»Nein, Sie können auch schneidern!« Immer noch gebrauchte Adele den Ton der Bewunderung, ihre Haltung wurde sogar demütig. Sie hob halb fertige Sachen auf, um sie zu betrachten; darunter erschien die leere Tischplatte. Allmählich verlor sich ihre weiße und beringte Hand in einem Korb mit bunten Fetzen.

»Wieviel nehmen Sie, Fräulein, für ein Abendkleid, ich meine, ein – oh!« Sie brach ab, ihre Hand zog sich schnell aus dem Korb zurück.

»Fassen Sie lieber selbst hinein!« verlangte sie, auf einmal verändert.

Marie sah die Person wachsen vor ihren Augen, die ganze Unterordnung ging verloren. Eine Wendung steht bevor, fühlte Marie, sie haben etwas Neues vor! Ihre erste Regung war, sich abzuwenden und das Zimmer zu verlassen. Ich will das nicht wissen! wollte sie sagen. Was aber sofort durchdrang, war das Bewußtsein ihrer Kraft. Bekam sie die Frau mit dem weichen Fleisch je in ihre Hand, dann wehe! Den Jungen, der sich hier ironisch stellte, hatte sie einst auf gereckten Armen über sich in die Luft gehalten, bis er in Krämpfe fiel. Die mochten sich ausdenken, was sie wollten, ganz so mußte es doch wieder enden. Ich mache alles mit, beschloß sie. Meine Stunde kommt nur um so sicherer!

Damit griff sie unter die Stoffreste und zog den großen blauen Stein hervor. An seiner Kette, deren Brillanten glitzerten, hing er von ihrem Finger herab, und die Deckenbeleuchtung entzündete in ihm den übertriebenen Glanz von Meeren, die niemand kannte. Der Anblick kam unerwartet, selbst denen, die den Stein schon oft gesehen hatten. Wie sehr bezauberte er Marie! Sie dachte einen Augenblick nichts, nur ihre Sinne waren ergriffen, und in ihrer Tiefe stand etwas auf wie Begeisterung, flüsterte etwas wie Rührung. Sie hatte das Gefühl, reiner und schöner dazustehen. Das ist das andere Leben! Das könnte ich sein! Vielleicht fühlte sie das – eine Sekunde später war es schon verflossen.

Marie seufzte, sah auf und bemerkte Adele. Wozu die imstande sein mußte, da sie einen solchen Stein besaß! Dieser Gedanke führte Marie mitten in die Wirklichkeit zurück. Ihr wurde bewußt, daß sie gefangen, richtig gefangen war und sich auf keine Weise heraushelfen konnte. Der Stein war in ihrem Korb gefunden worden, und sie war die Freundin dessen, der ihn gestohlen hatte. Zehn Monate hatten sie zusammen auf dem Lande gelebt, und der Stein, der die ganze Zeit in Berlin vergebens gesucht worden war, kam zum Vorschein, sobald sie selbst sich zeigte. So sah es aus. Sogar Kirsch konnte nichts anderes glauben. Wenn er jemals Vicki im Verdacht gehabt hatte, damit war es aus, denn jetzt fand sich der Stein bei einer vorbestraften Diebin!

Plötzlich warf Marie den Oberkörper nach vorn, als ob sie vorstürzte, aber ohne die Füße zu bewegen. Sie zeigte die Zähne wie ein Tier – Adele und Kurt zogen sich beide eilig zurück.

»Das habt ihr fein gekonnt!« rief Marie rauh.

»Was denn, was denn!« brachte Adele hervor, sie wußte selbst noch nicht, ob zur Beruhigung oder als Gegenangriff. Für Kurt stand es fest, was er wollte.

»Marie!« Er gab sich gleich die äußerste Anspannung. »Der Spaß hatte lange genug gedauert. Du weißt doch, was ich dir immer sagte in dem Kaff, wo wir so lange zusammenhockten. Ich sagte dir: Wir lassen das Ding wieder auftauchen, bevor es zu spät ist. Adele war hinter Vicki her, Kirsch auch schon!«

Das letzte keuchte er. Marie, mit bloßen Zähnen: »Darum muß ich dran glauben!«

»Natürlich lieber du! Hast du den Stein behalten wollen oder nicht?«

»Du sollst mit zwei Sipos –!«

»Nach dir!« erwiderte Kurt ihr, blaß und mit verrenktem Mund. Das zerbeulte Auge unterstützte sein verhängnisvolles Aussehen.

Marie fand im Augenblick keinen Atem. Die Verabredung des Ehepaares, zum Schluß ihres Mittagessens! Plötzlich verstand sie die paar erhorchten Worte. Das waren die Anstifter, die Betrüger. Ihr wurde übel vor Wut; sie griff um sich, sie hielt sich am Tisch fest.

»Nun kommt die Reue nach!« bemerkte Adele. »Daß sich wenigstens noch Ihr Gewissen meldet!« Sie schob Marie einen Stuhl unter.

Als Marie zu sich kam, waren ihre Gefühle umgeschlagen. Dann soll es wohl sein, fühlte sie. Es stimmt alles viel zu gut. Eigentlich haben die Leute recht. Ich komme eben wieder vor den Schnellrichter.

Adele wischte den Stein ab, sie prüfte, ob von der Kette kein Brillant fehlte, dann verpackte sie den Gegenstand in ihrem Handkoffer. »Schluß, er kommt in den Safe«, sagte sie, den Mund streng abwärts gezogen. Kurt kannte ihre nächtlichen Augen, die angenehm verbummelt aussahen. Hier aber machte Adele im höchsten Grade ihre Tagesaugen; er zog es vor, abzuwarten. Für Marie legte er den Finger auf die Lippen, damit sie den Mund hielt. Adele sagte denn auch: »Jetzt habt ihr nichts mehr zu melden. Gut, daß ihr's einseht! Ich kann mit euch machen, was ich will. Ganz wie ich lustig bin!« Sie verzog den harten Mund, braune Zähnchen erschienen; in all der Schminke lächelte die alte Frau – armselig und schrecklich.

»Ihr habt in gemeinsamer Täterschaft den blauen Stein geklaut, das ist nun heraus. Dafür müßt ihr aber auch beide hübsch artig bei Tante im Harem bleiben.«

Sie suchte einen Sitz, Kurt beeilte sich, sie zu bedienen. Da sie das Handköfferchen nicht losließ, dauerte es eine Weile, bis sie saß; Marie konnte inzwischen denken:

Nicht vor den Schnellrichter? Was will sie? Ist die auch verrückt?

Kurt sagte eifrig: »Sehr liebenswürdig, Adele. Schließlich wirst du mir sogar noch dankbar sein. Was ich dir bringe!« Er zeigte auf Marie. »Das hast du im Leben nie gehabt.«

»Keine Übertreibung! Aber das Fräulein könnte passen. Waren Sie schon mal in einem Betrieb?«

»Ich?«

»Als Barfrau«, erklärte Kurt ihr.

Marie wollte rufen: Nicht vor den Schnellrichter? Rechtzeitig schloß sie den Mund wieder.

Adele sprach geschäftlich. »Ich stelle Sie ein, Fräulein. Morgen abend halb acht Uhr können Sie antreten. Sie haben Prozente. Wieviel Umsatz Sie machen, ist Ihre Sache. Eins müssen Sie sich besonders merken: Kurt ist mein Süßer.« Sie schob eine bedeutungsvolle Pause ein. »Ihre Vorgängerin hat ihn mir kappen wollen. Noch denselben Abend mußte sie auf das Revier. Das kann ich immer machen. Ich weiß was gegen jede. Schön. Das war das.« Sie klappte hörbar den Mund zu und wackelte mit dem Kopf.

»Noch sieht sie aus wie eine Schneiderin«, äußerte Kurt. »Aber ein Körper! Schultern, Hüften, lange Beine! Ihr Rückenausschnitt – ganz große Klasse! So viel glatte Haut ohne einen Leberfleck, ohne ein Körnchen hat dein Laden nie erlebt.«

Adele widmete ihm einen Blick, er behielt das Weitere lieber für sich. Indes ging sie auf seinen Gedanken ein.

»Blondieren Sie sich! In Naturblond werden Sie immer eine Nummer zu solide aussehen. Ihre Note ist zwar das Solide, darauf fliegen die internationalen Hochstapler, obwohl es jetzt keine mehr gibt. Die anständigen Gäste können das selbst. Schminken Sie sich nicht viel! Hauptsächlich die Augen, helle Augen wirken nicht groß genug in einem langen Gesicht. Das ist der Fehler bei allen Hamburgerinnen.«

»Ich bin keine Hamburgerin.« Es war das erste Wort Maries bei dem ganzen Handel. Kurt machte eine ungefähre Handbewegung.

»Alles aus der Gegend dort oben heißt Hamburgerin, wenigstens jede, die den Typ hat. Ist Adele nicht bezaubernd?« fragte er ohne Übergang. »Ich hatte doch recht, wenn ich dir von ihr erzählte? Jetzt wirst du erst sehen, daß sie auch nett sein kann! Adele, ich habe dir den blauen Stein und die beste Hamburgerin gebracht, außerdem bleibe ich dein Süßer, bis du an Altersschwäche stirbst. Was bekomme ich?«

Bevor er sich bücken konnte, hatte er ihre Hand im Gesicht. »Das«, sagte sie.

Er duckte sich nachträglich. Von unten, mit seinem bösen, bleichen Grinsen zischte er: »Das ist noch nicht heraus. Ich bin jünger als du, Adele.«

Sie zuckte die Schultern. Aber sie fürchtete sich, ihre Bewegung verriet es, als sie aufstand.

Kurt öffnete ihr die Tür. Erst jetzt besann Marie sich; schrill rief sie hinterher: »Gehen Sie nur gleich zur Polizei! Denn in Ihr Lokal komme ich nicht!«

Adele ließ sich dadurch nicht aufhalten. Kurt wendete nur den Kopf und streckte die Zunge heraus. Dann verschwanden die beiden.

Noch während sie die Treppe hinunterstiegen, kam die Frau auf ihre größte Furcht zurück.

»Wenn sie aber bei Otto Gift finden! Hast du vielleicht doch –?« flüsterte sie. Der Junge raunte ihr unter den Hut, in das rote Haar hinein: »Kann man wissen?«

Aber er war des einen sicher: Vicki blieb heraus aus der Sache! Das machte wahrscheinlich auch ihn selbst weniger verdächtig, sogar was die Leiche betraf. Adele mußte sagen, daß sie den blauen Stein ganz einfach wiedergefunden hatte; dann ließ Kirsch ihn in Ruhe. Vor allem blieb Vicki heraus! Vor Freude schwang er sich auf das Geländer und rutschte es hinunter.

Im Zimmer droben hob Marie eine begonnene Arbeit auf, unschlüssig, ob sie sich hinsetzen und weiter nähen sollte. Sie versuchte es. Dennoch stand fest, daß dies schon hinter ihr lag und daß der nächste Abschnitt folgte. Der nächste Abschnitt sollte sie wieder ein Stück weiter entfernen – von wem?

Sie dachte: Ich gehe noch einmal in das Pingpongzimmer, zu der Karte mit den Weltmeeren.

Fünftes Kapitel

Die Bar war ein ernstes Geschäft. Pünktlich halb acht trafen die Mädchen ein. »Sehr angenehm. Lehning«, so stellte Marie sich allen vor. In ihren großen Abendkleidern räumten die sechs Damen zuerst einmal auf. Die vorderen Tische waren von ihnen selbst in Ordnung zu bringen; den Kellnern gehörten die Plätze um die Tanzfläche sowie die kleinen Abteilungen zwischen den Tapetenwänden. Es bestand gutes Einvernehmen; Gäste kamen noch fast zwei Stunden nicht.

Wenn die Barfrauen zu Abend gegessen hatten, legten sie einander die Karten. Hedi verhieß Stella: »Ein großer Freier kommt über den kleinen Weg!« Dann konnte Stella nicht wohl anders, als ihr dasselbe weiszusagen. Etwas unheimlich klang die Auskunft, die Marie am dritten Abend von Nina bekam: »Marie, es liegt Verdruß zum Haus in der Morgenstunde.«

»In der Morgenstunde?«

»Du mußt dich hüten. Aber es ist noch weit weg.«

Dies klang unheimlich, weil grade Nina gegen Marie gewiß keine bösen Absichten gehegt hätte. Im Gegenteil stammten beide von der Waterkant. Die echte Hamburgerin war sogar Nina, sie wurde nur nicht dafür anerkannt, weil sie klein und dunkel war.

Sie hatte hinter sich ein Leben über See und auf der Reeperbahn. In Städten mit schwierigen Namen, die sie vermittels fremder Tonmischungen aussprach, hatte sie selbst Lokale besessen. Ihr waren Männer gestorben oder verlorengegangen, und schon fuhr ihr großer Junge zur See. Sie blieb in jeder Lage gleichmütig, sah übrigens jung aus und erzählte geschickt. Die Gäste wurden bei ihr auf den Hockern leicht heimisch und verzehrten nicht selten für mehr als zwanzig Mark. Bei den »großen Freiern«, die »über den kleinen Weg« gekommen waren, rechnete sie mit beträchtlich höheren Summen. Ihre Prozente aber sparte Nina für den Seemann. Er sollte die Navigationsschule besuchen, sollte Steuermann und Kapitän werden.

In dem Buffet, über das sie ihre entblößten und beglänzten Schultern neigte, lag zwischen Zigarettenschachteln und Wischtüchern ein kleiner Handatlas, darin verfolgte sie die Reisen ihres Sohnes. Sogar ohne Nachrichten von ihm konnte sie, nur durch ihre Kenntnis der Schifffahrt, bestimmen, wo er sein mußte. Am vierten oder fünften Tag ertappte sie Marie, die Neue, die ihr zusah. Seitdem wurden sie Vertraute, Nina erfuhr von einem Matrosen namens Mingo. Das war der Freund Maries. Übrigens kannte sie die Gesellschaft, für die er arbeitete, sie erinnerte sich auch an den Kapitän des kleinen Schoners. Als Marie ihr den Tag seiner Abfahrt genannt hatte, konnte Nina von Zeit zu Zeit einen Hafen mit der Stecknadel bezeichnen: dort war Mingo.

Sie beschrieb die Hafenstraße und das Lokal, in das Mingo sogleich nach der Landung unweigerlich einlief. In fremdem Tonfall, demselben, der die Gäste so beeindruckte, daß sie mehr ausgaben, sprach Nina die Namen von Männern und auch von Frauen, denen Mingo gewiß begegnete. Ein Gast war noch nicht hier, aber die Musik spielte schon, um anzulocken. Marie träumte; das Hämmern eines Tanzes erfüllte ihr den Kopf, und im Augenblick des Besinnens war ihr noch zweifelhaft, was sie gehört hatte, das ferne Geräusch einer Bar über See, die Mingo betrat, oder nur die Jazzband des Harem, Uhlandstraße, eine Minute vom Kurfürstendamm.

Dann öffnete der Portier auf der Straße den ersten, unentschlossenen Gästen. Die Kapelle wurde lauter, damit sie nicht umkehrten. Eins der Mädchen sang hell zwei Takte, und jede machte das Gesicht, das sie für das wirksamste hielt, Hedi ein abweisendes, während Stella aufleuchtete. Die ersten Gäste hatten zu viel Auswahl. Besonders Bürgermeister aus kleinen Orten gingen anfangs das ganze Buffet entlang, ohne sich zu setzen. Die Zurufe der Barfrauen und ihr beredtes Schweigen empfingen sie wie eine längst geschuldete Darbietung, während sie innerlich vielleicht für das mitgeführte Geld einer städtischen Kasse zitterten. Nachdem sie auch noch die bis jetzt einsamen Hintergründe des Harem besichtigt hatten, erschien für die Mädchen der Augenblick des Endkampfes um die Bürgermeister. Jede machte sich kräftig bemerkbar, und schwankte der Gast, dann mußte er in ihrer schonungslosen Miene lesen, daß ihm nebenan bei der Kollegin nichts als eine schwere Enttäuschung winkte und daß er der Dumme war.

Gegen elf war die Bar besetzt, die Tanzfläche füllte sich mit wirklich befreundeten Paaren, nachdem so lange nur Eintänzer und Verkehrsdamen sie belebt hatten, und durch die schwach beleuchteten Winkel zwischen den Pappwänden glitten die Kellner. Es war der Zeitpunkt, da die irdischen Mängel des Betriebes verschwanden, man sah nicht mehr den Staub auf den Gewinden aus papiernen Blumen. Die Bilder aus der Südsee, mit denen die Wände bekleckst waren, wurden zart, wurden himmlisch, und aus der weiten Spiegelfläche hinter dem Buffet strahlten Sonnen, Illusion, Alkohol und die Voreingenommenheit, als wäre das Glück erreichbar, verleiteten weniger gehaltene Naturen zum Krakeel; alsbald trat der riesige rote Portier dazwischen. Er drückte sich gütig, aber bestimmt aus. Wenn sonst nichts half, erinnerte er daran, daß auf der Straße gleich gegenüber das Polizeirevier war.

Infolgedessen konnte er wieder gehen, und auf traten

einerseits das Hausballett, andererseits die Inhaberin Adele Fuchs persönlich. Die engagierten Tänzerinnen schwebten in den Augen aufnahmefähiger Gäste überirdisch eine Treppe herab. Tatsächlich war es der Direktion möglich gewesen, für diesen Zweck eine Treppe von ungefähr fünfzehn Stufen nutzbar zu machen. Diese führte zwar geradeswegs zu den Toiletten, aber daran grenzte ein ganz enger Raum, wo die Damen des Balletts sich umzogen. Aus armen Mädchen in offenbare Feen verwandelt, stelzten die Langbeinigen von Stufe zu Stufe, die Kleineren hüpften vor ihnen her, alle hielten sich große Federfächer hinter die ondulierten Köpfe, und ihre Glieder, die sie wie ausgemachte Kostbarkeiten herbeiführten, gleißten im Licht des Scheinwerfers, als käme ihre Haut vom Juwelier – oder wenigstens aus dem Leihhaus.

Sie wurden angekündigt von einer Dame, die gewöhnlich einen Trichter vor den Mund hielt und zur Musik die Schlager mitsang. Sie war schwarz angezogen und hatte eine wienerische Klangfarbe. In ihren Zwischenbemerkungen bediente sie den »Humorbetrieb«, wie auf der Straße eine Inschrift es auch versprach. Außerdem wurden die draußen Vorübergehenden durch stark übertriebene Plakatmalereien neugierig gemacht auf hundert preisgekrönte Schönheiten. In Wahrheit tanzten neun an der Zahl. Ob schön und preisgekrönt, sie arbeiteten gewissenhaft, denn es gab doch das Essen und zwei Mark. Einem Herrn zunächst der Tanzfläche, der die Längste, Fräulein Neumann, eine Zeitlang ins Auge gefaßt hatte, lächelte sie überraschend zu wie aus ihrer wirklichen Welt – nichts von Glitzern, nichts von Fee, nur einfach, ernsthaft, gut.

Erst hiernach zeigte Adele Fuchs sich öffentlich. Sie war der Höhepunkt des Programms, und nur auf unermüdliches Drängen einiger Stammgäste trat er ein. Inzwischen war es zwölf Uhr. Adele hatte manches getrunken und

Sieghaftigkeit erlangt. Vom Beifall getragen, bestieg sie das Podium und setzte sich an den Flügel. Der Kapellmeister ließ gedämpft spielen, Adele begleitete sich und sang, in den hinteren Abteilungen war es grade noch zu hören. Aber es wirkte, sobald man sie sah. Eine schon gebrechliche Stimme, lange Jahre hatte sie sich überschrien in den Tingeltangeln von ehedem – geblieben war ihr die Gebärde. Damit täuschte sie die gefeierte Diva vor, war die Beherrscherin dieser ganzen Ansicht vom Leben, wie Schlager sie bieten, und verführte auch die noch, halb und halb, die eigentlich eine alte Frau erblickten.

Die Gäste bestätigten ihr den Erfolg, weil sie ihn gut spielte, aber sie huldigten auch der Eigentümerin mehrerer gut gehender Betriebe. Adele Fuchs besaß noch einen im Lunapark und einen in der Provinz, alles selbst aufgebaut zusammen mit dem jetzt verstorbenen Otto Schwander – der neben ihr andere Frauen geliebt hatte; aber Adele war unersetzlich gewesen in geschäftlicher Hinsicht und daher in jeder. Sie hatte sogar aufrichtig zu ihm gehalten, vielleicht wäre es ihr Wunsch gewesen, den ganzen Rest ihres Lebens treu zu sein, da sowohl die Interessen des Herzens wie die anderen doch schließlich vereinfacht werden müssen. Leider ließ Schwander sie nicht zur Ruhe kommen. Es war, als könnte er sich von seiner bewegten Jugend nicht endgültig trennen. Wegen seiner unerlaubten Vermittlungsgeschäfte mit Frauen sollte er einst sogar gesessen haben.

Er hatte Adele niemals geheiratet. Während sie daher mit den Jahren immer wachsamer werden mußte, nutzte der unzuverlässige Mann ihre Gefühle reichlich ab, zuletzt ermüdete selbst ihre Eifersucht. Nicht ohne Genugtuung bemerkte sie, daß Otto dem Alkohol weniger lange standhalten werde als sie. Indes er zwischen seinen Lokalen noch pendelte, war sie innerlich schon darauf vorbereitet, daß sie den Berliner Betrieb noch zehn Jahre nach seinem Tode führen werde. Die beiden anderen beschloß sie abzustoßen, denn allein konnte sie so viel nicht im Auge behalten, und der Nachfolger Ottos sollte geschäftlich überhaupt draußen bleiben. Nach kurzen Versuchen mit anderen jungen Leuten blieb sie bei Kurt.

Schwander machte sich daraus nichts. Er dachte, während er bei seinem Personal auf Stimmung hielt, persönlich mehr an den Tod als an das Nachtleben. Sein Blick war zuletzt tief, merkwürdig tief geworden in seinem Gastwirtsgesicht; aber es fiel nicht einmal seiner Gefährtin auf. Als er sich nach seiner letzten Reise hinlegen mußte, war ihm klar, warum sie ihn ermunterte, seinen Anfall leichtzunehmen. Sie wollte keinen Arzt im Hause und besonders nicht den Notar; sein Anteil am Geschäft fiel an die Überlebende. Er hätte dies übrigens niemals abgeändert, selbst dann nicht, als sie den jungen Kurt in ihr Zimmer nahm, und die Tür nach dem seinen war ausgehängt. Er wußte: sie rächte sich, da sie endlich die Siegerin blieb, für erlittene Demütigungen – die er heute einsah, wenn auch nicht bereute. Außerdem hatte sie Angst und war dadurch sogar dem Sterbenden noch unterlegen.

Der scheidende Lokalbesitzer vertiefte sich unaufhaltsam in den Gedanken: Ich werde nicht mehr sein! Ihm war es gleich, ob hinter ausgehängter Tür die Angst sich an den Leichtsinn klammerte. Wenn er Zeit gehabt hätte bei seiner starken Inanspruchnahme durch die Ewigkeit oder wenn es sich gelohnt hätte, würde er die arme Adele gewarnt haben und sogar dem armen Kurt hätte er abgeraten. Es war nichts Gutes zu erwarten für dies Paar. Adele wollte endlich herrschen, nachdem sie sich lange genug hatte beugen müssen. Sie konnte gar nicht anders, als ihren neuen Mann in finsterer Abhängigkeit zu erhalten – immer unter den trügerischen Sitten und Gebräuchen der Liebe, dachte Schwander, der glücklich über diese hinaus war. Was vermochte andererseits der Junge in ihr zu erblicken, außer dem künftigen Erbe. Sonst nichts auf die Dauer – und wahrscheinlich schon jetzt! meinte der Weise, der nicht mehr aufstehen sollte.

Seit dem Einbruch, verbunden mit dem Verrat ihres Geliebten, wußte Schwander, wie sehr Adele bedroht war von der Unterwelt, der wirklichen – und mehr noch von ihrer eigenen im alternden Herzen. Als sie aber nach schweren inneren Kämpfen Kurt dennoch zurückgenommen hatte, wettete Schwander auf ihren Untergang. Sie tat ihm weiter nicht leid, wir alle müssen unsere Erfahrungen machen, und in der allein entscheidenden, die das Sterben ist, war er selbst mittendrin. Dennoch fand er etwas mehr Bedauern für Kurt, einen Jungen – wenn sonst nichts, doch wenigstens jung. Ihn sah Schwander von seiner eigenen Altersgenossin mit auf die abfallende Ebene gezogen. Dort mußte es immer schneller gehen mit Kurt, und enden konnte es sogar – wie denn? Dem Sterbenden war es bekannt, er vermochte mehr zu ahnen als je vorher. Während sie nebenan sich zueinander legten, hätte er ihnen beschreiben können, was sie einst in letzter Stunde für Bewegungen machen sollten – ganz andere, ganz andere!

Der Blick in die Zukunft wäre eine schöne Rache für den, der keine mehr hat; aber Schwander genoß sie nicht. Ich werde nicht mehr sein! Dieser Gedanke überflutete ihn aufs neue ganz.

Eine kleine Freude widerfuhr ihm noch, da Kriminalkommissar Kirsch in die allen Besuchern verschlossene Wohnung drang. Offenbar fand er das heimliche Ableben des Mannes verdächtig und hatte gegen die Frau und den Liebhaber etwas vor. Der Kranke verstand auf schlaue Art seinen Argwohn zu bestärken. Im Grunde legte er keinen Wert darauf. Es war nur ein Scherz zum Abschied.

Als Schwander tot war, besaß Adele alles, was sie gewollt hatte, ja, außer dem Jungen hielt sie auch noch seine kleine Freundin unter ihrer persönlichen Aufsicht. Wenn

Adele gesungen und ihren Erfolg entgegengenommen hatte, ging sie ab und wurde ihr eigener Gast, ein Verehrer durfte sie einladen. Sie wählte zwei Hocker vor dem Standplatz Maries, die sie bedienen, immerfort mittrinken und gleichzeitig Buch führen mußte. Den Cocktails folgte Sekt, und nach mehreren Flaschen erlaubte Adele dem bezechten Gast, ihr seine Telefonnummer zu geben. Sie machte halbe Versprechungen, die sie nicht ernst nahm – der Gast übrigens auch nicht. Adele wurde begehrt, solange man betrunken war, und das ergab auch schon die Erfüllung. Sie war die Tanzbar selbst und der Harem in Person. Ihre Figur hatte Fehler, die Hüften erweiterten sich neuerdings, ihr Bauch beängstigte sie sogar.

Aber sie trug rotes Haar und verschenkte verquollene und lüsterne Blicke, im bläulich weißen Fleisch blähte eine gedrückte Nase die Nüstern, der geschminkte Mund wurde röter durch das bleiche Doppelkinn, ja sogar die Falten auf der Stirn reizten, wenn sie sich bewegten. Adele war ein Geheimnis. Der Gast, der sein Geld für sie ausgegeben hatte, fragte sich später vergebens, warum. Endlich sah er im Geiste nur noch das Funkeln ihres Schmuckes und sagte sich, daß andere es gemacht hatten wie er.

Meistens triumphierte Adele über Marie, die frisch und jung daneben stand. Beide forderten übrigens um die Wette. »Kaufen Sie mir die Schokolade! Kaufen Sie mir den Affen!« Marie bekam eines Nachts einen Affen aus Stoff geschenkt, aber Adele entriß ihn ihr wieder. Es war schon Mai, sechs Wochen nach dem Eintritt Maries als Barfrau – eine Nacht, die voll Bedeutung mit dem Affen in die Morgenstunde überging.

Adele erklärte dem Herrn, als sie sich den Affen aneignete: »Ich habe keine Kinder, aber Marie hat eins!« So kam heraus, daß sie es wußte. In dieser spätesten Stunde hatten die anderen Barfrauen keinen Gast mehr und rechneten ab, längst waren Tänzerinnen, Kellner und Kapelle fort. Der letzte Herr vergaß plötzlich den Streit der Damen um den Affen, den er bezahlt hatte. Ihm war alles entfallen, was ihn umgab, er rutschte vom Hocker und verschwand.

Alfred, der Barmann, verschloß hinter ihm die Tür, er selbst verließ das Lokal über den Hof. Dort blieb das Gittertor nach der Straße meistens die ganze Nacht offenstehen, grade wegen der Bar.

Drinnen rechneten die Barfrauen mit der Chefin ab. Hedi und Stella wurden nicht beanstandet, nur Lotte hatte trotz ihren großen, feuchten Augen zu wenig umgesetzt, aber sie gab kurzweg Nina die Schuld. »Die beschmust die Kavaliere. Es ist nicht mehr zu machen, Frau Fuchs, ich kündige.«

Alle standen um Adele her, in großen Abendkleidern, frisch gepudert, und Müdigkeit war keiner anzusehen. Im Gegenteil, dem Zwang, die Gäste in Stimmung zu erhalten, folgte sofort die Erfrischung. Endlich konnte man mit dem Gesicht, das man hatte, von Geschäften sprechen. Nina rechtfertigte ihr Verfahren. »Ich bin nicht so jung und so hübsch wie Lotte. Wenn ich nicht Schmus mache, falle ich ab.«

»Da Sie es selbst wissen, Frau Nina, muß ich es Ihnen nicht erzählen.« Lotte stürzte ein Glas Soda ohne Whisky hinunter. »Sie haben einen großen Sohn. Meine Mama könnten Sie ebensogut sein. Na Schluß.« Sie warf ihren Pelzmantel über. Nina zog ihn ihr an.

»In der Nacht ist es kühl, und Sie sind zu zart, Lotte. Erwartet er Sie wenigstens?« Sie meinte einen jungen Verehrer, der sich während einer der vorigen Nächte in Lotte verliebt hatte. »Wie kann er!« erklärte das Mädchen. »Er wohnt eine Stunde weg von seinem Geschäft, um sieben muß er aufstehen, und jetzt ist es vier. Am Tag arbeitet er, und ich schlafe.«

»Das geht hier immer so«, bestätigte die erfahrene

Nina. »Wenn ihr zusammenzieht, könnt ihr euch abends um sieben auf der Treppe begegnen, sonst habt ihr nichts davon.«

»Mir paßt das nicht. Ich kündige weniger Ihretwegen, Frau Nina, sondern weil ich kein Talent zur Nonne habe.« Sie wandte sich dem hinteren Ausgang zu, aber Adele rief sie zurück. »Dein Junge macht Schlager, Text und Musik. Ich will einen singen, sag ihm das! Er soll mal herkommen – kann hier zu Abend essen, sooft er will.«

»Dann nehme ich die Kündigung zurück, Frau Fuchs!« Lotte umarmte Nina aus inniger Freude. »Ich bleibe Nonne, und der Junge kriegt Abendbrot!«

Adele hatte sich kurz unterbrochen in einer Auseinandersetzung mit Marie. Der Gegenstand war zwar nur ein Mokka, den Adele zum Schein dem Gast geschenkt hatte, damit er um so mehr ausgab. Sie belehrte Marie. »Das wissen Sie doch, Fräulein, daß bei mir im Ernst keiner etwas umsonst hat! Sie wollen mich wohl schädigen.« Adele wurde scharf, aber auch Marie verlor die Geduld.

»Das glauben Sie selbst nicht. Ihr Mokka ist nicht so wichtig, aber Sie meinen mein Kind, das hab ich allerdings von Ihrem Freund. Den laß ich Ihnen! Er wollte Sie wohl ärgern, weil er es Ihnen geflüstert hat.«

Adele fuhr auf. »Sie reden höchstens wie eine Schneiderin! Weiter bringen Sie es auch nicht!« Sie wandte sich an die anderen. »Die trug wollene Strümpfe, als ich sie aus ihren Flickereien herausholte. Aber Dank soll man nie erwarten, besonders nicht von kalten Hamburgerinnen. Ich bin fröhliche Rheinländerin«, sagte sie besonders nüchtern. Die Getränke wirkten bei ihr nicht länger, als Gäste mittranken.

Stella bemerkte: »Ich bin Gott sei Dank aus München.« – »Ich Gott sei Dank aus Breslau«, setzte Hedi hinzu. Nina fragte Marie: »Sie sind hier wohl die einzige vom Lande?« Denn Nina wußte: in Wahrheit stammten alle aus Dörfern, sogar sie selbst. Den Gästen erzählte sie, daß sie auf dem Ozean geboren sei.

»Jedenfalls kommt ein zweites Kind nicht in Frage«, bestimmte Adele. »Dich und meinen Süßen, euch beide hab ich hier unter Aufsicht. Du kannst mir nicht kündigen, bei dir ist das anders als bei Lotte. Dich hab ich sicher!« Adele saß auf dem Hocker, sie stemmte die Handrücken auf beide plattgedrückten Schenkel. Die Zigarette verbrannte ihr gleich die Lippen, der Rauch zog ihr in die Augen. »Das weißt du auch, Marie!« Niemals verließ ihr verengter und grausamer Blick das Opfer, und ihre Stirnfalten schlängelten sich. Jetzt wäre sie der richtige Anblick für ihre Verehrer gewesen. Marie antwortete kein Wort, aber ihr Gesicht war nicht weniger hart.

Den Zuschauerinnen rieselte es angenehm über den Rücken; gleichwohl begriffen sie, daß es geraten sei, dem Vorfall nicht länger beizuwohnen. Nina als die Vernünftigste trieb die anderen vor sich her nach dem Ausgang. Für sich selbst bemerkte sie, daß man die beiden eigentlich nicht allein lassen dürfte. Als sie aber die Tür schließen wollte, stand dahinter Kurt.

»Dicke Luft?« fragte er.

»Geh lieber hinein und paß auf!« bat Nina. Er dachte nur daran, auszuweichen. »Ja, ja.« Sie ging, und er trat noch nicht ein.

Marie sagte:

»Was wollen Sie eigentlich von mir, Frau Fuchs? Wenn ich behaupte, daß Sie den blauen Stein gar nicht bei mir gefunden haben, können Sie es mir mit keinem Zeugen beweisen.«

»Doch. Mit Kurt. Der gehorcht mir.«

»Dem glaubt Herr Kirsch nicht. Nein, Frau Fuchs, ich bleibe hier, weil ich will. Mir gefällt es bei Ihnen – und bilden Sie sich ruhig ein, daß ich unter Ihrer Aufsicht bin! Sie sind vielleicht noch mehr unter meiner!«

»Merken Sie sich mal eins, Fräulein! In der Leiche ist nichts gefunden worden. Ihr Freund Kirsch ist Neese, grüßen Sie ihn von mir! Ich bin aus der Sache heraus – aber nicht Sie und auch Kurt nicht!«

»Dann können Sie sich gleichfalls etwas merken, Frau Fuchs. Sie sehen mir nicht so aus, als ob Sie noch sehr lange leben sollen.«

»Wollen Sie mich auch vergiften?«

Marie schüttelte den Kopf. Sie betrachtete den leicht geschwollenen Bauch der anderen. Sie hatte ihre ganze Zeit, in Warmsdorf, Lübeck und Berlin, mit wenigen Menschen gelebt, mit ihnen aber in einer solchen Abgeschlossenheit, daß sie darüber belehrt war, wie jeder sich hielt und wie er dahinging. Sie sah ihnen den Tod an, ohne daß sie es wollte. Sie glaubte durchaus nicht, daß man es verschweigen müsse – weder den anderen noch sich selbst. Sie war sogar erstaunt, weil Adele einsank und nach der Messingstange am Buffet griff. »Setzen Sie sich lieber auf das Sofa«, bat Marie und führte Adele zu dem nächsten Tisch. Das Versagen Adeles kam zu plötzlich, es wirkte verwirrend auf Marie.

»Na ja, mein Otto ist jetzt auch tot«, sprach Adele vor sich hin. »Wenn ich bedenke, wie wir anfingen! Er war damals Zuhälter, und nachts vor den Lokalen verkaufte er Hunde an die betrunkenen Weiber. So lernte ich ihn kennen und lieben. Das erste Lokal haben wir mit meinem Geld aufgemacht und haben immer zusammen weitergebaut. Der Mann wäre niemals ein anständiger Geschäftsmann geworden ohne mich, und wie oft hätte es trotzdem mit ihm schiefgehen können! Jetzt ist es gleich«, seufzte sie. »Recht besehen, worauf kommt es jetzt noch an? Kurt ist doch nicht Otto.«

Sie besann sich. »Lang mir den Kognak her, Marie! Um diese Zeit kommt man auf Dummheiten. Weißt du? Morgens zwischen vier und fünf mußt du auf dich aufpassen!«

Marie dachte: Warum? Sie verstand es nicht, nur erblickte sie in dem Brokatkleid Adeles auf einmal leere Falten, und das Gesicht schien ihr zusammengeschrumpft zwischen dem Haar und seiner grellen, künstlichen Farbe. Davon wurde es Marie nicht gut; auch sie griff nach der Flasche.

Hierauf entschuldigte Adele ihren Zustand. »Ich konnte doch unmöglich um ihn trauern, solange ich ihn umgebracht haben sollte. Erst seitdem ich aus jedem Verdacht bin, kommt mir alles wieder in den Sinn. Schluß, eine Geschäftsfrau darf keine Anwandlungen bekommen.«

»Außerdem haben Sie Kurt. Auf mich brauchen Sie wahrhaftig nicht eifersüchtig zu sein. Ich habe das Kind.«

»Ist das auch wahr? Sei mal aufrichtig, Marie! Was tust du, wenn ich feuerbestattet werde und Kurt mein Lokal erbt? Das rede ich aber nur. Erstens hat er es noch nicht schriftlich, und dann ist mir gar nicht nach Sterben.«

»Das ist ein Wort!« rief Kurt aus dem Hintergrunde. Er war bleich und abgespannt; zu allem, was er draußen hätte mit anhören können, hatte er nur gegähnt. Aber der Anblick der beiden Frauen belebte ihn. An Kurt rührten Worte nicht oft, er hielt sie für Luft. Dafür begriff er mit den Augen, besonders Frauen. Marie und Adele vereinigt, erfüllten seine Vorstellung der Frau, ihre Pracht und ihren Niedergang. In dieser wie in jener Form fühlte er sich ihnen verwandt, wenn auch immer im Abstand. Mit ihm in derselben Luft atmete nur Vicki.

»Die Damen erlauben«, begann er, setzte sich zwischen sie und küßte beiden das Handgelenk. »Dies ist die gemütlichste Stunde des Tages. Jetzt kann nichts mehr passieren«, bemerkte er und trank einen Kognak, indes Marie und Adele einander ansahen. Beide erinnerten sich, daß von dieser Stunde vorhin ganz anders gesprochen worden war. Kurt zog aus der Hosentasche ein Päckchen Geldscheine. »Ich habe gewonnen. Adele, du kriegst zurück, was du mir geliehen hast. Ich weiß, du nimmst es nicht.«

Sie streckte die Hand aus, aber die Scheine waren schon wieder verschwunden. Darauf lachte sie und ließ sich von ihm küssen. »Das gefällt mir an ihm. Sie, Fräulein, können Leichtsinn bestimmt nicht leiden.«

»Kann sie auch nicht«, bestätigte Kurt. Wange an Wange gelehnt, sahen beide Marie an. Adele sagte: »Sie haben übrigens noch nicht geantwortet auf meine Frage, Fräulein. Nun? Was tun Sie, wenn Kurt erbt!«

»Was tust du, Marie?« fragte Kurt. »Adele lebt neunzig Jahre. Du kannst dich ruhig äußern.«

»Dann mußt du Alimente für das Kind zahlen.«

»Sonst nichts?«

»Sonst will ich von dir bestimmt nichts«, sagte Marie.

Er fand sie schön und ihre Antwort gut, daher beschloß er, die Lage umzudrehen. Er ließ Adele los, rückte nahe zu Marie, und gleich darauf blickten beide Wange an Wange auf Adele, die erschrak.

»Tut das nicht!« bat Adele und streckte die Hand vor. »Ich glaube, daß ich ein Myom im Bauch habe!«

Nach diesem Geständnis erschrak sie noch mehr und suchte in den beiden Gesichtern; aber beide lächelten – entweder, weil sie gar nicht zuhörten, oder sonst blieb ihnen doch fremd, was es heißt, ein Myom zu fürchten! Das machte Adele überaus einsam und wehrlos. Sie senkte die Augen und ergab sich. In ihrem Kopf rauschte es – vom Alkohol, der Einsamkeit, dem Gedanken an den toten Lebensgefährten, der nur für sie noch zugegen war. Mit Grauen fühlte sie, daß er das Lokal so wenig wie die Wohnung je verlassen werde und ihr näher saß als die beiden Jugendlichen, die Wange an Wange zu ihr herüberlächelten. »Bestelle jeder sein Haus beizeiten!« äußerte sie; aber warum drückte sie sich so lehrhaft und altertümlich aus? Sie erschrak nochmals.

»Deinen Harem willst du bestellen?« fragte Kurt überlegen. »Ich dachte, du kannst dein Glück noch gar nicht fassen, weil der Olle weg ist.«

»Merkst du nicht, daß sie trauert?« sagte Marie und sah es sich an, wie das ist.

»Solange ich unter Verdacht stand, war mir nicht so«, murmelte Adele. »Jetzt kommt es nach. Ich hätte ihn nicht fortgehn lassen sollen.«

»Dann, Adele, bin ich hier wohl überflüssig.« Kurt fand es angezeigt, beleidigt zu tun und vom Stuhl aufzustehen. Sie streckte die Hand aus.

»Nein, Kurt! Ich will doch mein Haus bestellen.« Es schien keinen anderen Ausdruck zu geben. »Wenn ich hops gehe – « Sie lachte, das war das Wort! »Dann kriegst du den Harem. Vier Wochen später schließt du natürlich den Laden, aber das ist deine Sache. Ich habe sonst niemand. Wir wollen es gleich richtigmachen.«

Sie sah sich nach etwas zum Schreiben um, aber schon holte Kurt alles herbei. Papier, eine Flasche mit unverdünnter Tinte und eine Feder, die noch schrieb, alles hatte bereitgelegen. Adele mußte begreifen, daß auf den Zeitpunkt, da sie nachgeben und ihr Testament machen sollte, jemand wartete, und wahrscheinlich waren es zwei. Grade ihr Scharfblick rettete Adele; wenigstens ein Teil ihrer gewohnten Sicherheit kehrte zurück. Sie sprach: »Ich bestimme, daß Kurt Meier, Büroangestellter, wohnhaft Lietzenburger Straße 21, mein Lokal Der Harem und meinen übrigen Besitz erbt.«

»Danke schön«, sagte Kurt. »Aber erst in fünfundvierzig Jahren.«

»Nein. Viel früher«, stellte Marie ruhig fest. Adele sah sie an – bei allem weiteren nur Marie, und jetzt war sie auf der Höhe, sie hatte das ganze Gesicht der Chefin.

»Die Bedingung ist nur, daß ihr nicht heiratet.«

»Kleinigkeit!« warf er leicht hin. Adele beachtete ihn nicht, sie herrschte nur Marie an. »Daß er Sie nicht heiratet, mit Ihnen nicht lebt und Sie am Geschäft nicht beteiligt. Mehr will ich nicht. Sonst könnt ihr machen, was ihr wollt. So. Jetzt setze ich es hinein.«

Sie schrieb. Kurt stieß Marie an und versuchte, ihrem Blick zu begegnen, es mißlang. Dagegen traf Adele, sooft sie von dem Papier aufsah, immer pünktlich in die Augen Maries – die ihr verstockt und drohend erschienen, weil sie von noch ungetrübtem Graublau waren. Daher wurden die eigenen Augen Adeles jedesmal trüber. Sie sah uralt aus, aber nicht mehr durch Verfall und Müdigkeit, sondern weil sie Rache über den Tod hinaus nahm.

»Er darf mit Marie Lehning aus –?«

»Warmsdorf«, ergänzte Marie.

»Nicht in Kameradschaftsehe leben.« Adele schrieb weiter.

Jemand hatte in diesem Augenblick die klare Gewißheit, daß sie ihr Todesurteil hinschrieb. Das bin ich, dachte Marie. Ich weiß das; aber warum? Wegen des Myoms, natürlich, deshalb! Gleichzeitig hörte sie in der Erinnerung sagen: »Es liegt Verdruß zum Haus in der Morgenstunde.« Was ist das? Ach so, Nina hat es in den Karten gelesen, aber es betraf doch nur mich selbst – wie? Es betrifft nicht Adele, außerdem, daß nur die Karten es gesagt haben. Doch! Adele wußte es ebenso – und sie hat geradezu Angst gehabt! Richtig, so sprach Adele: »Um diese Zeit kommt man auf Dummheiten. Weißt du, Marie? Morgens zwischen vier und fünf mußt du auf dich aufpassen.« So hieß das, was Adele sprach, und ich mußte einen Kognak nehmen, als ich es hörte!

Kurt ging ungeduldig hin und her. Sooft er anhielt, kreischte die Feder Adeles. Nur die Tischlampe gab Licht, die ganze übrige Beleuchtung war abgestellt. In der mehr oder weniger dichten Dunkelheit hockte stellenweise eine Puppe, und ein Stück Kupfer glühte auf. Plötzlich ein raschelndes Geräusch – das Gewinde von Papierblumen grade über diesem Tisch machte sich los an der einen Seite, es bestrich den Tisch und hätte das Blatt fortgefegt. Marie hielt das Testament noch fest; Adele hatte ihren Stuhl fortgestoßen und wollte flüchten. Nachher lachte durchaus niemand.

»Warum mach ich das eigentlich?« fragte Adele, während sie zu ihrem Testament zurückkehrte. Sie hob es auf, nahm es in beide Hände – »Laß das mal!« rief Kurt, denn er sah, sie wollte es zerreißen. Die Tischlampe, unter die er den Kopf vorschnellte, zeigte sein Gesicht bleich und unbeherrscht, mit dem verkrümmten Mund.

»Mein Süßer!« flötete Adele und setzte ihren Namen unter das Schriftstück. »Nicht zu vergessen: Berlin, Freitag, 15. Mai 1931. Geht in Ordnung, du kannst es bei deinem Schwager in den Safe legen. Paß aber auf, daß nach meinem Tode kein späteres Testament da ist!«

Sie behielt beide im Auge, ihn und Marie.

»Ich habe immer noch Macht und Gewalt«, behauptete sie, und Kurt bestätigte es ihr.

»Natürlich. Du behältst deine Verfügungsfreiheit.« Das Testament ließ er in seiner Tasche verschwinden.

»Mit mir kannst du jetzt erst recht anfangen, was du willst, Adele!« Er umarmte sie flüchtig und wollte sich Marie anschließen, denn Marie hatte ihren Mantel angezogen. Adele sagte: »Hiergeblieben, Süßer! Sonst schreibe ich auf der Stelle ein anderes.«

»Wieso? Ich will doch nur zu Bäuerleins – mal wieder ausschlafen. Ist das verboten?«

»Du kommst mit mir nach Hause! Ich will nicht allein in die Wohnung – in das Zimmer neben seinem. Die Tür ist ausgehängt.«

»Laß sie endlich einhängen!«

Sie dachte, daß dies nicht so leicht wäre, weil »er« es nicht erlaubte. Inzwischen blieb sie sitzen, wo sie saß. Auch Kurt kehrte auf seinen Platz zurück; die Wohnung Adeles und des verstorbenen Otto zog ihn nicht an. Marie wünschte ihnen vom hinteren Ausgang her gute Nacht.

Sie ging zu Fuß durch völlig leere Straßen. Es war die graue Stunde des unruhigen Schlafes. Alle, die sie kannte, lagen in ihren Betten, und wahrscheinlich seufzten sie aus schlechten Träumen – nur zwei nicht, ihr Kind und Mingo. Ihr Kind erwartete sie schlafend unter guten warmen Decken, die ihre Arbeit bezahlt hatte, und in dem besten Zimmer des Hauses. Wenn seine Mutter eintrat und noch im Dunkeln sich über sein Köpfchen neigte, streckte es seine kleinen Arme aus und wollte aufgehoben werden. Es hatte nur sie, sie nur dies Kind, und beide verließen einander auch im Traum nicht.

Ein feuchter, frostiger Wind kam ihr entgegen, er schien sich verirrt zu haben; nach Tagesanbruch, wenn diese Straßen ihren dichten Verkehr trieben, erinnerte niemand sich mehr, wer ihn geschickt hatte: die See. Dort draußen erhoben sich unter seinen Schlägen die leeren Gewässer, er pfiff, und sie donnerten um einen kleinen Schoner. Die Meere waren groß und die Jahre lang für solch ein Schiff und zehn oder elf Mann. Der elfte konnte die Wache haben im Morgengrauen, oder sank dort drüben zur selben Stunde ein dunkelblauer Abend? Seine Augen suchen die See ab, aber seine Gedanken ziehen über sie fort bis zu Marie. Er erreicht sie nicht. Fühlt er auch nur, daß sie wacht wie er und daß ihr Geist den trennenden Raum aufheben will, wie seiner? Nein, er kann nicht mehr zu ihr herüberfinden, er kennt nicht den Weg, den sie geht, und was alles mit ihr geht. So vieles, das er von ihr nicht weiß, macht zwischen ihnen die Entfernung größer als die tausend Seemeilen.

Sie besteht eine Fahrt – er wird auf keiner Karte den

Punkt, wo sie gegen die See kämpft, mit einer Stecknadel bezeichnen, und sie selbst vermöchte es nicht. Welcher wird der letzte Hafen sein, und was ist über sie beschlossen? Von ihrem Schiff, einem kleinen schlechten Schoner, sieht sie andere Schiffe in Seenot. Sie begegnen ihr – und haben schon das Steuer verloren, während sie selbst noch die See hält.

Mitten auf einer leeren Straße wartete ein Schupomann. Da seine Augen sonst kein Ziel hatten, hielten sie die einzelne Herankommende fest. Er war schwer und breit, es hätte Kirsch sein können! Marie war versucht, in die Seitenstraße abzubiegen. Kriminalkommissar Kirsch, der sich Uniform angezogen hatte – aber immer noch war er reglos wie ein Steinklotz, und sie mußte auf ihn zu, wie damals am Strande, als Kind mit schlechtem Gewissen. In diesem Augenblick wurde ihr klar, was sie heute getan hatte. Sie hatte Adele gezwungen, das Testament zu schreiben.

Sie konnte nicht erkennen, wie und warum. Das hatte sie auch nicht gewußt, als sie es tat. Aber Adele war nicht Kurt unterlegen, sondern ihr. Adele hatte Furcht bekommen, nachher wollte sie nicht nach Hause gehen. Sie sind auch nicht gegangen! Marie sah beide noch immer am Tisch sitzen, aber endlich entschlossen sie sich, die Treppe zu ersteigen – fünfzehn Stufen, am Abend war das Ballett im Licht des Scheinwerfers sie herabgeschwebt. Diese führten zu den Toiletten, und daneben, in dem kleinen Garderobenzimmer der Tänzerinnen, legten Adele und Kurt sich schlafen. Wahrscheinlich seufzten sie aus schlechten Träumen.

Es war die graue Stunde des unruhigen Schlafes. Vicki Meier-Bäuerlein ruhte in ihrem schön gemaserten und gebogenen, ungeheuer breiten Bett unter einem angedeuteten Himmel und wollte, bewußtlos, wie sie war, vieles besitzen, was ihr nicht gehörte. Den blauen Stein, sie stöhnte auf dem Kissen, den hatte sie hergeben müssen! Kurt, ihr Eigentum, stand im Dienst Adeles. Vicki warf sich herum unter dem angedeuteten Himmel. Das Kind – das Kind ihres Bruders und ihr eigenes, geliebtes Blut, Vicki schluchzte, es hatte eine fremde Mutter!

Der schön geschnittene, tiefbraune Kopf bewegte sich in dem gelbseidenen Kissen, und Vicki sprach aus dem Schlaf mit Marie. »Marie, nicht fortgehen! Marie, du bleibst hier, du setzt dich in das Nähzimmer, ich will dich im Hause haben und wissen, was du tust, Marie!« Denn diese Leidenschaft hatte Vicki. Wenn Marie nicht am Tage bei ihr geschneidert hätte, Vicki wäre nachts in der Bar erschienen, sie war dazu imstande – mit Polizei, um die Schließung zu verlangen, weil Minderjährige verführt wurden. Einer war ihr Brüderchen! Damit hatte sie Marie gedroht wie eine Verrückte, in ihren Träumen lallte sie natürlich dasselbe.

Das Merkwürdige war, daß sogar Bäuerlein die besten Aussichten hatte, Marie in seinen Träumen zu erblicken. Er entdeckte immer mehr Wichtigkeit bei ihr, seitdem er veranlaßt hatte, daß der blaue Stein in ihrem Nähkorb gefunden wurde. Das machte sie ihm entschieden beachtenswerter. Seither sah er sie sich genauer an. Vicki, die ihm das Kind verschwieg, sagte ihm natürlich auch kein Wort von der Bar. Aber sicher bemerkte er an Marie schon manches, das nicht mehr war wie früher. Wenn Alfred, der Barmann, recht hatte, war er vor kurzem sogar gesichtet worden in einer der hinteren Abteilungen des Harem – möglichst unauffällig, aber er schielte nach Marie!

Sie selbst konnte es kaum glauben – das mit dem dicken Rechtsanwalt und alles andere, Vicki, Kurt, Adele, es war doch gar nicht wahr? Ihr kam der frostige Wind von der Küste entgegen, den Schupomann hatte sie längst hinter sich. Sie war ein Mädchen aus Warmsdorf »an die Oostsee« – sprach Marie. Ich war ein armes Kind, von den Untersten, uns wurde der Katen weggeschwemmt. Die See nahm meinen Vater mit. Früher hatte sie meine kleine Schwester geholt. Auf dem Steindamm standen noch die beiden Pantinen nebeneinander, als sie schon fort war. Lütt Matten gev Pot, de Voß bet em dot – sang in ihr eine Kinderstimme.

Ich wurde eine Schneiderin, eine Landarbeiterin, und mein Freund war Mingo, immer und einzig Mingo. Es ist nicht wegen der anderen Leute, aber was soll es, die brauch ich doch gar nicht! Ich gehe zu meinem Kind, das gehört mir! Damit schritt sie schneller aus. Von denen will ich doch nichts, nur mein Brot verdienen, die warmen Decken für mein Kind, seine Milch, seine weichen Schuhchen verdienen mit meiner harten Arbeit!

Marie wußte, daß sie für Adele nicht anders arbeitete als früher für den Bauern. Die Kunden verlangten, was hier und was dort verkauft wurde – alles eins. Marie, auf dem Heimwege zwischen vier und fünf Uhr morgens, ging mit so festen Beinen wie einst, als sie um dieselbe Stunde grade aufstand. Ihr Gang hatte schon immer beides gezeigt, Nachlässigkeit und Kraft. Mingo pflegte einst zu sagen: »Bei jedem Schritt fällst du!« Gegen seine Hüfte glitt sie, in seinen Arm sank sie – immer wieder; das war ihr Gang.

In der Morgenkühle des 15. Mai, während ihr minutenlang niemand begegnete, spürte sie auf einmal die Kraft, die durch sie arbeitete, wenn sie nur fiel und sich nur auffing. Fühlbar wurde ihr aber auch zum ersten Mal, was sie anrichtete unter Menschen – nicht, weil sie es wollte, wahrhaftig nicht, weil sie darauf ausging. Sondern sie holten sie: warum? Sie versündigten sich an ihr und hängten sich dann erst recht an sie: wie kam es? Sie sah, daß Vicki eine andere wurde und daß Kurt den Boden verlor. Inzwischen schritten ihre eigenen festen Beine schneller aus. Sie spürte die Kraft, die durch sie arbeitete.

Schon beim Öffnen der Wohnungstür hörte sie das

Kind schreien. Marie wurde wütend; sie bezahlte Frau Zahn dafür, daß sie des Nachts nach dem Jungen sah! Das Geschrei kam nicht aus ihrem eigenen Zimmer, sie lief stürmisch durch die Küche, erst in der engen Schlafstube dahinter machte sie Licht. Auf dem Bett lag das Kind, sein Hemd war hinaufgerutscht, die Decke hinuntergefallen. Am Boden hingewälzt, noch halb in den Kleidern, schlief Frau Zahn. Marie war so wütend, daß sie die Frau schüttelte, noch bevor sie das Kind aufnahm.

Der Körper der Wirtin ließ sich herumdrehen ohne Widerstand, sie war todbleich, und vom Atem merkte man nichts, nur einen Geruch, den kannte Marie allerdings. Vorübergehend dachte sie, die Frau sei tot – ohne daß darum ihre Wut aussetzte. Das Kind in dieses ungelüftete Loch zu verschleppen! Sie schüttelte die Bewußtlose und schrie sie an, indessen das Kind weinte. In der Tür standen schon längst die beiden Holländerinnen in schmutzigen Schlafröcken, mit grau gedunsenen Gesichtern und grauen Rattenzöpfchen.

Als Marie endlich aufsah, war sie still, grade in dem Augenblick, als auch das Kind schwieg. Dafür wurde sie gleich nachher um so heftiger. »Sie haben wohl keine Ohren, Sie beiden alten Öster? Hier schreit mein Kind die ganze Nacht, in dem Loch, und Sie sehen absichtlich nicht nach! Öster!« wiederholte sie für die Mehrzahl von Aas.

»Fräulein, was wollen Sie von uns, wir kriegen doch von Ihnen nichts«, wiederholten die beiden abwechselnd, ohne daß sie durchdrangen; Marie war lauter. Als ob nichts sie beirren könnte, redeten sie weiter.

»Sie haben es uns verboten, Fräulein, daß wir Ihr Kind nicht sollen besorgen. Sie haben gesagt, Sie schlagen uns, weil wir es eines Nachts treuherzig und edel, haben wir es hinübergestellt mit Bett und allem in unsere Werkstatt, wo wir haben entstaubt, mit Wasser gesprengt und herrscht Fichtennadelduft.«

»Ihr Öster verkommt ja vor Dreck!« rief Marie, aber gegen dieses ruhige, gleichförmige Gerede half Heftigkeit zuletzt nichts mehr. »Was habt ihr mit Frau Zahn gemacht!« rief sie noch. »Ihr seid zu allem imstande, weil ihr die Wohnung haben wollt, wenn sie versteigert wird. Ihr denkt, daß ich nicht weiß, woher ihr das Geld habt!«

Das Geld bekamen sie von Vicki! Das Merkwürdige war nur, daß sie es nicht leugneten.

»Gewiß ist Frau Direktor hilfreich. Unser Konsulat sorgt, Frau Direktor gibt, aber auch wir sind verläßliche Frauen. Bei uns ist Geld gut angelegt. Wir trinken nicht.« Sie wiesen gleichzeitig mit zwei mißfarbenen Zeigefingern auf den daliegenden Körper. Das schnitt Marie das Wort ab. Den Geruch des Alkohols hatte sie schon vorher erkannt, sie wollte nur nicht daran glauben. Fortan floß das Gerede der beiden trüb und ungestört dahin.

»Diese fromme Frau trinkt«, sagten sie gelassen, immer eine nach der anderen, inzwischen begriff Marie entsetzt: Natürlich! Das war los mit Frau Zahn, wenn ich meinte, sie verlöre stundenlang die Sprache, weil sie innerlich mit Gott redete! Ich, die den Leuten ansehen kann, wann sie sterben müssen – die Besoffene hat mir was vorgemacht. Einmal kaufte ich ihr selbst noch Rum, weil ihr etwas »vor dem Magen stand«!

»Auch wir loben Gott«, erklärten die Holländerinnen abwechselnd. »Für seinen gnädigen Beistand durch unser Konsulat und durch Frau Direktor. Aber wir trinken nicht. Wir glauben, daß es besser ist, nicht zu trinken«, wiederholten sie – albern, hartnäckig und mit einer Bescheidenheit, die Marie erbitterte; aber was konnte sie erwidern? Sie fragte endlich: »Für das Geld von Frau Direktor sollen Sie doch wohl auf mein Kind aufpassen. Warum lassen Sie es dann schreien?«

»Nein, wir sollen nicht aufpassen. Wir würden es aus Herzensgüte dennoch tun. Ja, aus Herzensgüte«, bestätigte die zweite. »Auch, weil das Geschrei des Kindes uns nicht schlafen läßt. Aber –« Die erste wußte sogleich, welches Aber gemeint war. »Sie haben gesagt, Fräulein, daß Sie uns schlagen würden, und Sie sind ein kräftiges Mädchen, wir möchten nicht geschlagen werden. Sie üben gewiß einen schweren Beruf aus. Wenn es Morgen wird, hören wir Sie die Wohnung betreten, Sie geben sich keine Mühe, leise zu sein. Aber wir werfen es Ihnen nicht vor.«

Ständig gaben sie einander recht. »Nein, wir werfen es Ihnen nicht vor. Wir sind überzeugt, daß Ihr harter Beruf Sie nötigt, viele Getränke zu sich zu nehmen. Aber Sie sind jung, und es wirft Sie nicht zu Boden wie diese fromme Frau, sondern Sie werden davon noch stärker und gefährlicher... Ja, noch stärker und gefährlicher.«

»Machen Sie endlich, daß Sie hinauskommen!« sagte Marie erschöpft. Sofort verneigten die beiden dicklichen Gestalten sich vor ihr, und mit einer ihrer einmütigen Bewegungen wendeten sie dem Zimmer die Rücken zu. »Halt!« rief Marie.

Sie stürzte vor, riß die beiden Frauen an den Schultern herum und schrie ihnen, wieder mit voller Wut, in die verschlossenen Gesichter: »Gesteht, wofür Vicki euch das Geld gibt! Gesteht, ihr Öster!«

»Wir bitten um Entschuldigung«, antworteten sie geduldig. »Frau Direktor hat der frommen Frau weniger vertraut als Sie, Fräulein. Sie hätten auf uns nicht gehört, aber Frau Direktor lieh das Ohr. Es war nur Vorsicht, daß sie uns Geld gab – nichts als Bedachtsamkeit. Wenn infolge Trunksucht der frommen Frau Ihrem Kind etwas zustieß, dann allerdings sollten wir dasein.«

Marie sah sie noch eine Weile an, sie behielten dieselben dummlichen Gesichter, und zu erwidern gab es nichts. Sie ließ die beiden gehen, aber sie glaubte ihnen kein Wort. Vicki zahlte für etwas anderes – sie wußte, wofür! Sie nahm das Kind auf und trug es hinüber in ihr Zimmer. Es war eingeschlafen während des Lärmens. Als seine Mutter es zudeckte und küßte, schlug es die Augen auf, lächelte groß und schlang die Arme um sie.

Marie lächelte zurück, die Augen überschwemmt von Tränen, die einen tiefen, nicht leicht zu unterscheidenden Ursprung hatten. Was ihr bewußt wurde, war einzig: Jetzt fort! Mein Kind nehmen und fort zur Bahn – wie wir hergekommen sind! Ich wickle es wieder in meinen alten Mantel! Aber sie tat es nicht. Fort! Noch ist Zeit! Aber es war keine.

Sie begriff: Ich muß bleiben, denn sie halten mich. Ich muß weiter mitmachen – muß sie alle kaputtmachen, begriff sie einen Augenblick. Ich hab Kraft und Gewalt über sie – aber sie auch über mich!

Das war nur ein Augenblick. Gleich darauf begegnete Marie im Spiegel einer großen Frau im Abendkleid, glitzernd, blondiert, dunkelrote Lippen um die Zähne: Zähne und alles wie von einem Reklameplakat am Eingang des Harem. Ein beruhigender Anblick, sie sah: Das ist nicht mehr die Marie, die zum Bauern hinausfährt mit ihrem Kind im Mantel! Die wirft sich auch vor den Zug nicht mehr, weil sie gestohlen hat. Das müßte zackig kommen! – Minuten später schlief sie schon.

Gegen Mittag saß sie wieder in ihrem Nähzimmer bei Bäuerleins, und das Mädchen Lissie erteilte ihr freiwillig Auskunft über die Zustände dieser Ehe. Lissie hatte dem Rechtsanwalt alles zu melden, was seine Frau anging, und bekam Geld dafür; aber sie tat nicht nur ihre Pflicht, es war ihr ein wirkliches Vergnügen, hier mitzuspielen, wie sie sagte. Allerdings begriff sie nicht ganz, was gespielt wurde.

»Wie nennen Sie das, Fräulein, der Mann ist eifersüchtig, aber wenn nichts vorkommt, paßt es ihm auch nicht. Ich sage: nicht normal. Januar, Februar erzählte ich ihm immer frischweg, was Muttchen Nuttchen Puttchen mit dem Chauffeur macht. In Wirklichkeit nicht *so* viel!« Sie zog mit dem Finger das untere Augenlid weg. »Ich hätte dabei mitzureden; Edgar ist mein Süßer.« Dies begleitete sie mit einem forschen Ausstoßen des Ellenbogens.

Lissie war froh, daß sie sich Luft machen konnte.

»Verlogen sind die Leute!«

»Sie meinen wohl, wenn sie mal zusammen essen, das Getue.« Marie hatte keinen Grund, mitzuteilen, was sie sonst noch wußte, obwohl Lissie darauf ausging.

»Fräulein, was hat die Gnädige bei Ihnen zu suchen?« fragte sie endlich gradezu. »Edgar fährt sie immerlos hin. Er hat sich auch persönlich umgesehen in der Wohnung, aber was kann da schon sein. Immerhin, ich werde mir erlauben, mal selbst vorbeizukommen.«

»Sie würden auch nichts sehen«, sagte Marie. Aber das Kind schreien hören! dachte sie, und sie zog vor, daß Bäuerlein nicht unterrichtet werde. Die Verhältnisse des Hauses waren schon unterwühlt genug. Lissie wurde grade abberufen, Marie blieb allein und fühlte sich auf einmal viel unbehaglicher. Da stellte sie erst richtig fest, daß der zweite, nächtliche Teil ihres Lebens der natürlichere war.

Die gute Tanzbar, der anständige Harem, wenn sie an Familie Bäuerlein dachte! Dort waren alle Mädchen vom Lande, von Dörpen, dachte Marie. Sie versahen ihr Geschäft, und keine wünschte der anderen etwas Böses, obwohl sie ihr aus voller Kraft die Kunden fortnahm. Nach ihren Dienststunden schliefen sie und gingen an die Luft, das war alles. Vor ihrem Buffet konnte auf dem Hocker ein »großer Mann« sitzen, oder es war sogar ein ausgebrochener Einbrecherkönig, den sie erkannten, aber durch sie erfuhr die Polizei nichts. Die Mädchen waren romantisch, neben ihrer Tüchtigkeit.

Die Schliche Vickis ließen sich nicht mit Gemüt erklären, sowenig wie das Verhalten ihres Mannes. Marie begriff im Grunde nicht mehr als Lissie, obwohl doch sie selbst eine handelnde Person war. Sie sagte wohl: Es sind schlechte Menschen! Aber welchen Nutzen hatten diese Leute zuletzt von ihrer Unzuverlässigkeit? Gar keinen anderen, als daß sie immer tiefer in Verlegenheiten kamen! Sie trauen einander nicht und machen einander durch absichtlichen Schwindel noch mißtrauischer. Mich aber brauchen sie, damit er etwas gegen sie und sie etwas gegen ihn hat; deshalb muß ich hier sitzen! Damit zuletzt alles auffliegt!

Was sie erwartete, traf auch heute ein, Bäuerlein, der Hausherr, zeigte sich um die Zeit des Mittagessens. Früher war es nicht üblich gewesen.

»Was ist denn das? Schon wieder niemand außer Ihnen?«

Als ob er darauf nicht gefaßt gewesen wäre!

»Fräulein, wir werden uns noch allein zu Tisch setzen müssen.«

»Warum nicht. Ich weiß doch, daß Sie ein für alle Male Ihrer Frau treu sind. Aber gehen Sie lieber ins Restaurant, hier gibt es nur Scholle.«

»Sie haben es sich ausgebeten!«

»Ja.«

»Wer ist eigentlich Ihr Freund?«

»Ein Seemann.«

»Haben Sie ihn betrogen, während er schwimmt? Ich habe Sie mit Kurt im Verdacht.«

»Sagen wir also Kurt! Mein Freund hat mich auch betrogen«, äußerte sie plötzlich und sah ihn an. Der Dicke schien unberührt. »Herzliches Beileid!« murmelte er. »Mit wem denn?«

Wenn ich es ihm erzählte! dachte sie. Aber er würde nicht mal seine großen Backen verziehen, und niemals brächte ich heraus, ob er es nicht glaubt oder es schon längst gewußt hat.

Er blieb indes bei der Sache, um die es ihm ging.

»Jetzt soll Kurt mit einer älteren Frau sein. Sie kennen sie nicht. Er macht das wegen ihres Ladens, soweit ich informiert bin. Eine eigenartige Methode, wie würden Sie sich geschäftlich dazu stellen? Ich muß gestehen –« Er ließ dies offen.

»Sagen Sie mal«, begann er statt dessen, »warum behalten Sie jetzt immer Ihre Kappe auf? Sie haben so schönes aschblondes Haar, wenn ich das erwähnen darf, aber Sie zeigen davon rein gar nichts mehr!«

»Es ist wegen der ausrasierten Brauen. Die Stirnlinie paßt besser mit der Kappe.« Sie bückte sich über ihre Arbeit. Sie ärgerte sich, weil ihr Herz klopfte. Der Mann wußte um ihr Doppelleben! Es einfach auszusprechen lag nicht in seiner Art. Er wollte sie nur veranlassen, ihre blondierten Haare aufzudecken, und augenblicklich hob er irgend etwas vom Boden auf, um nachzusehen, ob sie noch ihre wollenen Strümpfe trug. Nun, sie hatte sich darauf eingerichtet, aus Seide jedenfalls waren sie nicht! Das kam erst am Abend.

Indessen stieg in sein Gesicht eine helle Röte. »Haben Sie heute abend etwas vor?« fragte er. »Ich biete Ihnen ein regelrechtes Verhältnis an, warum nicht.«

»Weil Sie sich entschlossen haben, treu zu sein.«

»Ich kann mich anders entschließen.«

»Ich glaube nicht.« Sie wollte nur trocken sprechen. »Ich kenne Vicki«, setzte sie nach einem Atemzug hinzu – aber welchen Ton hatte sie unwissentlich gefunden für diese gewöhnlichen drei Worte, daß er zuerst auffuhr und dann vor ihren Augen zu Stein wurde.

»Sie hassen Vicki«, sagte er, ohne die Stimme zu erheben. »Ich hatte schon öfter den Eindruck. Jetzt weiß ich es. Darum sitzen Sie hier. Wieviel brauchen Sie noch, bis Sie imstande sind, Vicki umzubringen?«

»Dumme Frage!« Ihre Stimme senkte sich von selbst. Er bestätigte es ihr sofort. »Gewiß. Dumme Frage. Aber überlegen Sie sich doch mal meinen Vorschlag, unser Verhältnis betreffend! Sie würden mich zu auffallend anständigen Gegenleistungen geneigt finden. Ich deutete Ihnen wohl schon mal an, daß der Bruttowert eines Menschen für mich dadurch bestimmt wird, wie weit seine kriminelle Veranlagung geht.«

Einen Augenblick aussetzen – plötzlich wurde er wieder der federnde Geschäftsmann, griff nach seiner Aktentasche und war draußen.

Kavaliere neppen ist sonnig gegen so etwas, dachte Marie und ließ ihren Schrecken abklingen.

Eine Reihe von Tagen verging, und es war sehr warmes Wetter geworden, als Marie wieder einmal mit Vicki ins Gespräch kam.

»Ich sehe schlecht aus«, stellte Vicki fest. »Es ist die Hitze. Endlich rauskommen! Den ganzen Winter war ich nicht fort, höchstens mit dir in Lübeck; das können wir beide nicht als Erholung rechnen. Na es dauert nicht mehr lange, dann gehe ich nach Sankt Moritz.«

»Allein?«

»Keinesfalls mit Ignaz. Der Herr steht noch nicht fest, ist auch nicht wichtig.«

»Dein Mann kennt ihn sicher schon jetzt. Du solltest dich vorsehen, Vicki! Er weiß mehr, als du denkst – von dir, von mir und von Kurt, und sogar –«

»Sogar deinen Mingo kennt er. Denn du hast ihm die Geschichte erzählt.«

»Nein!«

»Ihm braucht man nur den kleinsten Anhalt zu geben. Jetzt ist er im Bilde. Ich dagegen – als er mir mit komischen Anspielungen kam, mußte ich erst nachdenken, wie der Junge überhaupt hieß! Es war doch damals nur ein Zufall. Der Junge jedenfalls hätte auch ein bißchen anders aussehen können.«

»Nun sah er aber wie Mingo aus. Und wenn der Junge

dir gleich war, Vicki – woran lag dir eigentlich?« Marie hielt den Atem an, indes Vicki ihre Gedanken sammelte.

»Bei der Hitze wäre es in Warmsdorf netter«, erklärte sie mit einem Lächeln, das Marie enttäuschen sollte. Mich fängst du nicht, hieß es. Vicki legte sich auf ihre Couch und bat: »Setz dich doch, Marie! Es plaudert sich so hübsch bei herabgelassenen Fensterläden. Ein kleiner Sonnenfleck fällt grade auf deinen schönen Mund. Mit deinen Zähnen machst du sie verrückt.«

Indes sie dies hinsprach, träumte Vicki. Das Kind! Ihren albernen Mingo mußte ich nehmen, damit Kurt sie bekam – und sie von ihm das Kind. Dieser gesunde Körper hat mein Kind zur Welt gebracht, nicht ihres, sondern meins. Bald, bald hab ich es ganz!

»Was sagte ich? Man wird schläfrig. Ja, daß du ihnen allen gefällst. Kurt finge am liebsten gleich wieder mit dir an, trotz Adele und ihrem Testament. Ignaz aber – Marie, wie stehst du zu der Frage?«

»Welche Frage?«

»Ich stelle ihn dir zur Verfügung.«

»Das meinst du auch nicht so.«

»Ich versichere dir. Wenn er mich mit dir betrügt, laß ich mir eine Rente von ihm aussetzen und gehe. Muttchen Nuttchen Puttchen haut ab, und wie!«

Ihre Brust hob sich schneller, Vicki hatte sich nicht mehr ganz in der Gewalt. »Marie! Von dem Mann kann ich kein Kind haben.«

»An wem liegt es?« fragte Marie ohne Ton. Sie fürchtete, es nicht zu erfahren.

»An mir«, flüsterte Vicki.

Erst nach einer Weile des Schweigens fiel ihr ein, welche Absichten sich ihrem Geständnis entnehmen ließen – von ihrer Feindin. Sie stand auf, wehrlos daliegend, fühlte sie sich nicht mehr sicher. »Kein Wort wahr!« sagte sie besonders rauh. »Ich bin noch verlogener, als ich selbst dachte«, behauptete sie und war überzeugt, daß sie damit alles ungeschehen machte.

Aus ihrem kleinen Schreibtisch nahm sie ganz schnell ein hübsches Revolverchen und sagte: »Wenn du mir meinen Ignaz verführst, erschieße ich dich und kriege sechs Monate mit Bewährungsfrist. Bleibe lieber in deiner Bar – zu deiner eigenen Sicherheit! Er ist zu feige, dir öffentlich nachzulaufen. Hier mußt du dich nicht wieder zeigen, aber tu, was du willst!«

Marie kehrte zu ihrer Arbeit zurück, das war ihre Antwort. Sie dachte nicht daran, dies gefährliche Wesen ohne Aufsicht zu lassen! Ihr erschien alles verändert, denn ans Licht gekommen war: Sie kann kein Kind haben! Dadurch wurde Vicki eine arme Frau, und Marie wurde es müde, sie zu hassen – obwohl sie fühlte: Jetzt steht es noch schlimmer! Das mit den Holländerinnen, das mit dem großen blauen Stein! Wie Vicki meinem Kind nachstellt! Wie sie mich in den Harem abgeschoben hat! Lauter schlimme Sachen – leg Sak, dachte sie. Eins muß ich bloß noch herauskriegen! Eins fehlt bis jetzt. Warum hat sie mir Mingo genommen, darüber weiß ich nicht alles. Wenn ich das aber wüßte –! Ihr war auf einmal heiß bis in die Fingerspitzen, und das Sehen verging ihr. Sie legte die Arbeit hin, schon zitterten ihr die Hände und der ganze Arm.

In der Bar ging es damals herzhaft zu. Die Mädchen entzweiten sich wegen Herrn Meier oder des »Chef«; das war Kurt. Er mißbrauchte die Anhänglichkeit Adeles, um den Pascha zu spielen. Das Ballett war auf seine Gunst angewiesen. Eine Verkehrsdame, die gegen ihn »keß« geworden war, bekam den »Ausweis«, und das bedeutete Erwerbslosigkeit in dieser Zeit der Zusammenbrüche. Der Harem ging noch gut, trotz Kurt. Er wollte Nina hinaus haben, an der einen Alten habe er genug. Das paßte Hedi, die ihren Platz neben Nina hatte und ihre Kunden zu erben hoffte. Stella dagegen stimmte zu, als Marie dem Jungen ihre Meinung sagte.

»Wir beide sind hier die Hamburgerinnen«, sagte Marie im Beisein aller Frauen, beim Abendessen. »Ich will, daß du Nina in Ruhe läßt! Du sollst dich was schämen. Sie hat einen Jungen, der fährt zur See. Na und du?«

Kurt schnitt Fratzen, weil ihm schwül war. Alle die groß angezogenen, halbnackten Frauen legten ihre gepuderten Arme breit auf den Tisch und betrachteten ihn sachlich. Er half sich, indem er Adele küßte; sie aber ging darauf nicht ein. Sie war hellhörig, ihr blieb nicht verborgen, warum Marie sich in ihrer Gegenwart zur Sprecherin aufwarf für die öffentliche Meinung. Das kam, weil Kurt mit Marie wieder etwas hatte, ob es bis jetzt geschehen war oder nicht. Adele hätte geschworen, es sei passiert. Wenn sie die beiden erst erwischte! Sofort wollte sie ein anderes Testament machen, schon sah sie sich um, zu wessen Gunsten.

Der Blick Adeles fiel auf den kleinen Menschen, der auch mit zu Abend aß, den Freund Lottes, einen zwanzigjährigen Angestellten, er machte Schlager. Mein Myom wächst, dachte sie, und ich bin feige, ich gehe nicht in die Klinik. Wie wäre es, wenn nach mir mal Lotte und ihr Kleiner hier den Laden haben. Er ist tüchtig, außerdem erspart er den Kapellmeister, das wäre im Sinne des Verstorbenen! Mit tiefer, schmerzlicher Freude bildete sie sich ein, wie Kurt mitsamt Marie auf die Straße mußte. Marie machte sich hier manchen Abend hundert Mark; die sollte spüren, daß es anders kam! Kurt verfiel dann wohl endgültig der Einbrecherkolonne, vor der nur Adele ihn noch gerettet hatte. Allerdings konnte man von dem allen eine Gänsehaut bekommen.

Kurt verlangte inzwischen von Marie, daß sie mit ihm hinaufkomme in das Künstlerzimmer neben den Toiletten, um festzustellen, wie das Ballett die Kostüme zugrunde richtete. Er verzerrte den Mund, weil sie nicht wollte. Ich will! Sie hat so zu mir gesprochen, daß alle Weiber mich anstarrten wie die Toten. Das war wieder wie damals in dem Stall, da hielt sie mich auf den gestemmten Armen hoch. Ich hasse sie, sie muß ran!

Nina beobachtete ihn. Erfahren, wie sie war, nahm sie sich vor, mit dem haltlosen Jungen ein mütterliches Wort zu reden. Von Adele, das sah sie, war es nicht zu erwarten. Adele blieb, solange kein Gast kam, ihrem ungeordneten, vielleicht stürmischen Innenleben hingegeben, und das macht alt, wußte Nina. Herr Radlauf pries der Chefin sein neues Chanson an, er machte schüchterne, aber hartnäckige Versuche, sie ans Klavier zu bringen. Sie saß, antwortete abwesend und hatte – was hatte Adele?

Furcht. Sie mit ihrer großen Macht und Gewalt, die Menschen zu enterben, abzubauen, nach der Stempelstelle zu verschicken – Adele fühlte mit Grauen, daß die Lebenden stärker sind als eine reiche Frau mit einem Myom im Leib. Die gingen über sie weg! Sie haßten oder liebten einander – gegen mich aber halten sie zusammen, ich kenne sie, ich weiß, was sie wollen! Sie wußte gar nichts; aber schlimmer sind dunkle Gefühle. Furcht. Furcht. Plötzlich raffte sie sich auf und rief nach Radlauf. »Los, Erni!« Sie setzte sich an das Klavier und probierte die Noten, die er ihr vorlegte. Ehe jemand es erwartete, hatte sie die Sache heraus und sang.

»Die Seemannsbraut«, kündigte sie an und begann.

> Mein Mann, das is ein Seekaptain
> Woll auf die deutsche Flott,
> Auf alle Schiffe gibt es kein
> So 'n vollgesoffnen Pott.

»Mitsingen!« rief Adele.

Haha! Hoho!
Bliw man so!

Sie ließ den Chor wiederholen, sie selbst fuhr fort.

Nanu, das wäre ja gelungen!
Ich nehm mir 'n andern Jungen.

»Das war alles nur Vorspann. Jetzt kommt es!« schrie sie.

Wir Mädchens vom Hafen
Kriegen Seelüd un Grafen
Fürs Wachen und Schlafen,
Und der Flottste von sie all,
Der is mein Fall!

Nina sah Kurt gütig in das bleiche Gesicht. »Gefällt Ihnen das, Herr Chef?«

»Ich schmeiß den Jungen raus!« Ächzend betrachtete er den armen Radlauf, der selig lauschte, wie seine Schöpfung durch die Bar schallte. Lotte, die ihn liebte, weinte vor Glück.

Nina erklärte: »Das hat er gemacht, weil Marie und ich zwei Hamburgerinnen sind. Er ist nett.«

»Das Schwein!« fauchte Kurt. »Mich meint er. Mir gibt er es, daß Marie einen Seemann hat, und der darf sie verhauen.« Mich aber verhaut sie, setzte er für sich allein hinzu und wurde krumm vor Wut.

Nina legte ihm die Hand auf die hinaufgezogene Schulter. »Kurt! Wenn Sie es sich überlegen, ist Ihnen das alles gleich. Mein Junge, mich möchtest du auch schädigen, trotzdem meine ich es gut mit dir. Ja, sie hat einen Seemann, und für ihn ist sie manches imstande. Wenn einer es weiß, mußt du es wissen. Die geht ganz plötzlich hoch, das siehst du ihr vorher nicht an. Hände weg, Kurt – und sag es jedem, der gegen Marie etwas vorhat!« Sie nahm ihre eigene Hand von seiner Schulter und ließ ihn stehen, dadurch machte ihre Warnung erst Eindruck. Für diesmal war ihm die ganze Wut vergangen.

Adele verkündete: »Zweiter Vers!«

Mein Mann is mächtig auf'n Damm,
Un kömmt er dun nach Haus,
Denn zieht er mir die Hosen stramm
Und ich ihm seine aus.

Der Chor legte von selbst los, auch das Ballett war inzwischen angekommen und kreischte mit.

Haha! Hoho!
Bliw man so!

Das war bis auf die Straße zu hören, die ersten Gäste drangen angeregt ein. Adele spielte und sang.

Nanu, das mach ich nicht mehr lange!
Deswegen keine Bange!

»Jetzt kommt es!« schrie sie.

Wir Mädchens vom Hafen
Kriegen Seelüd un Grafen
Fürs Wachen und Schlafen,
Un der Flottste von sie all,
Der is mein Fall!

Hier war schon große Stimmung. Das Geschäft setzte ein.

Sechstes Kapitel

Kurt vergaß nichts, keine Frau, kein Mißgeschick, auch diesen Abend nicht. Er liebte das Leben zäh und ohne Gegenliebe, wie er anfing zu bemerken. Des Morgens lag er erschöpft, aber schlaflos neben Adele und gedachte Maries wie des Glückes selbst, das verspielt war. Zurückgewinnen! Jetzt grade! Trotz Adele und ihrem Testament und obwohl der Seemann nächstens heranschwamm. Dem hab ich sie schon mal gekappt – und von dem ist ihr Kind nicht. Ihr Kind ist von mir! Aus heißer Lebensbegierde begann Kurt für sein Kind zu fühlen. Er sah, während ihm die Augen brannten, Marie als große Frau und sich selbst auf einen hohen Posten versetzt – ungeklärt, wie. Die Hauptsache, ein mächtiges Auto nahm Marie und das Kind auf, er stieg zu ihnen ein, es war nicht mehr in W 15.

Er sagte zu Marie: »Ich muß unser Kind sehen.« Sie antwortete »nein«; aber er blieb ruhig, grade darum konnte sie nichts machen. Er kam zu ihr vor sieben, als sie angezogen war, um in die Bar zu gehen, und zuerst beugte er sich lange über das kleine Bett. Sie konnte nicht verkennen, daß er es ehrlich meinte. Er hob den Knaben vorsichtig ein wenig vom Kissen auf, ihre gleichen Gesichter standen einen Augenblick einander gegenüber, der unsichere Blick des Kindes, der zugleich scharfe und flehende des Vaters. Kurt küßte seinen Sohn nicht, er tat etwas anderes. Er lehnte sanft gegen die kleine Stirn seine eigene, die feucht war.

Marie wandte sich ab; sie bereute, daß sie ihn haßte. Sie

zweifelte sogar, ob es Haß war. Und seine Schwester? Was auch geschehen war! Was immer geschehen war und noch bevorstand, Marie empfand: es blieb doch Vicki, einst ein Kind auf dem Strande zugleich mit Marie. Sie wollten es beide gar nicht, dennoch trieben sie einander an, keine wußte, warum und wohin. Kurt, ein so schlechter Junge, daß er manchmal krumm wurde von innen heraus, er liebte das Kind. Es lächelt! Es liebt ihn auch!

Er machte den Versuch, zurückzulächeln. Ohne Ironie war das schwer für ihn, wie sie wohl sah. Er nahm das Kind an sich, gegen seine Brust, und sagte zu Marie: »Jetzt gehen wir fort.«

»Wohin?«

»Ganz fort. Etwas anderes anfangen. Hier sind wir nicht sicher.«

»Vor wem?«

Er sah sie an, als ob sie das selbst wissen könnte. Sie verstand ihn auch, suchte aber abzulenken. »Ich muß auf Vicki aufpassen.«

»Die!« warf er hin und verzog sogar den Mund. Zum ersten Mal ergab sich ein Abstand zwischen ihm und seiner Schwester. Marie erinnerte ihn: »Du weißt doch, was sie will.«

»Ich habe sie gewarnt. Ich sagte ihr, daß sie verrückt ist. Sie antwortete mir: ich auch. Natürlich, ich auch! Darum muß ich ja fort und etwas Neues machen«, behauptete er hartnäckig. »Sonst ist es zu spät – wegen der Sachen, die hier laufen, Adele, die Erbschaft, das Kind, die Polizei – und Vicki! Und du! Kommst du da noch heraus?« forschte er mit einem vielsagenden Blick.

»Ich?« Sie war erschrocken. »Aus was soll ich herauskommen?« fragte sie zum Schein. Er hob nur die Schulter.

»Noch ginge es; Vicki jedenfalls tut, was sie kann, damit sie sich auf andere Gedanken bringt. Sie hat einen Liebhaber genommen«, sagte er zwischen den Zähnen. Da begriff Marie erst den ganzen Abstand, der dort entstanden war. Es war Eifersucht! Seine Schwester ging eigene Wege, sofort wurde sein gewagtes Unternehmen bei Adele ihm unheimlich, und er flüchtete zu Marie, zu dem Kind!

»Das hilft uns nicht«, entschied sie. »Weißt du, was ich glaube? Sie hat gar keinen Liebhaber.«

»So. Aber eines Tages kannst du sie in der Zeitung mit ihm photographiert sehen. Er ist doch ein Künstler!«

Marie schüttelte den Kopf. Sie dachte an den Chauffeur Edgar, auf den das Mädchen Lissie aufpaßte. Auch ihn hatte Vicki für ihren Liebhaber ausgegeben, ohne daß er es gewesen war – nur damit Ignaz Bäuerlein seine Aufregung bekam und sie selbst ihre halsbrecherische Lage. Sie ist nicht die Frau, die sich verliebt! Sie hat sich nie in Mingo verliebt!

»War sie je in Mingo verliebt?« fragte Marie plötzlich. Er trat einen Schritt zurück.

»Sprich davon nicht!« Er legte das Kind ins Bett zurück. »Wir alle sind vielleicht auf der schiefen Ebene, wenigstens habe ich das Gefühl – und deine Sorge soll Mingo sein? Schön. Dann los in die Bar! Dorthin gehören wir. Mein Gefühl ist auch weg nach zwei Kognaks.« Er hielt ihr den Mantel hin.

Kurze Zeit darauf hatte Vicki einen geheimnisvollen Autounfall. Der Wagen wurde außerhalb der Stadt auf einen Sommerweg geschleudert, übrigens fuhr sie nicht ihren eigenen. Es schien, daß neben ihr ein Herr gesessen hatte, und am gleichen Abend kam ein bekannter Schauspieler mit starker Verspätung ins Theater. Über die Zusammenhänge stand etwas in den Blättern, die derartiges erwähnen.

Während Vicki mit einer leichten Quetschung auf der

Couch lag, machte ihr Mann ihr rücksichtsvolle Vorhaltungen. »Mußte das sein?« fragte er hauptsächlich. Sie verlor sehr bald die Geduld.

»Natürlich mußte es nicht sein, aber es hatte nun mal geregnet. Das ist ja direkt lächerlich. Du gibst an wie ein alter Mann von vierzig Jahren. Mein Vater konnte auch über so 'ne Kleinigkeit sechs Stunden reden. Später ging er allerdings selbst durch«, sagte sie anzüglich.

»Muttchen Nuttchen Puttchen!« flötete er, um sie zu beruhigen. Sie machte es ihm nach mit möglichst häßlicher Kinderstimme.

»Ich werde dir niemals deine Jugend stehlen«, versicherte er, »und erst recht nicht deine liebenswerte kriminelle Veranlagung. Wenn ich ein Spießer bin!«

»Wärest du nur einer!« sagte sie mit richtiger Stimme und einem unverstellten Blick. Er entschuldigte sich denn auch.

»Das hält schwer an deiner Seite. Man kommt hinter so manches.«

»Wenn man die Dienstboten dafür bezahlt.«

»Der Prominente stand in der Presse. Aber ich lege ihm keine Bedeutung bei. Ich habe die Schwäche, dich für treu zu halten«, gestand er schlicht.

»Danke, lieber Ignaz. Dann überrascht es dich auch nicht, wenn ich nächstens nach Sankt Moritz fahre.«

»Allein?«

»Was dachtest du? Zur Erholung natürlich. Der Autounfall hat mich nervös gemacht, du mußt meine Aufführung entschuldigen.«

»Gern. Aber es ist nicht nur der Autounfall. Der mitsamt dem Prominenten bilden dein Alibi, Puttchen. Du sagst Sankt Moritz. Nuttchen! Wohin willst du in Wirklichkeit – mit dem Kind?« Dies schoß er ab.

»Mit – wem?« Sie war hochgekommen aus den Kissen, ließ sich aber sogleich zurückfallen. »Selbstverständlich.

Wie solltest du nicht auch hinter das Kind gekommen sein! Na? Von wem hat Muttchen Nuttchen Puttchen das tleine Tind?« quäkte sie.

»Gott gebe, daß es deins wäre! So aber, du armes, unvollständiges Verbrechergehirn«, sprach er zum Fenster hinaus, »kann ich dich nur warnen!« Dies sagte er ihr voll und mit Nachdruck ins Gesicht.

Er begann wieder: »Ich habe natürlich meinen Eindruck von Marie.«

»Und möchtest mehr von ihr haben als nur den Eindruck!«

»Möglich, aber es gehört nicht her. Dir fehlt ein Kind, das kann ich verstehen. Was habe denn ich? Sitzungen. Man muß sich das Leben erträglich machen, indem man sich mit ihm vergleicht. Soll ich versuchen, einen Vergleich mit Marie herbeizuführen?« Er betonte: »Zwischen dir und ihr steht ein gewisses Vorkommnis.« Sie unterbrach schnell:

»Ich fürchte, daß sie dich nicht ernst nimmt, mein Ignaz.«

»Dann mach es selbst!«

»Mich nimmt sie zu ernst.«

»Mein Eindruck ist, daß sie gefährlich werden könnte. Ohne Vergleich kommen wir zu nichts.«

»Doch!« behauptete sie.

Er dachte: Vielleicht zur endgültigen Klärung einer fragwürdigen Ehe – worauf er ihr Ruhe empfahl und sie verließ.

Um dieselbe Stunde hielt Kurt eine Zeitung hin und fragte Marie, ob sie jetzt endlich glauben werde an den Liebhaber Vickis. Sie wußte nichts zu entgegnen; nur ihr Gefühl widersprach.

Vicki selbst fragte eines Nachmittags im August: »Marie, wir lieben einander doch, ist dir das klar? Dann erweise mir zum ersten Mal einen wirklichen Gefallen!«

»Zum ersten Mal«, wiederholte Marie. Schneller als sie die drei Worte aussprechen konnte, drängten sich durch ihren Geist: Kurt, Mingo, das Kind, das Bahngeleise, der große blaue Stein, Adele und die Bar samt Bäuerlein und Kirsch.

»Dein Geschmack war wenig entwickelt, Marie. Ich habe dich erst angezogen. Wenn du jetzt als große Frau dastehst –« Denn Marie war schon im Abendkleid. Bäuerlein befand sich auf einer kurzen Geschäftsreise, übrigens wäre nichts mehr zu verheimlichen gewesen. Vicki erklärte: »Ich habe ihm gesagt, daß ich nach Sankt Moritz fahre. Man soll immer das angeben, was man wirklich vorhat, dann glauben sie das Gegenteil.«

»Was glaubt er also?«

»Mingo!« entschied Vicki und sah Marie fest an. »Von dem ist er überzeugt. Den hat er bis jetzt nur einmal erwähnt, als ein gewisses Vorkommnis, und sonst noch nie. Wenn von mir Briefe aus Warmsdorf hier einliefen, dann bin ich für ihn tatsächlich bei Herrn Mingo in Warmsdorf und nicht in Sankt Moritz. Du verstehst, was ich von dir haben will.«

»Nein.«

»Seid ihr in der Bar alle so einfach geblieben? Du fährst nach Warmsdorf und wirfst dort täglich einen Brief in den Kasten. Jetzt denkst du, daß du sie auch schreiben sollst. Du wirst aus den Wolken fallen: ich schreibe sie selbst und gebe sie dir gleich mit. Hier hast du sie.«

»An wen schreibst du sie?«

»Lies nur und nimm sie gleich mit! An dich schreib ich sie, jawohl, an dich, gutes Kind. Hierher. Ignaz findet sie, er glaubt an Warmsdorf, seine Privatdetektive schickt er dorthin, ich habe meine Ruhe in Sankt Moritz.«

Marie bemerkte mit Verachtung: »Sich so viel unnütze Lügen auszudenken!«

»Ihm sage ich die Wahrheit: Sankt Moritz.«

»Und mir?« fragte Marie streng. »Er schickt seine Privatdetektive nach Warmsdorf, meinst du. Dort finden sie, daß kein Mingo da ist und daß ich an mich selbst Briefe aufgebe. Dein Mann aber stellt fest, daß ich weder hier im Hause noch in der Bar zu sehen bin.«

»Während meiner Reise nach Sankt Moritz hast du für mich nicht zu schneidern, und in die Bar traut er sich ohnedies nicht. Aber lassen wir es, wenn du mir den ersten Gefallen, um den ich dich bitte, nun einmal nicht tun willst!«

Marie fühlte sehr wohl, daß Vicki das enttäuschte Kind nur spielte, während sie im Grunde etwas Lauerndes hatte. Im Harem aber fand Marie einen Brief. Sie bestellte aus Furcht vor den schnüffelnden Holländerinnen ihre Briefe lieber nach der Bar. Dieser war von ihren jungen Geschwistern, die ihr mitteilten, Mingo sei wieder da. Als sie so weit gekommen war, schob sie schnell das Papier in ihren Halsausschnitt und sah sich um, wer sie beobachtet habe. Nur Nina hatte zugesehen. Marie ging zu ihr und flüsterte: »Mingo ist zu Hause.«

Nina griff unter das Buffet, hervor holte sie die aufgeschlagene Karte, in der Nadeln staken.

»Stimmt es? Ich wollte dich nur nicht aufregen, Marie. Jetzt fährst du natürlich hin. Du darfst ihn nicht warten lassen. Er soll auch von Dritten nichts über dich hören. Glaube mir, der grade Weg ist der sicherste. Ein guter, einfacher Junge wie dein Mingo versteht alles, was du ihm erzählst, aber es muß aus deinem Munde kommen!«

Die Braut des Seemanns schien von Zweifeln gequält; Nina redete ihr fürsorglich zu. »Du weißt jetzt, was das hier für ein Leben ist. Heirate ihn, verlange als Mitgift einen Segler und mach alle seine Fahrten mit! Dies rät dir eine, für die es zu spät ist.«

Sie wurden zum Abendessen gerufen. Marie bewunderte still das Zusammentreffen, daß auch Vicki sie hatte nach Hause schicken wollen – zu Mingo, der nicht da war. Im gleichen Augenblick aber war er wirklich da! Sollte ihr das nicht Vertrauen zu Vicki machen? Dann stimmte auch das übrige, sie fuhr einfach nach Sankt Moritz, sie legte Marie keine Fallen, diesmal nicht. Wer nie etwas anderes glauben will, ist auch wieder dumm. Ich nehme für alle Fälle das Kind mit! Aber geht das? Kann ich es ihm denn gleich zeigen? Nina sagt: er versteht alles. Ist es auch wahr?

Sie wußte es nicht. Jedenfalls verkündete sie: »Frau Fuchs, morgen muß ich Ausgang haben, dringende Familienangelegenheit.«

»Eine weniger«, bemerkte Stella im Namen der anderen. »Der Geschäftsgang ist ein stiller zu nennen. Danke, Marie!«

Nach dem Essen erinnerte Marie sich, daß sie den Brief noch gar nicht zu Ende gelesen hatte. Sie entfaltete ihn unter dem Buffet und stieß auf einen einzigen Satz, aber der griff ihr an den Hals. »Mingo bleibt nur einen Tag hier, er will sich wieder anheuern lassen.« Dann ist er auch schon fort! Unmöglich, er weiß, daß ich komme. Ich bin unterwegs, das braucht ihm niemand zu sagen. Morgen früh treff ich ihn in Lübeck, und ginge er auch schon auf das Schiff! Ich kenne sein Hotel am Hafen. »Nina, komm ich heute abend mit dem Zug noch mit? Aber in dem Abendkleid! Ich habe nichts anderes hier, und ich muß sofort zum Lehrter Bahnhof.«

»Hast du Geld?« fragte Nina mütterlich. »Auch ein Kleid kann ich dir leihen. Beeile dich, auf Wiedersehen, mach's gut!«

Marie kam umgezogen die Treppe herunter; das Abendkleid hatte sie eingewickelt und mitgenommen, sie überlegte nichts mehr, es ging Hals über Kopf. Sie war empört, weil Adele sie aufhielt. »Wohin!« fragte Adele im dramatischen Ton.

»Das wissen Sie, Frau Fuchs. Es ist schon heute.«

»Und wo erwartet dich der Junge mit dem Kind?«

»Welcher Junge? Welches Kind? Sind Sie verrückt geworden?«

»Ich nicht. Du aber versündigst dich für Zeit und Ewigkeit. Du türmst mit meinem Mann! Sieh mich an – und sei entmenscht genug, mir meinen Mann zu schnappen!« Den Widerspruch Maries hörte sie gar nicht. »Oh! Mir ist bekannt, daß Kurt es kaum noch hier aushält, seitdem ich das Testament gemacht habe. Das kann anders werden!« verhieß sie drohend. »Seine Familie ist auch noch da – seine wirkliche Familie! Mit der halte ich es, die dankt es mir auf den Knien, wie ich den erwerbslosen Menschen einstelle!«

Es schien Marie, daß die Frau faselte. Nichts hatte Bedeutung außer ihrer Reise zu Mingo. »Lassen Sie mich vorbei!« verlangte sie, ohne auch nur die Stimme zu erheben; genug, Adele drückte sich an die Wand.

Erst im Zuge bemerkte sie, daß sie jetzt dennoch ohne das Kind gereist war. Sie erschrak – verleugnete aber sofort ihren Schrecken und die Gefahr. Das tut Vicki nicht! Sie fährt nach Sankt Moritz! Ganz heimlich meldete sich in ihr die Wahrheit, sie wollte sie nicht gehört haben, gleichwohl hatte sie gesprochen: Mingo – oder tot! Was sonst auch hereinbrechen mag, jetzt zu Mingo!

Hierauf schlief sie ein, denn bis morgen früh war genug gekämpft, und keine innere Bedrängnis erreicht, daß Marie nicht schläft. Sie saß noch immer ruhig angelehnt, als die Sonne sie weckte. Der Wirt des Karsbecker Hofes am Lübecker Hafen bestätigte ihr, daß Mingo nach Warmsdorf gefahren sei, aber schon heute abend werde er zurückerwartet. Sie wendete sich nach dem Bahnhof, grade lief der Zug ein; der erste, der ausstieg, war Mingo, die ersten, die einander die Hand gaben, waren Mingo und Marie.

Sie sprachen anfangs nicht, sie gingen nebeneinander

fort, als hätten sie gewußt, wohin. Bei einer Wirtschaft, vor der Tische standen, fragte er, ob sie gefrühstückt habe. Diese ersten Worte klangen rauh. Auch wurden sie zerrissen von dem Pfiff eines Schiffes, das auf dem Flusse einfuhr und unter den übrigen seinen Platz suchte. Als er sich von ihr entfernte, um den Kellner zu holen, sah sie ihn erst richtig – nicht mehr flimmernd, wie bei der Begrüßung. Er war viel magerer geworden, nein, nicht mehr der gepflegte, gut ernährte Sohn des weißen Fischerhauses mit dem wilden Wein. Auch hatte er seinen »Treuer« anbehalten, was ein Sweater ist; das seidene Hemd schien er nicht mehr zu kennen. Sein Gang war jetzt schwankend wie der seines Vaters. Er kam auf sie zu. Dies scharfe braunrote Gesicht mit der großen Nase war ihr fremd. Sie machte sich kleiner auf ihrem Stuhl, und auch ihr Herz zog sich zusammen.

Er sah sie an, das war nun doch der Blick seiner schrägstehenden Augen. Die Brauen berührten einander fast. Er brauchte sie nur wenig zu falten, dann erschien er ihr männlich. Nein, traurig fand sie ihn jetzt.

Sie fragte leise: »Bin ich älter geworden?«

Als Antwort legte er seine Hand auf die ihre, und sie spürte die Schwielen, die neu waren.

»Sechs Monate!« sprach sie ihm in die Augen. »Da kommt viel vor.«

»Es ist alles beim alten«, sagte er, schüttelte aber dabei den Kopf.

Sie sagte singend und langsam: »Ich wußte immer, wo du warst, mein Mingo. Ich habe Nadeln in eine Karte gesteckt.« Sorgfältig brachte sie fremde Namen vor, Städte, Lokale, Personen, alles im Gedächtnis aufbewahrt.

»So war es aber gar nicht«, erklärte er. »Ich mußte die meiste Zeit an Bord bleiben, wo wir anliefen. Aus- und einladen wie ein Kuli, und das war ich auch, Marie. Das ist die richtige Lehre. Jetzt kann ich meinem Bruder im Geschäft helfen, wenn es heutzutage auch stilliegt. Ich arbeite für drei Fischerknechte.«

»So ist das gekommen«, sagte sie, aber er sah ihr an, daß sie nicht an ihn dachte; ihr eigenes Leben meinte sie. Er wollte sie beruhigen.

»Ich hab schon alles gehört, lütte Deern, nu laß man!«

»Haben sie dir in Warmsdorf erzählt, daß ich –« Sie verzog den Mund zum Lachen, weil sie etwas Doppelsinniges sagen wollte; ihre Zähne blitzten. »Daß ich unter die Räder gekommen bin?« Mingo wurde davon nur ernster.

»Du hast gehörig was ausstehen müssen, du hast dein Teil weg, und ich auch. Ich habe wohl eine gesunde Dummheit gemacht, wie ich dich damals auf dem Feldweg stehenließ. So ist ein Mann, lütte Deern. Jetzt hast du sie ja reichlich kennengelernt, aber dafür kannst du nichts, das ist meine Schuld, warum hab ich es mit uns nicht in Ordnung gebracht, bevor ich zur See fuhr. Jetzt heiraten wir, mine Marie, und dein Kind kriegt einen ehrlichen Namen.«

Sie antwortete nur: »Es ist dort in Berlin geblieben.« Denn was er sagte, hatte irgendeinen Fehler, in diesem Augenblick fühlte sie ihn unbestimmt. »Ich muß selbst wieder zurück«, setzte sie hinzu. »Schon wegen Mi.«

»Was heißt Mi?«

»Eigentlich – Michel«, sagte sie.

»Ich komme mit dir!« bestimmte er. Sie schüttelte den Kopf: »Das müssen wir noch sehen. Aber jetzt will ich etwas anderes. Ich will, daß wir im Wagen fahren.«

»Aus der Stadt?« Er las in ihren Augen, wohin; sonst wäre er nicht leicht darauf gekommen.

»An den Ort habe ich auch viel gedacht, des Nachts in den Tropen. An das Zimmer. An dein Gesicht, Marie, wie du mich um den Kopf gefaßt hieltest und ließest mich nur ganz langsam an deinen Mund ran. Marie, ich bin doch treu wie Gold«, versicherte er, genau wie damals. Er mochte von seinem Verschulden sprechen, im Grunde kannte er es nicht! Was wußte er von Haus Bäuerlein und vom Harem. Hatte er die Lokomotive heranstürmen gesehen? Marie mit ihrem Kind aber springt vom Geleise. Marie hat heute ihre Feinde, sie soll sich wehren und muß ihr Kind beschützen. Sie kommt nicht los aus dem Haß der anderen, ihrem eigenen, nicht fort aus dem Kampf, nicht frei aus dem Gedränge. Sie treibt, und sie wird gestoßen! In einer inneren Ferne hörte sie rollendes Getöse, und Stimmenmassen erhoben sich formlos.

Plötzlich fühlte sie die Hand Mingos auf der ihren. Tiefe Stille entstand, noch einschneidender, weil ein einzelner Dampfer im Hafen dumpf aufheulte, und Marie sagte nochmals: »Ich will, daß wir im Wagen fahren.«

Sie suchten dieselbe Garage, aus der Mingo damals das Auto geholt hatte. Aber der Besitzer wollte den Seemann nicht kennen und verlangte Bezahlung im voraus. Mingo besaß nicht genug, Marie legte aus.

Er führte wie damals; nur war er nicht mehr besorgt, ob sie lieber ein gelbes als ein blaues Seidenhemd an ihm gesehen hätte. Er beachtete auch nicht das Arbeitskleid, das sie trug und das nicht ihr eigenes war. Sie aber sah wie je, daß er schön war – das blonde Haar, blonder als ihres damals, fest um den Kopf gelegt, vorspringender Hinterkopf, wie bei ihr, das Gesicht länglich, wie sie selbst es hatte. In der Anspannung des Lenkens zog er die Brauen zusammen, aber schon erschien er ihr dadurch nicht mehr traurig, nur männlich und ernst. »Du weißt, daß ich dich liebe!« sagte sie einfach.

Sie fuhren vor dasselbe Gasthaus, sie nahmen dasselbe Zimmer. Nachher aber weinte er nicht wie das erste Mal. Er machte keine Liebesbeteuerungen, die in Tränen schwammen. Sie waren vereint, er sagte »mine Marie« und fand es richtig. Auch sie wollte es haben wie einst, so unmöglich es war, zu wünschen, daß sie das Zimmer nie wieder verlassen möchten. Einst hatten sie beide es eine Stunde lang geglaubt, oder wenigstens hatten sie es gehofft und einander mitgeteilt. Jetzt schwiegen sie. Um dennoch die Bezauberung zurückzurufen, umfaßte sie sein Gesicht und führte es ganz langsam dem ihren zu. Jetzt unterschied sie noch die dunklen Wimpern, die gesenkt waren, und jetzt nicht mehr, da schloß auch sie die Augen. In langsamen, tiefen Schauern lief eine Minute ab, da sie glücklich war wie an jenem Tag.

Als er seinen »Treuer« wieder anzog, eröffnete Mingo ihr, daß er sich durch nichts und niemand abbringen lassen werde von Marie. Was sie ihr in Warmsdorf auch nachsagten, er hielt zu ihr! Wollten seine Leute ihn mit Marie nicht im Haus haben, dann zogen sie zusammen fort und fingen selbst ihr Geschäft an, ob auch mit einem einzigen Segler. »Ich hab Mut und du doch auch!«

»Mut genug«, sagte sie und hatte ihm den Rücken zugewendet.

Er sah auf, plötzlich begriff er, was sie tat. Sie stand auf ihren langen, seidenen Beinen in Schuhen mit hohen roten Absätzen und warf sich über den Kopf etwas Glitzerndes, noch schwebte es, nur so klein wie ein Taschentuch. Allmählich glitt es herab, und Marie war eine große Frau im Abendkleid, deren Arme, Gesicht und Haar viel heller und verlockender glänzten als von Natur und als je bei einer Fischersfrau. Er warf einen Stiefel hin, anstatt ihn anzuziehen.

»Das Auto hast du auch bezahlt! Verdienst du so viel Geld?«

»Manchen Abend mache ich mir hundert Mark. Aber die Kosten entsprechen dem Umsatz.«

»Wie soll es dann werden?« fragte er – schon wieder beherrscht und genau in dem richtigen Ton, weder unmännlich noch gekränkt. Sie kam darauf zu ihm, machte sich kleiner und ließ sich auf die zu blonden Haare küssen.

Sie schob einen Stuhl so nahe, daß er an seinen stieß. Ihr Knie an seinem, ihre Wange an seiner, vertraute sie ihm an, daß sie ihr Kind liebe und eigentlich nur noch ihr Kind. Sie gestand: »Ich bildete mir ein, es wäre deins! So hab ich alles ausgehalten. Mi«, hauchte sie, zärtlich, wie er noch nichts gehört hatte, und liebkoste ihn mit leichter, leichter Hand. »Jetzt weißt du es: Mi heißt Mingo!«

Er hielt still. Noch sind wir beide hier im Zimmer, fühlte er, noch ist sie ein Stück von mir – indes vor seinem Sinn schon endlose Wasser rollten und unter ihm ein Brett schwankte. Ich fahre bald nochmals zur See und kehre nie wieder!

Da sprach sie: »Du mußt mit mir kommen, ich hab Angst um das Kind. Du sollst auch alles wissen, hilf mir nur! Du hilfst mir doch?«

»Wir fahren gleich ab«, entschied er, und vor seinem Sinn verliefen sich die geschauten Wasser, wirklich und groß trat eine Gestalt hin, Marie. »Zieh das alte Kleid wieder an«, verlangte er.

Auf der Reise nach Berlin fand sie zufällig die Briefe Vickis, die sie an sich selbst hatte abschicken sollen, als ob Vicki in Warmsdorf gewesen wäre. Marie dachte: Auch in Sankt Moritz ist sie nicht! Sie erschrak, weil sie plötzlich bemerkte, was sie die ganze Zeit im stillen wußte: Vicki hatte Berlin nicht verlassen. Marie sprach zu Mingo nur wenige Worte:

»Sie wollen mir das Kind fortnehmen.«

»Ich kenne doch Meiers«, bestätigte er.

»Ja. Aber früher hingen sie wie die Kletten zusammen, und jetzt will jeder das Kind haben.«

»Und was noch? Meiers wollen immer alles.«

Sie schwieg, weil Mingo ihr diese Wahrheit erst klarmachte. Wirklich verlangte jeder der beiden viel auf einmal; Vicki gierte nach dem Kind, wie vorher nach dem großen blauen Stein. Deshalb ließ sie aber weder ihren

Bruder los noch Marie. Sie hielt sich zugleich an den Schauspieler, mit dem sie in die Zeitung gekommen war, und an Bäuerlein, der ihr eine Rente aussetzen sollte. Wird sie nicht auch Mingo wiederhaben wollen? Ihr Bruder Kurt will jetzt vor allem Marie – nein, noch mehr das Kind, aber deswegen nicht weniger Adele und ihr Testament. Ist das nicht abscheulich? Menschen, die nicht sehen, wo ihr Feld aufhört, und überall einbrechen!

Marie fragte: »Mingo, glaubst du, daß Vicki es jemals ehrlich mit dir gemeint hat?«

Er war erstaunt. »Viktoria Meier? Ehrlich?«

»Ich meine, damals, den einen Abend.«

»Das hab ich mir überlegt, Marie. Ich hatte viel Zeit auf dem Schiff, des Nachts, wenn ich Wache stand. Marie, vielleicht erwische ich Kurt Meier doch noch. Körperverletzung soll heute ein ziemlich billiges Vergnügen sein.«

Sie sah aus dem Fenster in die Dunkelheit und sagte: »Lat man! Dat 's min Sak!«

Am frühen Morgen betraten sie die Wohnung Maries. Der Korridor war weniger dunkel als sonst, weil alle Zimmer offenstanden. Zuerst hörte man die eigenen Schritte ungewöhnlich nachhallen; dann bemerkte man, daß alles leer war. Leer ohne jeden Überrest, kein Möbel und kein Mensch, das Kind nicht, aber auch weder sein Bettchen noch eine arme Puppe. So hatte Marie es sich nicht gedacht; ihr wurde schwindlig, Mingo stützte sie.

»Hier ist kein Kind gestohlen«, stellte er fest. »Hier sind alle hinausgesetzt. Das müssen wir erst überlegen und können gradesogut etwas Warmes dabei trinken.« Marie sah dann auch in der Küche nach.

Aus der verschlossenen Kammer dahinter drang ein Seufzer. Bei Licht war es Frau Zahn, aber nüchtern. Sie sagte: »Sehen Sie, daß Gott Sie schickt, Fräulein? Vor dem nächsten Ersten wäre ich hier nicht herausgekommen. Die Holländerinnen haben den Schlüssel umgedreht, grade als ich noch mein Gesangbuch holte. Die Umzugsleute waren mit allem schon fort.«

»Wo ist das Kind!«

»Sie können sich denken, liebes Fräulein, daß die Holländerinnen es gestohlen haben. Die haben auch meine Möbel mitgenommen. Die haben mich vom Wirt exmittieren lassen. Auf mich allein ist es abgesehen! Ich muß noch viel mehr beten!«

Mingo sagte: »Ich glaube nicht, daß jemand Sie stehlen würde.«

Mathilde Zahn, die einst Mann und Kinder gehabt hatte, blinzelte hinauf zu dem offenen Gesicht des jungen Menschen – besann sich und umklammerte den Arm Maries. »Jetzt ist Ihr Kind fort!«

»Wo ist es, Frau Zahn?«

»In einer Villa. Das hab ich an der Tür gehört, als Frau Direktor drinnen war. Die Holländerinnen verhängten immer das Schlüsselloch, aber ich konnte horchen. Wie Frau Direktor fort war, kamen auch schon die Ziehleute – ja, und in dem Gelaufe ist das Kind verschwunden. Wer hat es entführt?«

Frau Zahn erwachte immer mehr zur Wirklichkeit. »Nicht die Holländerinnen, denn die haben mich noch eingesperrt, als alles schon fort war. Die tun das Ganze nur für Geld. Wer ist überhaupt so schlecht?«

»In einer Villa, Frau Zahn?«

»Ja. Aber deshalb muß doch Frau Direktor nicht schlecht sein. Ahnen Sie, Fräulein, wie Frau Direktor zumut ist, wenn sie betet?« fragte Mathilde Zahn mit ihrem abgekämpften Gesicht.

Mingo äußerte: »Mehr wissen Sie nicht? Dann gehen Sie nur wieder zur Kirche!«

»Ich gehe in ein Missionshaus, das ich kenne und wo sie mich arbeiten lassen. Es ist für verwahrloste Kinder.«

Die Portiersfrau konnte nur bestätigen, daß die Räumung der Wohnung verfügt worden war. Die Untermieterinnen hatten angegeben, daß sie noch keine neue Bleibe hätten, das Kind aber sei schon vorher ausgezogen mit seiner Mutter. »Auf dem Revier muß man Ihnen Auskunft geben, Fräulein. Dazu ist die Polizei verpflichtet.«

Aber auch dort war nichts bekannt. Der Vorsteher nahm zur Kenntnis: Kindesraub. Allerdings fügte er hinzu: »Wer stiehlt schon Kinder?« Er leitete ein Verhör ein. »Ist das der Vater? Nein? Was machen Sie dann dabei? Na ja, gewiß, die Dame hat das Recht, sich beschützen zu lassen. Helfen Sie ihr nur, bei uns geht das sowieso nicht schnell genug. Hat das Kind wenigstens Flaschenmilch mit? Oder Zwieback?« erkundigte sich der Vorsteher.

Inzwischen brachte sein Untergebener ihm eine Meldung und erklärte: »Mit den Möbeln hat es seine Richtigkeit, Fräulein. Die sind beim Auktionator. Erheben Sie Ansprüche? Das Kind hat niemand gesehen. Eine Villa, sagen Sie. Ihre Holländerinnen sind bei uns nicht abgemeldet, die können wir suchen. Wo in Großberlin soll die Villa liegen?«

»Schicken Sie zu Rechtsanwalt Bäuerlein!« verlangte Marie, und sie nannte die Wohnung.

»Gleich einen uniformierten Beamten, das haben Sie sich wohl gedacht! Bei bekannten Leuten nimmt die Polizei die gebotenen Rücksichten. Der Herr, der Sie beschützt, ist zwar Seemann, aber zu einem Prominenten wie Bäuerlein fällt er auch nicht in die Tür und sagt ihm, daß er Kinder raubt!«

Der Vorsteher sah dem Paar nach, wie es abzog; dann rief er im Präsidium den Kriminalkommissar Kirsch an.

»Herr Kommissar, das Mädchen von Nummer 74, das Sie beobachten lassen, hat soeben Anzeige erstattet wegen Abganges ihres sechs Monate alten Kindes.«

Die Antwort lautete: »Ich weiß. Die Villa, wohin das Kind verschleppt ist, liegt in Zehlendorf. Sie gehört einer gewissen Adele Fuchs. Ich habe das Nötige schon veranlaßt. Übernehmen Sie die Beobachtung des Hauses, in dem der Rechtsanwalt Bäuerlein wohnt! Sie lassen jeden hinein, auch die Leute, die das Kind bringen werden!«

Als erster indes erschien Mingo bei Bäuerlein. Marie war unten geblieben. Wenn er ihr aus dem Fenster winkte, wollte sie hinaufkommen. Solange das Kind nicht in Sicherheit war, fürchtete sie sich vor dem Wiedersehn mit Vicki.

Das Mädchen Lissie sagte dem schönen Jungen im Arbeitsanzug auf nette Art, daß niemand zu Hause sei. In diesem Augenblick betrat Kurt den Vorraum. Er erkannte Mingo, wollte schnell in die Tür zurück, besann sich und schloß sie laut. »Hier bin ich«, gab er zu. »Nun?« Damit trat er dem andern entgegen und der ihm. Es war ein Anblick für Lissie, sie konnte sich nicht trennen, das Herz schlug ihr erwartungsvoll.

Die beiden hatten einander nicht beim Namen gerufen. Das schien unnötig wie zwischen älteren Bekannten. Sie kamen sofort zur Sache. »Ich will wissen, wo das Kind ist«, verlangte der eine ruhig, aber eindrucksvoll.

Der andere fragte: »Wessen Kind?«

Als Mingo hierauf nicht gleich die Antwort fand, wurde Kurt noch höhnischer. »Deines, mein Junge?«

Dem Seemann färbte sich plötzlich die Stirn unter dem Haaransatz, die weiß gebliebene Stelle. Sein Gegner begriff die Gefahr, er wurde ohne Übergang kameradschaftlich. »Mensch, ich bin auch noch da!«

»Marie ist mein Mädchen«, erklärte Mingo.

»Und ihr Kind ist von mir«, stellte Kurt fest. »Na also. Mach man keine Stielaugen! Die Faust kannst du auch wieder ins Futteral stecken! Das beste ist: wir vertragen uns.«

»Ich will das Kind haben.«

»Ich auch! Aber ich kann es nicht finden. Sonst würde

ich damit zu Marie gehen. Hast du mich verstanden? Weil es mein Kind ist«, stieß er hervor.

Mingo sah allerdings, daß dies jetzt ernst war. Wie kam es zum Teufel so schnell? Kurt bebte von seiner Herzensnot wegen des Kindes, damit schüchterte er den anderen ein. Denn der verteidigte nur die Mutter, der Nächstbeteiligte war er nicht. Mingo wird auch niemals so furchtbar erfaßt werden vom Augenblick, um den her alles versinkt. Ob er will oder nicht, er rechnet mit den kommenden fünfzig Jahren und einem vernünftigen Ausgleich der Gefühle und der Tatsachen. Kurt nicht. Kurt ergreift den Arm Mingos; den macht es noch befangener, wie der Junge ihn schüttelt und in ihn dringt – mit einem Gesicht, das zu sehr da ist. Mingo weicht ihm aus. Es ist zu sehr da!

»Paß auf, Mingo! Wir wollen zusammen suchen. Laß den Quatsch, komm mit! Nein! Zuerst spreche ich noch einmal mit Vicki. Das muß ich allein schaukeln. Warte hier!«

Er war fort. Lissie machte sich durch Singen bemerklich, den betretenen Fremden ermunterte sie.

»Von Ihnen hätte ich mir, offen gesagt, mehr versprochen. Konnten Sie dem Jungen nicht eine langen? Das braucht er doch. Wie der angibt! Ist ja kein Wort wahr!«

Mingo stand da und wußte in der Angelegenheit nicht mehr Bescheid. War es Zeit, Marie heraufzuholen? Hauen jedenfalls paßte nicht her, darin irrte das nette Mädchen. Mingo empfand dumpfe alte Erinnerungen an Kurt, und sie stimmten überein mit der gegenwärtigen Lage; einen Badegast rührte man nicht an!

Im dritten Zimmer stritten die Geschwister, aber sie wahrten eine Tonstärke, die nicht nach außen drang.

»Du bist verrückt!« rief die Schwester. »Was geht Marie dich an!«

»Das verstehst du nicht, weil du selbst verrückt bist! Du willst Bäuerlein aufregen, damit fängt es an. Hauptsache:

du selbst kannst es nicht aushalten ohne halsbrecherische Kunststücke, wie? Deshalb muß mein Sohn sich jetzt irgendwo den Hals ausschreien nach seiner Mutter.«

»Dein Kind ist zu gut für sie. Vergiß dich gefälligst nicht! Entweder bleibst du mein Bruder oder wirst mein Feind.«

»Wo ist mein Sohn?«

»Den heb ich dir auf, bis du nicht mehr verrückt bist.« Hierauf blieb dem Bruder nur eins übrig.

»Mingo ist da.«

»Den kann sie behalten, ich habe das Kind.«

Kurt verkrümmte den Mund, aber seine Schwester kannte sowohl dies als auch die wilden Lichter in seinen Augen samt der fahlen Blässe, die nach Mord aussah. Ihr machte es nichts. Sie behielt ihn fest im Auge, ihre schmalen Brauen waren zusammengezogen. Die Haut tiefbraun, kleiner, böser Kopf, die Gestalt aufgeschnellt über ihre natürliche Größe hinaus, dünn, wiegend, muskelstark – und hätte er sie angegriffen, würde sie sich vielleicht am Boden blitzschnell fortgeringelt haben. Ihr Blick bannte ihn indessen auf den Fleck; er verlegte sich sogar darauf, das Gespräch in die gebotenen Grenzen zurückzuführen.

»Du lächelst dir also ein Kind an, Vicki. So verteidigt man nur Junge, die man nicht hat.«

»Es ist meins. Ich hab es geboren. Schluß. Um auch das noch zu sagen: ich hätte mich sonst erschossen.«

Er murmelte zwar: »Du bist verrückt«, rief aber lieber Mingo zu Hilfe, obwohl er von seiner Wirkung nicht sehr überzeugt war. Der Auftritt des Seemannes geschah dann auch etwas verlegen. Er fand nicht gleich die Art zu sprechen mit der Dame, die er nur einen, schon entfernten Abend überraschend gekannt hatte. Vicki lag auch jetzt wieder ausgebreitet.

»Ach ja, Sie sind Herr – Sowieso. Ich bin überzeugt,

daß Sie trotzdem noch immer mit Marie verlobt sind.« Der schnelle Blick bei »trotzdem« war alles; sonst gab es hier nur die Dame.

»Meine Braut schickt mich wegen des Kindes«, brachte Mingo hervor. Das Fenster stand offen, aber mit herabgelassenen Läden. Ob Marie drunten aushält und wartet!

»Fragen Sie meinen Bruder, wo er es hat! Es ist sein Kind. Marie ist seine Braut. Der einzige waren Sie nie, wie Sie wissen. Sie sind auch etwas langsam mit dem Heiraten. Bei Kurt ist der Entschluß jetzt gefaßt. Das bleibt für ein Mädchen die Hauptsache. Auf Wiedersehen. Grüßen Sie mein liebes Warmsdorf!«

Mingo war eigentlich schon gegangen. Er stand nur noch da, wie von sich selbst verlassen. Er hörte die Dame weitersprechen.

»Kurt geht von hier zu der schönen großen Person, von der er das Kind hat. Besucht sie doch beide! Ich brauche hier niemand. Sagt eurer Braut: das einzige, wovor sie sich hüten muß, ist, herzukommen!«

Ihr Bruder fühlte das tiefe, schwere Unglück laut werden in ihrer kalten Stimme. Er war in der Welt der einzige, der es unterscheiden konnte – mit einem Ruck zog er Mingo aus dem Zimmer.

Als sie im Vorraum erschienen, brach Lissie, die am Telefon sprach, ihren Satz ab. Die Wohnungstür fiel hinter ihnen zu. Von drinnen wurde geklingelt.

»Bleiben Sie am Apparat«, sagte Lissie. »Ich soll zu ihr hineingehen.«

Einen Augenblick später kehrte sie zurück und meldete ihrem Chef: »Jetzt ist sie erledigt. Ich soll den Schrankkoffer packen. Zuerst soll ich anrufen.« Sie nannte die Nummer. »Ich soll sagen, daß alles bereit sein muß. Das Kind natürlich. Den Arzt herbestellen, sagen Sie? Gut, den Arzt. Wir werden sie festhalten, bis Ihre Sitzung zu Ende ist, sehr wohl. Kann sie lange dauern?« fragte Lissie.

Wieder klingelte es aus dem Zimmer. »Schalten Sie doch um!« rief Vicki.

Sie lag auf ihrer Couch und sprach in die Muschel. »Frau Fuchs! Fahren Sie sofort nach Ihrem Lokal! Kurt und Mingo sind unterwegs zu Ihnen. Sie wissen, wer Mingo ist? Wenn Marie mit ihm und dem Kind abzieht, geht mein armer Bruder hops. Sie hören richtig. Er will von Ihnen nichts mehr wissen. Von mir auch nicht, er hat die Nerven verloren, er liebt das Kind und die Mutter.

Frau Fuchs!« rief sie mehrmals, bis sie die andere zum Schweigen gebracht hatte. »Wollen Sie Kurt los sein? Nein. Dann müssen Sie in der Sache weitergehn. Sie haben nun mal persönlich das Kind gestohlen, als die Wohnung geräumt wurde. Sie haben es in Ihre Villa gebracht, damit Kurt Sie nicht verläßt. Ja, das glaub ich auch, daß Kirsch die Villa kennt. Lassen Sie doch Ihr irrsinniges Geschrei, klar, daß Sie mit der Polizei nicht zu tun bekommen wollen. Ich auch nicht. Darum verschwinde ich mit dem Kind, und Sie bekümmern sich um Kurt!«

Hier trat in das Zimmer Vickis eine große, männlich gebaute Pflegerin. Vicki starrte ihr entgegen und ließ den Hörer fallen.

Kurt nahm auf der Straße den Arm Mingos. »Endlich wird mir klar, wer in der Sache drin ist. Sie heißt Adele, und wenn etwas mit ihr nicht stimmt, finden wir sie nicht zu Hause – sondern in ihrer Bar«, schloß er infolge einer Erleuchtung.

»Wo ist Marie geblieben?« fragte Mingo. »Sie wollte warten.«

»Mach dir bloß keine Sorge um Marie! Ich muß mal schnell hier hineingehn.« Damit betrat Kurt ein Wettbüro. Er dachte an alles. Marie, das Kind – und meinetwegen fertig mit Adele! Kein Testament mehr, nichts erben, sondern selbständig und sozialer Aufschwung! Jetzt oder nie, heute schiebe ich den Sieger rein!

Vorn lagen große, weiße Läden vor Tür und Fenstern; die beiden Jungen drangen vom Hof her in die leere Bar und fanden Adele einsam über Rechnungen geneigt. Als sie die Tür gehen hörte, hatte sie den Spiegel weggesteckt. Ihr Gesicht blendete wie am Abend, übrigens war das Lokal beleuchtet trotz seiner Verlassenheit, und Adele stellte die reife Verführung dar. Mingo, der nicht wußte, wozu er hier war, konnte sie nur würdigen mit seinen Blicken. Die ihren wurden vielversprechend, wie für einen großen Kunden.

»Ich sehe Ihnen etwas an, Seemann«, sagte sie im Ton ihrer Darbietungen, wenn sie um das Publikum bemüht war. Mingo empfand es als Verlegenheit, so begierig er auch war, zu erfahren, was eine solche Frau ihm ansah.

»Sie möchten etwas essen!« erklärte Adele, und in gewisser Hinsicht enttäuschte es Mingo. Andererseits bemerkte er plötzlich, daß er heute noch nichts im Leib hatte, nicht einmal den Frühstückskaffee, und es war Nachmittag geworden. Auf einmal erfaßte ihn Hunger und sonst nichts. All sein Wille ging im Hunger auf. Sein Kapitän hatte ihn einst den ganzen Tag fasten lassen zur Strafe, das fing schon wieder an! Entrückt waren Marie und das berühmte Kind, er sah nicht mehr Kurt und kaum die blitzenden Hände Adeles, die ihm kalte Speisen hinstellten und Wein einschenkten.

Mingo schlang, mit Mühe brachte er hervor: »Du hast ja selbst gesagt, Meier, ich soll mir um Marie keine Sorge machen.«

»Laß dir ruhig Zeit«, warf Kurt hin und tauschte ein Lächeln mit Adele. Über den Seemann, wie sie ihn nannten, verständigten die beiden sich leicht, bei sonst abweichenden Meinungen. Adele gab ihm ein zweites Glas in die Hand, sie nötigte ihn, es auf einmal hinunterzuschlukken, und strich ihm dabei das blonde Haar. »Der verträgt etwas«, sagte sie bewundernd, indes sie aber prüfte, wie sehr die allzu jähen Genüsse der Ernährung das Gesicht des Menschen veränderten.

Kurt stieß sie an. »Jetzt mal wir beide!«

»Ich weiß schon«, sagte sie und schien sofort weinen zu wollen – stellte aber doch vor den Essenden eine neue, volle Flasche. Dann ging sie mit Kurt nach hinten. Sie legte ihm ohne weiteres ihre noch immer schönen Arme um den Hals. »In den Armen hast du gelegen«, flüsterte sie heiß. »Willst du mich wirklich verraten?«

»Gib das Kind heraus, und ich bleibe bei dir.« Er rührte sich nicht, sie war es, die zurückwich.

»Welches Kind? Woher soll ich das Kind haben? Hier muß jemand wahnsinnig sein. Ich habe meine Konzession zu verlieren und soll mich einlassen auf Kindesentführung? Sage bloß noch: Erpressung!«

»So ist es. Du denkst, daß du mich hast, wenn du das Kind hast.«

»Wenn ich es hätte, dann bleibst du bei mir?« Sie wartete angstvoll. Die Hoffnung auf ihrem Gesicht ging stufenweise in Unglauben über, er tat dagegen nichts. Dann versuchte sie, anzugreifen.

»Weißt du, was die Polizei sagt? Daß du es entführt hast! Schließlich bist du der Vater.«

»Das sagt Kirsch?«

»Frag ihn selbst! Geh hin! Wenn du auch nur eine Kleinigkeit Kavalier bist, deckst du mich und lenkst den ganzen Verdacht auf dich.«

Er sah die Falle. »Ich soll mich mit Kirsch einlassen? Dann bekomme ich unbedingt Schwierigkeiten.«

»Was für welche? Behält er dich auf dem Präsidium?«

Er schwieg mit feindlichen Augen. Darauf wurde auch Adele drohend anzusehn.

»Das Ganze ist nur, daß du mit Marie und dem Kind türmen willst, und das kannst du dann nicht. Er verschärft die Aufsicht.«

»Unter Kirsch seiner Aufsicht soll ich stehen?«

»Und unter meiner! Verstanden? Ich habe genug Beweise gegen dich, Süßer. So ist es richtig mit uns. Dich hab ich gefunden. Mein Süßer muß auf meine Gnade angewiesen sein!« Sie schnob, sie funkelte, Adele fiel aus aller Gehaltenheit unvermittelt zurück in den wilden Zustand ihrer frühen Zeit, als Schwander noch Hunde verkaufte. Damit endlich wirkte sie auf Kurt, trotz den ausgeweiteten Hüften, auf die sie die weißen Fäuste stemmte, trotz ihrem geschwellten Bauch. Das lag ihm, in diesem Augenblick fand er es stärker als die Kraft Maries und die Leidenschaft seiner Schwester.

Er kam gehorsam heran, um sich nehmen und küssen zu lassen, wie es zwischen ihnen üblich war. Leider befand sie sich zu sehr in der Fahrt – stieß ihn vor die Brust und verwendete eine übertrieben klare Stimme.

»Der Junge wird enterbt und abgebaut. Schon gemacht. Du fliegst, da draußen sitzt dein Nachfolger!«

Er lachte, nur weil sie ihm gefiel. Plötzlich begriff er den Sinn ihrer so ausdrucksvollen Rede. »Sag das noch mal!« verlangte er.

Sie sah ihm an, daß sie zu weit gegangen war, und wollte auf einmal nur gescherzt haben. Sie streckte die Hand um die Ecke. »Den soll ich ernst nehmen? Der arme verfressene Kuhbauer! Meinst du vielleicht, daß so einer auch nur als Mann gut ist? Ihr glaubt, wegen der Schultern, aber das verstehen wir Frauen besser. Ein Mann muß nervös sein, wie mein Süßer.«

Jetzt waren sie ineinandergeschlungen und erstiegen Fuß an Fuß die fünfzehn Stufen, die am Abend das Ballett hinabschwebte. Sie bekümmerten sich nicht um Mingo, ihn beschäftigte noch immer ein großer Schinken, und gleichzeitig beunruhigten ihn die vielen Flaschen hinter dem Buffet.

Sie gingen an den Toiletten vorbei in das Umkleidezimmer. Es hatte eine besonders dicke Tür mit Schloß und Riegel innen und außen; Adele konnte hier schreien. Sie liebte in der Liebe vor allem das Geschrei und einen Tisch, über den sie geworfen werden wollte. »Du bist mein Mann!« schrie sie, tief atmend in dieser Luft, die nach dem entkleideten Ballett roch.

Kurt dachte seit zehn Minuten über alles anders. Enterbt werden und sogar zugunsten Mingos, das hatte er im Ernst nicht vorgesehen. Man redete mit sich selbst, was man wollte, aber es durfte nicht wahr werden! Marie und das Kind, selbständig und sozialer Aufstieg – ja, genau das, aber alles nur mit der Bar, wie denn sonst? Das Testament! Die Bar! Etwas anderes ließ er nicht zu, endgültig wurde er sich klar über sich selbst. Das vergißt man nachher für längere Zeit – hier und jetzt wußte Kurt sich zu allem fähig, damit die Frage ihre restlose Lösung fand. Er stieß Adele gegen den Tisch, und diesmal schrie sie vor Schmerz auf. Das vergessene Myom!

»Warum tust du das?« fragte sie nicht ohne Angst vor seinem verzerrten Gesicht.

»Weil ich dir nicht traue!«

Sie traute ihm ebensowenig, aber sie verschwieg es. Da ist er, noch besitzt sie den geliebten Jungen, er erschreckt sie noch, liebt sie noch, während die Angst ihrer Eingeweide schon anwächst zwischen ihr und dem Leben und der Tod schon ihren Leib hat. Da ist er, aber gleich nach dieser unwiederbringlichen Minute kann er fortgehen und sie dem Kommissar verraten, sie ausliefern, sie aufgeben!

Adele legte, rückwärts schleichend, den Finger auf die Lippen, um ihn zu täuschen, damit er stillhielt, ihr nur nicht in den Weg trat. Glücklich brachte sie die Tür hinter sich, die war schwer, sie schlug sie zu, schloß ab, riegelte ab. Mein süßer Junge mag nur dagegen trommeln in der leeren Bar. Der Besoffene unten ist mir sowieso ausgeliefert.

Mingo ging im Lokal umher wie ein Wachtposten. »Wann kommt denn Meier endlich mit Marie?« fragte er.

»Mit Marie? Natürlich, Ihr Freund ist fortgegangen und bringt sie mit. Sie können bei mir hinterlassen, wohin Sie gehen.«

»Werfen Sie mich hinaus, A – Adele?«

»So heiße ich. Sie können auch hierbleiben, aber was sagt Marie dazu? Ein besonders treuer Mensch sind Sie, glaube ich, nicht, M – Mingo?«

»Das ist mein Name. Mit Marie ist das eine ganz alte Sache, geht auch nie auseinander, kann dazwischen kommen, was will. Gestern, wie wir uns wiedersahen nach meiner großen Reise, hat sie überhaupt nicht gefragt, was ich drüben in den Häfen gemacht habe. Die Geschichte mit Viktoria Meier kann sie auch nicht so ernst genommen haben, denn heute schickt sie mich zu ihr hinauf, ich soll nach dem Kind fragen. Sagen Sie, das Haus wird wohl abgebrochen?« bemerkte er, wegen der dumpfen Schläge, die er hörte.

»Es sind nur Arbeiter droben in den Toiletten, sie waren unbenutzbar geworden.«

»In Ihrem Lokal wird man schnell warm.« Er hatte das Gefühl, daß er seinen Zustand entschuldigen mußte.

»Und bei mir?«

»Bei Ihnen!« Er wollte zugreifen.

Sie wich aus und rief: »Seemann, ich singe ein Lied, die Seemannsbraut, für Sie ganz allein, das kann nicht jeder sagen.« An der Hand nahm sie ihn zum Klavier mit, diese Seite war der Treppe entgegengesetzt. Die Schläge des eingesperrten Kurt wurden zu laut; Adele hielt es für geboten, sie zu übertönen.

Sie spielte donnernd und sang mit ihrer größten Stimme. Mingo bedeckte halb liegend ein kleines Sofa. So fand Marie die beiden, als sie eintrat. Adele rief »Zweiter Vers!«, obwohl sie ihn schon beendet hatte. Wenn sie aufhörte, merkte Marie, was los war! Dennoch konnte das Lied nicht unbegrenzt wiederholt werden, sie brach mittendrin ab. Stille. Nichts. Kurt hatte sich beruhigt, Adele wunderte sich. Hierauf kamen ihr die schlimmsten Befürchtungen. Um so gelassener zeigte sie auf ihren Gast.

»Dein Freund ist betütelt, aber es ist deine Schuld, Marie. Erst kriegt er den ganzen Tag nichts zu essen, dann schickst du ihn zu Vicki, die hat ihm auch nur die Hand gegeben, und dann zu mir.«

»Ich soll ihn zu Ihnen geschickt haben, Frau Fuchs?«

»Mit Kurt. Die beiden Jungen suchten hier nach deinem Kind. Wo sollte es denn sonst auch sein als in meinem Saufladen. Wahrscheinlich oben!« rief sie. »Sehen wir mal nach?«

Sie hatte die größte Lust, sich zu vergewissern, daß ihre Befürchtung richtig und das Umkleidezimmer leer war. Kurt klettert über die Feuerleiter! Ist er wenigstens zu ihr hingelangt, ohne sich den Hals zu brechen? Von dem Fenster liegt sie zwei Meter entfernt. Sogleich kann der Portier erscheinen und ihr melden, daß Kurt im Hof gefallen ist und nicht hochkommt. Oder Kurt selbst steht in der Tür, und in seiner Hemmungslosigkeit packt er aus. Nein! Wir schließen uns oben ein!

»Kommt beide mit rauf!« verlangte sie.

»Lassen Sie den Unsinn, Frau Fuchs! Bei Ihnen sucht niemand das Kind. Was Sie alles wissen – ist eine andere Frage«, sagte Marie vergrämt und bleich.

Mingo stand vom Sofa auf, er war fast ernüchtert.

Adele schwieg, sie fing an, zu ermessen, was eigentlich geschah, wie tief dies hineinführte in die Menschen, die Schicksale, in das Herz Maries. Für sie war allein wichtig gewesen, was aus ihrem Jungen wurde. Wohin aber lief jetzt der Süße, dem zuliebe sie alles hingab, alles wagte? Er war nicht von der Feuerleiter gestürzt, auch platzte er nicht ins Lokal. So ist er denn unterwegs zu Kirsch und verpfeift mich. Ich kenne doch den üblen Sege und seine Rachsucht! Ich bin wahrhaftig gewarnt, wenn mir was zustößt.

»Marie!« begann sie. »So geht es nicht weiter!« Sie schluckte und war bereit, die Villa in Zehlendorf zu nennen. Es wurde ihr doch schwer. Erstens hatte sie die Villa nicht einmal in ihrem Testament erwähnt, man muß für alle Fälle einen geheimen Rückhalt haben. Diese Hamburgerin aber war die Frau, für die Kurt es fertigbrachte, sie zu verlassen, hätte er nur ihr Erbe. Die haßt mich doch! Die will mich ausziehen, für die gehör ich zu den Toten. Sie soll was erleben!

Marie mochte vergrämt und bleich sein, Adele war jetzt glücklich wieder kalt dafür – anders als Mingo. Der stand und hielt den Kopf gesenkt.

»Laß uns man fortgehn, mine Marie. Hier ist nichts zu holen.«

»Außer Essen und Trinken für sechzehn Mark«, warf Adele dazwischen.

»Sie sollen dir nichts tun, Marie.«

»Wo ist Kurt hin?« fragte sie. Anstatt seiner antwortete Adele.

»Aufs Präsidium vermutlich. Mich wundert nur, daß du nicht auch dort bist. Solltest du ihm aber bei Kirsch noch begegnen, dann sag ihm bloß: er hat recht, daß er mir nicht traut. Er weiß, was das heißt.« Sie wendete sich ab, ihr Herzenswunsch war, daß sie gar nicht mehr dazu gehören möge.

Leider erlaubte Marie ihr nicht, zu vergessen, was sie getan hatte.

»Wissen Sie noch, wie Sie mich in Ihr Geschäft geholt haben, Frau Fuchs? Das taten Sie, weil Sie mich fürchteten wegen Kurt – und auch um des großen blauen Steines willen. Sie haben nie geglaubt, daß ich ihn wirklich gehabt hätte. Sie machten gemeinsame Sache mit Vicki. Daher wäre es nichts Neues, wenn Sie es auch jetzt tun. Sie wissen, wo mein Kind ist!«

Ihr antwortete ein Schrei. Adele hob sogar die Hände, so nahe erschien ihr ein gewalttätiger Überfall der großen Hamburgerin. Erst nach vergeblichem Warten begriff sie: dies war nur der Gram auf seiner Höhe. Da sieht er aus wie – ein Erzengel, entdeckte Adele.

Obwohl sie sich ihrer überreizten Nerven bewußt war, verriet sie jetzt doch, nur um zu reden, was besser verschwiegen geblieben wäre. »Na also, willst du erben? Du und dein Mingo? Dann wirst du mir ja wohl glauben, daß Adele Fuchs nicht gegen dich arbeitet. Sie setzt euch hier in das schöne Geschäft, ihr beide seid gemacht. Fragt Kurt! Der ist schon im Bilde, daß er enterbt wird, und grade deshalb traut er mir nicht. Jetzt sitzt er bei Kirsch. Lauf auch hin! Aber erzähl ihm gefälligst, daß du dein Kind schon wiederhast. Was gehn ihn unsere Geschichten an!« schrie sie verzweifelt.

Mingo allein konnte ein Ende machen. Er war ganz nüchtern geworden. Mit Macht zog er Marie von dieser Stätte fort.

Auf der Straße, schon ein Stück weiter, fragte er: »Ist die Frau verrückt?«

Sie sprach nicht, aber ihr fiel ein, daß auch sie hier anfangs alle für gestört gehalten hatte. Das änderte nicht, daß man sich wehren und daß man leben oder sterben mußte!

»Wo warst du die ganze Zeit?« fragte Mingo.

Wo überall war Marie gewesen! Einige Male im Polizeipräsidium, immer, ohne Kirsch anzutreffen, und dazwischen wieder vor dem Hause Vickis. Auch diesmal ging sie nicht hinauf, aus Furcht vor sich selbst. Sie versteckte sich, wie am Morgen, in dem Torbogen gegenüber. Am Morgen hatte sie von dort gesehen, daß Kurt und Mingo zusammen davongingen – Arm in Arm, das sagte ihr viel. Das Kind war nicht droben, oder beide ließen es im Stich.

Sie fühlte das Entsetzen um sie her aufsteigen und tat keinen Schritt, die beiden verschwanden.

Als sie am Nachmittag unter dem Torbogen wartete, betrat eine Pflegerin das Haus. Marie stürzte sich zwischen die Autos, sie holte die Frau ein. »Sie gehen zu einem Kind!«

»Was heißt Kind!«

»Bei Bäuerleins, zwei Treppen.«

»Richtig, Fräulein. Von einem Kind ist nichts angesagt. Wieso interessiert es Sie?«

»Sie lügen! Dort ist ein Kind. Sie wollen das Kind holen!«

»Werden Sie nur nicht drollig! Die Dame hat einen Anfall. Ihnen kann das wohl sicher gleich sein.« Die Pflegerin machte sich los. Marie zwang sich, noch eine ganze Stunde aufzupassen. Dann fuhr sie nach der Wohnung Adeles und, als ihr nicht geöffnet wurde, in die Bar.

Sie fragte Mingo nach der Uhr, blieb stehen und ließ eine Taxe herankommen. Es war Zeit; endlich sollte sie Kirsch zu Hause finden.

Er wohnte in Steglitz, hatte grade gegessen und rauchte seine Pfeife. Er saß breitbeinig auf seinem grünen Sofa, wegen der beiden jungen Leute erhob er sich nicht. Das kleine Zimmer mit dem ausgestopften Reh, dem einzigen Goldfisch, den Deckchen machte ihn massiger als je. Zu viel Kraft für den Hausgebrauch – man faßte erst etwas Mut, da seine kleine Frau den Tisch abräumte. Denn sie hatte vorspringende, hochrote Bäckchen, die Form ihres Gesichtes bewog sie, meistens zu lächeln, und sie trug noch immer ihren Dutt.

Sie hatte für ihren Alten gekocht und ihn selbst bedient, obwohl er ihr ein Mädchen hielt. Sie war so froh, wenn er richtig dasaß und aß, es kam nicht alle Tage vor. Dieser Dienst ohne feste Stunden, aber mit unvorhergesehenen Reisen und mit Gefahren! Der Mann muß hinaus, die

Pflicht ruft, und so ist das Leben. Gut, daß eine Frau dies alles weiß, sonst dächte sie häufiger daran, wie leicht er ihr mit einer Kugel im Leib zurückgebracht werden könnte. So erwartet sie ihn, aufs ungewisse, aber vertrauensvoll, in ihrer friedlichen Vorstadtstraße, wo anständige Arbeiter wohnen.

Er gab ihr mit seinem mächtigen Kopf einen ganz leisen Wink, sie folgte sofort und ging hinaus. Von der Tür her prüfte sie nochmals die Besucher. Zu den verdächtigsten schienen sie nicht zu gehören, aber warum verschleppten sie hierher in das Heim ihre schlimmen und wilden Sachen!

Die beiden standen vor ihm, Kirsch betrachtete sie schweigend und blies sich dabei den Rauch vor das Gesicht. Seine Hand am Pfeifenkopf war weder schwer noch fleischig, kein Beefsteak, eher etwas zu leicht, mit empfindlichen Gliedern. Marie bemerkte, daß sie dort lag, als ob sie nachdächte. Außerdem fiel ihr auf, daß sie mit Kirsch noch nie gesprochen hatte. Er war ihr jedesmal näher gerückt, jetzt stand sie vor ihm und konnte nicht länger warten. »Herr Kirsch! Herr Kirsch! Mein Kind ist fort! Ich habe Angst! Vielleicht hat jemand es beseitigt!« Das letzte kam in einem Aufschrei, vielleicht in einem Schluchzen – und dann war es wieder still.

Mingo erbebte bis in die Füße, aber dies erst nachträglich, als schon alles schwieg, wie das Reh und der Goldfisch.

Kirsch fragte: »Wer hat es beseitigt?«

Für Marie antwortete Mingo, empört und heftig. »Das kann nur Viktoria Meier sein!«

»Woher kennen Sie die?«

»Ich bin der Jugendfreund Maries. Als Kinder spielten wir schon mit Meiers.«

»Das Spiel geht weiter«, sagte Kirsch. »Wann trafen Sie wieder mit Frau Bäuerlein zusammen?«

»Vor dreizehn Monaten.«

»Marie, wie alt ist Ihr Kind?«

»Sechs Monate. Es ist ein Siebenmonatekind.«

»Sechs und sieben gleich dreizehn. So war das.«

»Wie war das?« fragte Marie leise aus tiefer Angst. Mingo wendete sich ab, und Kirsch zeigte es Marie, indem er den Kopf neigte; nichts weiter. Dann sagte er plötzlich du.

»Du bist von der Waterkant, ich auch. Das war Nummer eins, das Kind, das hast du bekommen, weil die andere es wollte. Als Bezahlung hat sie dir damals den großen blauen Stein gegeben!« schoß er ab, die Stimme war nicht wiederzuerkennen, auf einmal Mittellage statt hoch, und erstaunlich gemein.

»Nein«, sagte Marie hart, denn in diesem Augenblick beschloß sie, mit Vicki zu sprechen. »Den Stein hab ich nie gehabt.« Mingo rief entflammt: »Wie können Sie behaupten, daß meine Braut eine Diebin ist! Marie hat niemals gestohlen.«

Kirsch und Marie sahen einander an. Ihre erregten, flehenden Augen, sein undurchdringliches Gesicht – Mingo wich zurück, soweit das enge Zimmer es erlaubte.

»Nach deinem Selbstmordversuch bist du in den Harem eingetreten.« Mingo, es hören und gegen die Wand fallen.

»Ich mußte verdienen für das Kind, und im Harem war es anständiger.«

»Schön, Marie. Das geht alles noch.« Plötzlich wieder die gemeine Stimme: »Aber dann hast du an Adele eine Erpressung verübt. Du hast sie gezwungen, ihr Testament zu machen. Stimmt das? Zugunsten des Vaters deines Kindes, stimmt das?«

Mingo wartete mit umnebelten Sinnen, die Antwort Maries mußte ewig ausbleiben, das hoffte er.

»Ja. Es stimmt«, sagte Marie. Kirsch berichtigte.

»Es stimmt, wenn Adele es mir erzählt. Was du mir zu

sagen hättest, sieht wieder anders aus.« Er sah sie schwanken, neigte sich schnell vor und schob ihr einen Stuhl hin. »Setz dich!«

Er blieb vorgeneigt. »Jetzt bedenke mal, wieviel du in deinem Leben schon gemacht hast, was nicht sein sollte – und dann beklag dich über andere! Du meinst wohl, daß Adele bei der Kindesentführung mit drin ist. Nun, dann rächt sie sich.«

»Die nicht! Die liebt Kurt und will ihn behalten, das kann sie nur, wenn ich das Kind nicht habe. Aber Vicki rächt sich an mir!«

»Wofür?«

Hier verstummte Marie. Sie hatte nie gewußt, wofür Vicki sich das ganze Leben lang an ihr rächte.

Kirsch bediente sich einer Stimme, die sie aufweckte – hoch und scharf.

»Jetzt wird es Zeit, daß du auf dich aufpaßt. Tag und Nacht, verstehst du?« Es hatte einen Ton, als ob er die Gefahr in allen Einzelheiten kannte; daher erschrak sie, und ihr fiel ein: Marie, es liegt Verdruß zum Haus in der Morgenstunde! Wer hatte es ihr vorhergesagt? Aber es sei noch weit. Jetzt sprach Kirsch, als wäre es nahe.

»Morgens zwischen vier und fünf?« fragte sie verwirrt. Kirsch antwortete bereitwillig.

»Nicht nur zwischen vier und fünf. Immer. Verstehst du? Sonst sackst du tiefer ein. In der See tritt man auch mal auf eine Stelle, da sackt man ein – hat keine Zeit mehr, hochzukommen und wegzuschwimmen. Du mußt von Kurt fort!« Dies schoß er als Drohung ab. Dann merkwürdig schonend: »Das Kind haben wir schon.«

Marie sprang auf: »Wo ist es!«

»Langsam! Es ist da und ist gesund! Wir haben eine Pflegerin zu ihm geschickt. Die beiden Holländerinnen sind weggeholt und aufs Revier gebracht. Vicki bekommt es nicht.«

»Aber ich! Aber ich!«

»Du auch noch nicht. Wofür ist Bäuerlein Rechtsanwalt! Er hat gegen dich etwas vorgebracht.«

»Mein Kind – ich – mein Kind«, stammelte Marie. Sie fuhr auf. »Verhaften Sie Vicki!«

»Oder dich«, sagte er grob. »Dann passiert bestimmt nichts mehr. Außerdem kann ich an dich leichter ran. Den gesetzlichen Grund finde ich wohl. Wenn ich ihn aber bei Vicki Bäuerlein auch hätte –« Er brach ab. Plötzlich: »Mach, daß du fortkommst aus Berlin und von Kurt Meier!«

»Nicht ohne mein Kind!« stellte sie fest, entschlossen und kalt.

Er hob seine schweren Schultern und zündete die Pfeife wieder an. Mingo trat neben Marie, er verlangte heiser: »Jawohl. Komm fort!«

»Nicht ohne mein Kind«, wiederholte sie. »Herr Kirsch, was glauben Sie, daß Kurt noch anstellt?«

Er sah zu ihr auf und nickte. Es hieß: deine Frage genügt mir. Undeutlich, weil er an seiner Pfeife zog, brachte er hervor: »So 'n Halbseidener, das sind oft die Gefährlichsten!«

Ohne weiteres stand er auf, öffnete die Tür: »Guten Abend!« und ließ die beiden hinaus.

Er verfolgte sie noch vom Fenster her über die Straße. Schon zu tief drin! Wenn das nicht ein Jammer ist! Die gesunde Deern, der Prachtjunge. Er! Wird achtzig Jahre. Das möchte ich auch von ihr wissen.

Das Weitere dachte Kirsch genau in der Mitte seines kleinen Zimmers. Die großen, unschönen Rosensträuße der Tapete mußten seine Körpermasse alle gleich nah umgeben, während Kriminalkommissar Kirsch das Ergebnis seiner Untersuchung zog.

Der Einbruch war wegen Vicki. Der große blaue Stein – für Vicki. Die Sache mit ihrem Bruder und Marie – hat sie gemacht. Sie hat es mit Adele geschoben, daß Marie in den Harem kam. Sie steckt hinter dem Raub des Kindes. Die Fuchs mit der ewigen Angst um ihre Konzession, da war eine stärker und hat sie zu Dummheiten verleitet. Der guten Adele traute ich tagelang zu, daß sie ihren Mann vergiftet hätte. In den Tagen hatte die andere den großen blauen Stein noch, und ich trug bei mir den Haftbefehl gegen sie. Aber der Stein! Er und die Frau glitten mir zwischen den Fingern durch.

Wäre es auch richtig gewesen, sie zu verhaften? Ihr Bruder war ihr hörig, und solange blieb es bei Kleinigkeiten. Jetzt sind sie auseinander, gleich geht Vicki so weit, das Kind zu stehlen vermittels Adele, und Kurt wird nach aller menschlichen Voraussicht noch mal –

Laut sprach er: »Psychologie ist ausgeschlossen. Tatsachen!«

Er trat an das hohe Pult, das ihm zum Schreiben diente, nahm den Hörer vom Telefon und sagte dem, der sich meldete: »Von jetzt ab wird der Harem ständig beobachtet – außen und innen! Achtet besonders auf den Freund der Inhaberin. Jeder der Leute soll ihn sich ansehn, damit er ihn jederzeit fassen kann.« Er legte den Hörer hin.

Er dachte noch: Beweise! Ja – wenn es geschehen ist. Aber vorher? Das wächst und wächst. Ein Verbrechen ist kein Verbrechen, es ist die Endsumme von Bagatellsachen. Der Verbrecher ist auch nur ein Fazit – aus Vicki, Kurt, Marie, Mingo, Bäuerlein und Adele. Einer begeht es dann.

Er hob den Deckel vom Pult, auf der Innenseite prangte ein Stück Pappe, verziert mit Rosensträußen. Die Mitte war in Rundschrift sorgfältig bemalt, und Kirsch las aufmerksam.

»Der Kriminalist muß den Täter der Bestrafung zuführen, weil er nicht fähig gewesen ist, die Tat zu verhindern.«

Das letzte war unterstrichen. Kirsch starrte darauf und seufzte. Mit Erleichterung hörte er draußen klingeln.

Seine arme Frau empfing im Gegenteil mit wirklicher Sorge den neuen Besucher, so bleich und hemmungslos erschien ihr der junge Mensch, dem die Augen aus dem Kopf standen. Sie fürchtete keinen starken Mann, Muskeln hatte auch Kirsch. Etwas anderes war es, ob dieser verwahrloste Schwächling ihn ansprang und ihn in den Hals biß. Sie hatte in einem verrenkten Mund spitze Zähne bemerkt. Das Mädchen schloß die Tür des Zimmers hinter Kurt. Frau Kirsch öffnete sie wieder und stand Wache an dem Spalt.

Kurt rief dem Kommissar entgegen: »Wollen Sie wissen, Herr Kirsch, wer das Kind Maries entführt hat? Ich weiß es: Adele. Ich schone niemand mehr. Mich hat sie eingeschlossen; ich bin mit Lebensgefahr über die Dächer geflohen, Sie können selbst den Zustand meiner Bekleidung feststellen. Schützen Sie mich gefälligst!«

»Wo ist Marie?« fragte Kirsch.

»Fort mit dem Kind! Das ist doch klar, da Adele mich einsperrt. Sie hat ihr das Kind ausgehändigt und fort, nur damit sie mich behält. Sie ist ihrer Alterserotik total verfallen, vor nichts schreckt sie zurück, ich bin ihr Opfer. Mich loszureißen von meinem Kind und von Marie!«

»Ruhe, mein Junge!« befahl Kirsch. Der Anfall Kurts ging weiter, die Wut, das Keuchen, die Arme, die er um sich stieß. »Adele soll sich hüten!« schrie er atemlos. »Marie ist die Stärkere!« Kirsch fragte: »Wer erbt, wenn Adele stirbt?«

Darauf trat Stille ein, nur daß Kurt vor Schreck auf einen Stuhl fiel. Der stand noch dort, wo Marie ihn gelassen hatte. Bleich, die Augen irr vor Haß, sagte Kurt: »Sie wollen etwas unterstellen. Bekümmern Sie sich lieber um das gestohlene Kind!«

»Sieh mich mal an!« befahl Kirsch, und als er die Augen

des Jungen in den seinen hatte: »So. Also, wer beerbt Adele?«

»Ich. Aber dann darf ich nichts mit Marie haben!« setzte er schnell hinzu.

»Und wer hat das Kind gestohlen?«

»Herr Kirsch –!« Ihm blieb wirklich die Stimme weg.

»Dann sag ich es dir. Derselbe, der den großen blauen Stein geklaut hat.«

»Das war anders!«

»Für mich nicht. Der große blaue Stein, das Kind, das Testament Adeles, lauter Tatsachen, und keine hat einen Sinn ohne die andern.«

»Das Kind hab ich nicht – wenn Vicki es nicht hat.« Dies kam zögernd.

»Siehst du, daß du Bescheid weißt. Was du nicht für deine Schwester anstellst, das macht ihr gegeneinander. Sie entführt dir das Kind, damit du ihr nicht durchgehen kannst mit Marie – und mit dem Geld Adeles.«

Hier sank Kurt zusammen, und Schluchzen schüttelte seine Schultern.

»Ich bin ganz verlassen«, brachte er hervor. Langes Schluchzen. »Wer liebt mich? Vicki haßt nur noch Marie. So verlassen war ich in Warmsdorf nicht. Wäre ich dort geblieben!«

»Hände weg von Marie! Sonst rutschst du weiter ab. Einem Jungen wie du bringt sie Unglück.«

»Meinen Sie das im Ernst?« fragte Kurt, er schielte abergläubisch hinauf.

»Der alten Frau soll ich meine Jugend opfern? Meine einmalige Jugend! Mich ausbeuten lassen von Adele? Herr Kirsch!« Er klagte. Er hatte niemand als diesen großen, strengen Vormund. Der aber betrachtete ihn verdrossen.

»Laß mal gefälligst Adele in ihrem Harem. Du bist nicht der rechte Mann für den Laden.«

»Adele nicht und auch nicht Marie!« Kurt sprang auf, er kreischte. »Ich weigere mich, Herr Kirsch!«

»Natürlich weigerst du dich.« Jetzt wollte Kirsch bestimmt nicht hart sein, eher freundlich und pflichterfüllt, bewußt einer freundlichen Pflicht – nur daß die Decke von Verdrossenheit sogleich wieder über sein Gesicht fiel.

»Du hast bei beiden nichts zu suchen, mein Sohn. Bei Adele nicht, bei Marie nicht. Aber von der einen kommst du nicht los wegen des Geldes, von der anderen wegen des Kindes. Alles zusammen kannst du nur schaffen« – plötzlich Mittellage, grob und gewöhnlich: »Wenn du ein richtiges Verbrechen begehst.«

Zuerst schnappte Kurt nach Luft. Dann, während sein Gebiß schief hervortrat, setzte er zum Sprung an. Frau Kirsch hinter dem offenen Spalt erkannte den Augenblick, auf den sie gewartet hatte; sie riß die Tür auf. Ihr Mann bedurfte zum Glück schon nicht mehr der Hilfe. Mit der einen Hand hielt er sich den bissigen Jungen vom Leibe, Kurt schwebte über dem Boden. Mit der anderen wischte er sich über den Hals, der blutete. Als Kurt herunterkam, umklammerte Frau Kirsch ihn von rückwärts und versuchte, ihn hinauszuzerren. »Ich bin in einer Falle!« zeterte der Junge.

Auf einmal fühlte er, daß er sich völlig anders geben müsse, und brachte es auch fertig, ohne Übergang leicht und angenehm zu werden. »Gnädige Frau, Sie können mich unbesorgt loslassen. Die Nerven versagen wohl mal, aber es geht schon wieder. Herr Kirsch wollte offenbar feststellen, wieviel ich vertrage.«

In ihm, so gut er sich verstellte, sprach immerfort eine entsetzte Stimme: So weit ist es schon, ein richtiges Verbrechen, ich wußte es noch gar nicht. Er hat es früher gemerkt, an was ich denke. Er suggeriert es mir, der Hund, jetzt weiß ich es erst. Um Gottes willen, um Gottes willen, ich weiß es!

»Ich will die Herrschaften nicht länger stören«, sagte der äußere Kurt inzwischen und lächelte beinahe leer. »Ich bedauere nur, daß die Unterredung ihren Zweck nicht erfüllt hat.«

»Doch«, sagte Kirsch. »Das hat sie.«

Kurt, innerlich zusammenfahrend, lächelte leicht und leer. »Wenn Sie mich wirklich für dumm genug halten. Ich bin ein Zivilisationsprodukt, Herr Kirsch. Ich bin nur in geistiger Hinsicht tapfer, Blut ist mir peinlich. Sie selbst dagegen bleiben immer ein Stück Natur, um es höflich zu sagen. Ein Verbrechen? In Ihren Kreisen, Herr Kirsch. Sie sind ein tüchtiger Beamter der zigsten Gehaltsklasse und werden vom Staat hauptsächlich deswegen mit Erfolg verwendet, weil Ihre eigene Herkunft und Anlage –«

»Abstellen!« befahl Kirsch. »Kleiner Junge!« er sah ihn sich an. Kurt begegnete dem Blick leicht spöttisch. »Dies ist vielleicht das letzte Mal, daß ich dir noch raten kann. Das nächste Mal trägst du vielleicht schon Handschellen. Oder du machst, daß du zurück zu deiner Schwester kommst! Da warst du in sicheren Händen. Da kann nichts vorkommen als höchstens mal ein kleiner Einbruch, und den darfst du auch nur von außen mitmachen.«

»Sie hatten keine Beweise.«

»Nachher –« Lange Pause. »Hab ich sie.«

Kurt mit seinem starren Lächeln ging rückwärts. Seine großen Füße stießen krachend gegen die Tür, während Frau Kirsch sie ihm weit öffnete. Der Kommissar sagte hart: »Wo du gehst und stehst, wird auf dich aufgepaßt.«

Er trat auf die Schwelle und blieb dort, bis hinter seinem Besucher die Tür der Wohnung zufiel.

Auf der Straße wurde es dunkel, und das Publikum der Kinotheater verursachte Gedränge. Kurt schaltete sich ein.

Marie hatte den Weg zur nächsten U-Bahn gefunden. Sie eilte, Mingo fragte vergebens, wohin, aber er empfand, daß sie ihn los sein wollte. Er bat: »Marie! Sei mir nicht böse, daß ich das alles mit angehört habe. Du mußt dich nicht schämen. Ich muß Prügel haben, weil ich dich verlassen habe und bin zur See gefahren. Das war mir gesund, was ich jetzt gehört habe. Ich weiß erst, wer du bist, mine Marie. Dat 's man schön! Ich bleib auch bei dir, dann bist du sicher.«

Sie antwortete nicht, das große U war in Sicht.

»Sag mir bloß, was du vorhast! Ich will in Berlin auch keine Dummheiten mehr machen. Ich will dir helfen. Laß mich man bloß mitkommen, wohin du gehst. Ich hole dir auch das Kind!« rief er. Auf der Treppe wurden sie getrennt. Mingo gelangte an den Schalter, als Marie schon hindurch war. Sie lief, ihm entzogen durch das Getriebe des Bahnhofs, die entgegengesetzte Treppe wieder hinauf. Draußen nahm sie eine Taxe und fuhr zu Vicki.

Als Lissie sie erblickte, leuchtete ihr Gesicht auf. Jetzt kam es! Ohne ein Wort gab sie Marie den Weg frei; sie machte sogar eine Art von Zeichen, welches Zimmer das richtige war. Marie drang ein.

»Warum hast du vor dreizehn Monaten das mit Mingo gemacht?«

Vicki, die lag, fuhr aus dem Bett. In ihrem seidenen Anzug stand sie sofort völlig bereit. »Ich hatte dich schon längst erwartet. Aber warum fragst du nicht nach deinem Kind?«

»Warum hast du das mit Mingo gemacht?« wiederholte Marie.

»Nicht, weil ich durchaus mußte. Sondern weil ich wollte.«

»Warum wolltest du?«

»Damit Kurt dich bekam. Damit du das Kind von ihm kriegtest. Damit es mein Kind wurde.«

Marie hielt aus, unbewegt und jeden Augenblick drohender. Vicki prahlte, sie frohlockte.

»Damit du dein Glück machtest, den großen blauen Stein stahlst, Bardame wurdest und alles verlorst – alles, was ich nicht hatte, deinen Freund und dein Kind! Das wolltest du hören, du hast es endlich nicht mehr ausgehalten. Ich auch nicht! Ich mußte es sagen. Jetzt sind wir einig!« Sie strahlte vom Haß.

Marie schwankte, die Hände gespreizt. Noch war nicht entschieden: sollte sie hinfallen oder sich über ihre Feindin werfen. Vicki sah die Gefahr, und sie blieb standhaft, sie lachte. Ihr Haß machte sie stark wie Marie. Als es ganz sicher schien, daß Marie nicht hinfallen, sondern sich über sie werfen werde, ließ Vicki kaltblütig den weiten seidenen Ärmel von ihrer braunen Hand zurückfallen und gab den Schuß ab. Sie hatte sich darauf gefreut wie auf sonst nichts im Leben.

Gleichzeitig waren zwei rattenähnliche Geschöpfe hinter einer spanischen Wand hervorgekrochen. Gemeinsam, mit demselben kurzen Ruck, rissen sie an dem kleinen Teppich, auf dem Marie stand. Sie verlor den Boden und fiel nun doch hin. Der Schuß, der sie getötet hätte, streifte sie nur.

Eine Tür wurde aufgerissen. Von Lissie geleitet, trat Rechtsanwalt Bäuerlein auf. »Hier ist es!« verkündete Lissie. Bäuerlein betrachtete das Geschehene und äußerte dumpf: »Das mußte kommen. Wer Wind sät, wird Sturm ernten«, setzte er hinzu. »Gewalt beweist doch nichts. Ist sie tot?« fragte er, da er die geschlossenen Augen und das Blut sah.

»Das nicht«, erklärte Lissie. »Die gnädige Frau hat Glück gehabt.«

»Wenn das Mädchen tot wäre, der Skandal könnte nicht größer sein. Ich bin geschädigt.« Diesmal blickte er seiner Frau fest in das stolze Gesicht.

»Du bildest dir noch etwas ein! Nicht zufrieden, das Kind zu rauben, erschießt du die Mutter, und ich bin dein

Mann. Dein eigener Bruder setzt ein uneheliches Kind in die Welt, und mein Vater war Lehrer. Ich hätte solche Übertreibungen im Grunde meines Herzens nie für möglich gehalten. Wer bist du eigentlich!« schrie er auf.

»Muttchen Nuttchen Puttchen«, antwortete sie; »und du, mein Ignaz, hast jetzt auch heimgefunden. Gar keine Neugier mehr, wie, auf die weiteren Ergebnisse meiner kriminellen Veranlagung?«

»Es genügt«, sagte er mit gebrochener Stimme. Noch einmal wurde er groß. »Du hast mich betrogen – mit dem Prominenten, mit dem Chauffeur!«

»Wollen wir wetten, daß du mich noch mit Marie betrügst – und daß ich es dir beweise?« Sie winkte ungeduldig, damit die Verwundete endlich fortgeschafft werde.

»Nicht aus dem Haus!« rief Bäuerlein. »In das Zimmer Kurts – und keinen Arzt! Das geht nur nach geschickten Vorbesprechungen. Wozu bin ich da!«

Siebentes Kapitel

Marie hätte wohl schon am nächsten Morgen in ihre Pension gebracht werden können, aber der Arzt war dagegen in Anbetracht ihres allgemeinen Zustandes. Da sie ohnehin äußerste Ruhe brauchte, konnte man auch der leichten Wunde die Zeit lassen, um auszuheilen. Das Zimmer bei Bäuerleins ersetzte ein Sanatorium, draußen lag ein Hof mit mehreren grünen Bäumen, das Fenster blieb der Sonne offen. Marie versuchte einmal aufzustehen und hinauszusehen.

»Hüten Sie sich!« rief die große knochige Pflegerin und verstellte mit ihrer ganzen Breite das Fenster.

Sie sagte: »Erstens sind Sie zu schwach. Ihre Nerven haben gelitten. Wenn Sie nicht vernünftig sind, müssen Sie in eine Anstalt. Außerdem denken Sie mal an Ihre Wunde! Es ist die Hüfte, Sie könnten lahm werden. Geht das in Ihrem Beruf?«

Auch an ihre erste Begegnung im Eingang des Hauses erinnerte sie Marie. »Sie waren schon reichlich aufgeregt. Sehen Sie, das müßte ich eventuell bezeugen. Nun haben Sie abgekriegt, was Sie wollten.«

»Wo ist mein Kind?« fragte Marie unermüdlich. »Bringen Sie mir mein Kind! Es muß hier sein!«

»Ich kann in der ganzen Wohnung kein Kind finden. Das werden Sie sich wohl auch nur einbilden.«

»Warum kommt Mingo nicht?« fragte sie am Abend, als das Fieber stieg. »Er ist hiergewesen, aber ihr habt ihn fortgeschickt. Einmal werdet ihr mich doch wieder hinauslassen müssen, dann sage ich alles. Bestellen Sie es

Vicki! Wenn sie Mingo nicht sofort hereinschickt, bald wird sie Herrn Kirsch zu sehen bekommen!«

»Wer ist Kirsch?« Die Pflegerin wartete die Erklärung nicht ab, mit bedenklichem Gesicht verließ sie das Zimmer. Vorher hatte sie nach Lissie geklingelt. Diese kam und legte sogleich los.

»So schnell kann ich Ihnen nicht alles erzählen, Fräulein, die Olle kommt gleich zurück. Natürlich war Ihr Herr Mingo hier und wollte Sie sehen. Die Gnädige ist ihm aber nicht von der Pelle gegangen, erst Cocktail, dann Abendbrot, und sonst noch Wünsche. Da ist er getürmt.«

»Mein Kind! Mein Kind!« flehte Marie.

»Fräulein, darüber schweigt der Abgrund.«

Wirkliches Mitleid klang aus den unernsten Worten. Schon wurde die Tür geöffnet, herein trat Bäuerlein. Mit dem Kopf wies er Lissie hinaus, dann zeigte er sich, wie immer, ohne sozialen Abstand und verhältnismäßig aufrichtig. »Ich bedaure den Vorfall, ohne daß ich ihn vom Standpunkt der Logik mißbilligen darf. Vicki und Sie konnten nur so zu dem vorgesehenen Ergebnis gelangen. Ganz wenig Blut – Sie werden zugeben, daß sie Ihnen nur ganz wenig Blut genommen hat; aber die Folge ist: Vicki liebt Sie, Marie!«

»Mein Kind! Mein Kind!« flehte Marie.

»Sie möchte vor Ihrem Bett hinknien, sie möchte Sie mit Küssen bedecken. Das hindert nicht, daß ich das Kind in ein Heim bringen mußte, um es vor ihr zu retten.« Er wiederholte stark: »Damit Vicki nicht schließlich doch mit Ihrem Kind nach der Schweiz verschwand. Sagen Sie selbst, was Sie dann gemacht hätten?«

»In ein Heim?«

»Wo Sie es besuchen werden. In acht Tagen stehen Sie auf.«

»Besuchen? Ich werde es mitnehmen! Es ist meins!«

»Das sind spätere Sorgen.« Als die Kranke noch stürmischer wurde, entschied Bäuerlein, dies sei nicht mehr seine Sache. »Bei aller meiner Sympathie, die Sie kennen, der Nächste, um Ihre Interessen mit Ihnen zu besprechen, ist natürlich Ihr Verlobter. Soll ich Verlobter sagen?«

»Er ist nicht zu mir gelassen worden.«

»Ich möchte feststellen, daß nur die ärztlichen Vorschriften befolgt worden sind. Übrigens kommt er morgen um zehn Uhr vormittag. Davon abgesehen, habe ich Ihnen zu eröffnen, Marie – «

Plötzlich setzte er sich auf den Bettrand und sah sie nahe an.

»Daß ich Geld im Auslande habe und nur mit Ihnen zusammen jemals zu meinem Bankkonto reisen werde. Begleiten Sie mich nicht, dann lasse ich mich lieber hier einsperren – bildlich gesprochen. In Wirklichkeit bin ich unantastbar. Gleichviel – geschäftlich von den Ereignissen unabhängig, habe ich menschlich meine Sache ganz auf dich gestellt, Marie aus Warmsdorf!«

Er konnte viel reden, Marie lag in Ohnmacht. Bemerkte Rechtsanwalt Bäuerlein es nicht, oder zog er sogar vor, nicht gehört zu werden? Er bekam Gelegenheit, ohne Zeugen sein ganzes Inneres zu öffnen, es wurde eine Orgie, und dennoch spielte der bewußtlose Leib Maries darin mit. Sie beide, Bäuerlein und Marie, wären endlich dem großen und wilden Leben gewachsen! Was er bei Vicki vergebens gesucht und was sie ihm mühselig vorgespiegelt hatte, Marie besaß es von selbst, das Verbrechen sollte ihr vollendeter Ausdruck werden! »Ich rieche es, ich atme es, du ziehst mich in diesen mörderischen Dunstkreis, und ich blühe darin auf! Vicki – mit ihren falschen Liebhabern, ihren Streifschüssen und entführten Kindern! Diese altmodische Frau hofft noch, mich vermittels einer Scheidung melken zu können. Das ist ihre Grenze. Nie brächte sie mich um, auch bei bester Konjunktur nicht. Du aber,

Marie aus Warmsdorf, lockst mich hinab, Verführerin zum Chaos, und ich folge dir!« fühlte der Syndikus, dessen Geld in Sicherheit war.

Zuletzt hatte er aufgehört, sein Chaos laut auszusprechen, es arbeitete stumm in seinem Rückenmark und verursachte dort einen reißenden Schmerz. Er gab sich ihm hin und war davon erbleicht. Mit kaltem Schweiß bedeckt, schwindlig verließ er das Bett Maries, er mußte ein Glas Wasser trinken. Hierauf machte er sich federnd und ging schnell ab.

Pünktlich um zehn erschien Mingo. Er lehnte sich erschüttert an den Türpfosten, die Pflegerin verließ unaufgefordert das Zimmer.

»Das haben sie mit dir gemacht, und ich hab nicht aufgepaßt! Jetzt laß ich mich nicht wieder versetzen«, beteuerte er und trat vor. »Marie, steh auf, wir wollen nach Hause!«

»Erst holen wir das Kind ab!«

»Das bring ich dir später. Jetzt mußt du nach Haus mitkommen zu meinen Leuten. Steh auf, der Zug geht.«

»Du lügst auch schon!« Sie stützte sich empor und starrte ihn an. Er wurde klein, er bettelte. »Laß doch man, mine Marie, laß doch man!« Unter ihrem Blick mußte er dennoch gestehen.

Das Kind war vom Vormundschaftsgericht der Mutter entzogen worden. Rechtsanwalt Bäuerlein hatte geltend gemacht, daß die Mutter auf Grund ihres Gewerbes ungeeignet sei, es zu erziehen, er trage übrigens anstatt seines Schwagers die Kosten des Unterhaltes.

Marie schüttelte den Kopf. »Nein. Auch nicht wahr.« Ihre Stimme blieb vorsichtig leise.

Mingo drückte ihre Hand, die eisig kalt war. »Komm erst mal mit nach Haus! Wenn wir verheiratet sind, müssen sie es dir zurückgeben. Gesetz ist Gesetz.«

»Hast du denn Fischblut?« Sie fing zu keuchen an. Er

sah etwas Schreckliches herannahen. »Ich will es nicht wieder tun«, versprach er, wie als Kind.

»Die Wanzen!« Marie schrie gellend. »Ich bringe sie um. Die Wanzen müssen dran glauben! Her mit ihnen!« schrie sie, während ihr Mingo beide Arme hielt. Aber sie wand sich, er brauchte seine ganze Kraft.

»Vicki! Kurt! Bäuerlein! Adele!« Sie rief mit verwilderter Stimme nach denen, die sie haßte. Er erkannte ihr Gesicht nicht mehr, er erschrak – in dem Augenblick, als sein Griff nachließ, sprang sie aus dem Bett. Sie stürzte umher; die Gegenstände, auf die sie einschlug, fielen hin und zerbrachen.

»Ich bin auch ein Mensch! Ich bin ein Mensch! Keine Barfrau, keine Schneiderin, keine Landarbeiterin! Die Mutter von meinem Kind bin ich auch nicht, sie haben es mir weggenommen. Im Winter werden die Landarbeiter entlassen!« schrie sie. »Ich bin kein Mensch mehr!«

Mingo drehte in der Tür den Schlüssel um und hängte ein Taschentuch drüber. Er wußte: sogleich wird angeklopft werden, sie werden eindringen, und was Marie tut, wird Zeugen haben; dann ist sie verloren. Das soll nicht geschehen! Er überlegte schnell und kaltblütig unter dem Antrieb der äußersten Gefahr. Noch eine Dummheit von mir, und alles ist aus für Marie.

Daher lachte er schallend, um lauter zu sein als ihr Geschrei. Er machte eine Stimme aus dem Rundfunk nach, das konnte er täuschend; dazwischen gluckste er wie ein Neger, das hatte er von der Seefahrt mitgebracht. Seine beiden Arme warf er um die Tobende und versuchte mit ihr zu tanzen, während er sie übertönte mit Gesang. Beim Tanzen fiel ihr der Schlafanzug vom Leibe, sie hatte ihn mit ihren Nägeln zerfetzt, und Marie war nackt.

Sie tanzten an dem Spiegel vorbei, sie erblickte sich darin, und ab brach ihr Geschrei. Er führte seinen Gesang, allmählich abgeschwächt, zu Ende. Sie wurde in seinen

Armen schlaff, er ließ sie in einen Sessel gleiten und hielt sie darin aufrecht. Der Spiegel zeigte eine Liebkosung, aber es war die letzte Hilfe, sie starb ihm!

Sie sah in ihr eigenes widergespiegeltes Gesicht. Die Schatten unter den ausgelöschten Augen verdunkelten die Wangen bis zur Mitte, und es war um die Hälfte kleiner geworden. Weiß sie noch? dachte er. Die Zimmer, wo wir uns geliebt haben! Als wär es wieder so! Er wollte seine Lippen auf ihre Schulter drücken.

Da bemerkte er in ihrer Hüfte eine Narbe, aus der Blut sickerte. Der Verband war abgerissen. Er ließ den Blick an ihrem Körper niedergleiten, auch nahe dem Fußknöchel traf er auf eine gezackte, rauhe und rote Stelle, sonst verdeckte der Strumpf sie. Das Rad einer Lokomotive hatte sie hinterlassen. Noch eine andere Spur jenes Sprunges auf ein Bahngeleise war sichtbar geworden, da nun die rechte Seite des Schädels von den nassen, verwirrten Haaren unbedeckt blieb. Aber das weiße Mal am linken Unterarm rührte aus dem letzten Tag ihrer Kindheit her, als die See den Katen fortriß, die Geschwister den abstürzenden Damm sich hinaufkämpften und die niedersausenden Äste der Tannen ihnen Löcher ins Fleisch rissen. Die Narben ihres Lebens – sie konnte alle betrachten, wenn diese ausgelöschten Augen sahen.

Er fühlte ihren Körper heißer und schwerer werden; bevor sie aus dem Stuhl fiel, trug er sie auf das Bett. Er suchte im Zimmer, zog ihr ein Hemd über, er hatte es einer schwerfälligen Gliederpuppe anzulegen, Marie lallte unverständlich, ihre Schläfen glühten, die Hand, soeben noch eiskalt, brannte. Mingo tauchte ein Tuch in kaltes Wasser und legte es ihr um den Kopf, dann ging er so geräuschvoll als möglich zur Tür. Infolgedessen war draußen niemand zu sehen, aber Lissie kam, als er sie rief, sofort. Er verlangte, sie sollte ihn mit dem Arzt verbinden, dann sprach Mingo in das Telefon sehr breit und ernst.

»Herr Doktor, hier ist die Wohnung des Rechtsanwalts Bäuerlein, ich bin der Verlobte der Marie Lehning, die Sie wegen einer Schußwunde behandeln. Sie sagen, es ist keine Schußwunde? Na ja, hier sind auch sonst Irrtümer unterlaufen, zum Beispiel, daß die Kranke gegen ihren Willen im Hause festgehalten wird. Dadurch ist sie wehrlos, während das Gericht ihr das Kind fortnimmt. Sie nicht? Aber mich, Herr Doktor, mich geht das an! Gleich werden Sie selbst sehen, wie viel! Sie interessieren sich doch auch für Ihre Patientin. In diesem Augenblick hat sie schlecht gerechnet vierzig Grad Fieber, und das hängt schließlich damit zusammen, daß Sie den an ihr verübten Mordversuch der Polizei nicht gemeldet haben.«

Er hörte den heftigen Widerspruch des anderen bis zu Ende an, dann sprach er weiter, als ob nichts geschehen wäre. »Wir sind doch nicht unterbrochen? Dann wollen Sie wohl wissen, was ich vorhabe? Jetzt verlange ich, daß Marie hier im Hause die allerbeste Pflege und Behandlung genießt, denn um weggeschafft zu werden, ist sie zu krank, und in drei Tagen soll sie wieder gesund sein. Sonst bringe ich Sie samt dem Ehepaar Bäuerlein zur Anzeige; ich kenne jemand, der nur darauf wartet. Sehr richtig, Herr Doktor, ich bin man bloß vom Lande, sogar von der See. Darum grade.«

Er war fertig und drehte sich um, in einigem Abstand verweilte Bäuerlein; er schien nur zufällig aus einem der Zimmer getreten. »Sie suchen den Ausgang?« fragte er.

Es fiel Mingo auf, daß der Rechtsanwalt starre Pupillen hatte und beschwerlich sprach. Das Ganze wirkte gefährlich, man wußte nur nicht, für wen. Bäuerlein konnte nach Wahl lang hinschlagen oder auch seinerseits einen Mordversuch unternehmen. »Hier, bitte«, sagte er. Aber Mingo, der aufpaßte, folgte ihm nur zum Schein nach der Tür, die jener ihm öffnen wollte. Sie führte wirklich in eine Kleiderablage, und die Toilette dahinter hatte kein Fenster. Bäuerlein wünschte den lästigen Ausländer, wie er ihn nannte, darin aufzubewahren, bis er Marie aus dem Hause geschafft hatte. Statt dessen bekam er einen Stoß ins Gesicht und flog selbst über seine Kleiderablage hinweg bis in den Sitz seiner Toilette.

Auf der Treppe begegnete Mingo dem jungen Kurt, der in keinem besseren Zustande war als er selbst. »Meier«, sagte Mingo, »ich weiß, daß du hinter Marie her bist. Jetzt hat sie aber vierzig Grad und so lange sind wir gut Freund. Einverstanden?«

Kurt setzte sich auf die Stufe und brach in Tränen aus. Mingo benutzte sein Taschentuch, um nur etwas zu tun. Beide erschöpft und verzweifelt, ließen sie die Zeit verstreichen, bis jemand heraufstieg. Dann wurde eine kurze, eilige Verabredung getroffen. »Du bleibst in der Wohnung«, stellte Mingo fest. »Du kannst es eher als ich herausbekommen, wenn sie etwas gegen uns vorhaben.«

»Ich hasse Vicki!«

»Daß du mir aber Marie nicht belästigst! Du, die verträgt augenblicklich nicht mehr die kleinste Gemeinheit von irgendwem. Paß auf!«

»Ich passe auf.«

Mingo sah sie nicht wieder, und das währte vier Wochen. Nur durch Kurt, den er jedesmal aus dem Hause rufen ließ, erfuhr er, wie es um sie stand. Sie war mehrere Tage lang aufgegeben, Kurt wagte selbst nur zwischen den Türangeln auf ihr Bett zu blicken. Noch ist sie sehr, sehr rot, so berichtete er dem anderen. Beide begriffen: bald wird sie ganz weiß sein. Aber das Sterben zog sich hin, bis es Weiterleben genannt wurde. »Wie kriegen wir sie nun hoch? Sie wird noch lange nicht in die Bar kommen können.«

»Das soll sie auch nicht«, erwiderte Mingo unvorsichtig, denn was ging es Meier an. Aber der glückliche Sieger konnte nicht mehr an sich halten. »Marie erholt sich bei uns zu Hause in Warmsdorf, und wenn wir erst geheiratet haben, hole ich ihr das Kind!«

»Das tust du nicht«, sagte Kurt durch die Zähne und mit seinem wilden Gesicht. »Dafür strenge ich mich nicht so an. Das mit Adele! Herr Chef sagen sie, und Kuli bin ich! Entweder Marie –!« Er brach ab. »Du wirst ja sehen, was sie selbst macht.«

Sein Achselzucken gab zu verstehen, wieviel er, und nicht der abwesende Mingo, mit Marie jetzt teilte, das Kind, die Bar, das Erbe Adeles und alles, was sie inzwischen erlebt hatten, sogar seine Gemeinheiten – seine, nicht Mingos!

Mit Adele hatte Kurt über Marie eine Auseinandersetzung, die ihr eigenes Befinden nicht verbesserte. »Wenn sie stirbt, hast du die Schuld. Mach dich auf was gefaßt!«

»Wir müssen alle sterben«, behauptete sie, als sie genug gerungen hatte, um die Verantwortung abzustoßen. »Und mein Myom! Ich kann mich nicht mehr operieren lassen. Das Herz ist geschwächt – durch meinen Beruf, meint der Arzt. Wenn ich mich in die Klinik lege, tue ich es für meine Rechnung und Gefahr. Marie ist jung, was sagt ihr der Tod, und geht es mit ihr schief, um sie wird geweint!«

Ihre Angestellten fand sie damit ab, daß Marie verreist sei, obwohl niemand es glaubte. Kurt erlaubte sich Andeutungen nur, wenn er betrunken war, aber auch dann blieben sie unzuverlässig. Unter dem Einfluß des Alkohols log er sogar noch besser. Dennoch drangen Gerüchte durch. Die Barfrauen verbreiteten sie heimlich unter den Stammgästen, die nach Marie fragten; sie war so beliebt. Andererseits mißtrauten sie Fremden, die sich neugierig zeigten. Gewisse Spitzelgesichter kehrten wieder in der Menge der Laufkundschaft. Adele konnte bemerken, daß der Erfolg ihres Unternehmens wuchs, je mehr unbekannte Hintergründe man ihm nachsagte. Dies war keine Angelegenheit des Hauses und engeren Kreises mehr. Der

Harem wurde dank den Abenteuern eines seiner Mitglieder zu einer Berühmtheit des Westens.

Was Myom! Was Tod und was Polizei! Adele gab dem Drängen ihres Pianisten Ernst Radlauf nach, denn der empfängliche und ehrgeizige Junge war durch das Schicksal Maries zu einem neuen Schlager angeregt worden und wollte ihn unbedingt herausbringen, wenn nicht hier, dann anderswo. Anderswo! Den Gedanken ertrug Adele nicht, Radlauf war ihr Geschöpf. Seine »Seemannsbraut«, von ihr zuerst gesungen, hatte ihren Weg aus dem Hause gefunden, schon ging sie sogar in die Provinz. Keine als nur ich allein soll »Die Stimme des Kindes« uraufführen!

Mehrere Wochen vergingen mit den Vorbereitungen. Sie war sicherer in der Wirkung als er, der Schlager wurde nach ihren Absichten umgeschrieben, sie probten ihn zuerst allein, dann mit Orchester, an den Nachmittagen, hinter verschlossenen Läden – aber eines Abends endlich stieg er.

Um elf war die Bar ausverkauft, der Portier ließ niemand mehr ein. Spannung herrschte; für die kleine Freundin des Kapellmeisters ging sie bis zur Angst, Lotte versteckte sich. Anders Adele, sie sicherte sich einen großen Auftritt. Das Ballett war abgegangen, eine Weile wurde nicht getanzt, keine Musik gemacht, ja, nicht serviert; da kam sie.

Schweigen – man sah eine Frau von unförmlicher Gestalt, sie schien zu handeln, weil ihre letzte Kraft danach schrie, verbraucht zu werden. Ob sie noch bis auf das Podium gelangte? Das Lachen grausamer junger Leute wurde vom Publikum unterdrückt. »Erni, das ist meine größte Sache«, flüsterte sie ihrem Partner zu. In diesem Augenblick erlosch im ganzen Lokal das Licht, und der Scheinwerfer traf einzig auf das Gesicht Adeles.

Sie hatte es hergerichtet wie die Karikatur ihrer selbst. Die Stirn wurde bewegt von lebendem Gewürm, in blutende Linien war das weiße Kinn gefaßt, die halb geschlossenen Augen glitzerten faulig. Die gute Adele als Giftblume! dachten ihre Bekannten, und dennoch ließen sie es sich vormachen. Da öffnete sie auch den Mund, er war durch Schminke unwahrscheinlich vergrößert, Zähne sah man nicht, und er sagte heiser: »Ich hab mein Kind für schnödes Geld verkauft.« Hierauf erst folgte das Vorspiel Ernis mit dem Orchester.

Der grelle Kopf, rothaarig und von Dunkelheit eingefaßt, ein Schrecken der Finsternis, sang, wenn das Singen hieß. Es war nur zu erwarten, daß er eine große, grobe, versoffene Stimme hatte. Sehr bald hellte sie sich dennoch auf, sie klang fortan ungedeckt und furchtbar hemmungslos.

Ich hab mein Kind für schnödes Geld verkauft.
Es war so klein und noch nicht mal getauft,
Da haben sie es schnell davongetragen
In einen Zwölfzylinder-Chryslerwagen.
  Haut ab mit ihr, macht Schluß!
  Es ist ja ganz egal,
  Wenn eine doch nun mal
  Ihr Kind verkaufen muß.

Das Geld hat bald ein Junge kleingemacht.
Jetzt laure ich wohl in beschnapster Nacht
Dem Kinde auf, verzweifelt und mit Grimme,
Und höre aus dem Chrysler seine Stimme:
  Hau ab, Mama, mach Schluß,
  Weil ich bei General-
  Direktors doch nun mal
  'ne Lady werden muß!

Das macht mich herzverfettet und vergrämt!
Das ist der Schmerz, den Alkohol nicht lähmt!
Die Stimme, die mir folgt! Um Gottes willen,

Ich hör's schon wieder aus dem Chrysler schrillen:
Hau ab, Mama, mach Schluß,
Weil ich bei General-
Direktors doch nun mal
Auf alle spucken muß!

Die Sängerin wurde nicht unterbrochen, und der herrschende Lichtmangel diente ihrem Publikum merkwürdigerweise keinen Augenblick dazu, sich unerkannt mit Witzen hervorzutun. Soweit beherrschte Adele es. Zuletzt schloß ihr abgeschnittener Kopf langsam und ausdrucksvoll den Mund und die Augen. Die Schlangen ihrer Stirn standen jetzt aufgerichtet über der Nasenwurzel und erstarrten. Der Kopf war tot. Gleich darauf ging die Beleuchtung an.

Die ältere, beliebte Dame dort oben bekam Beifall, teils echten, und teils bestand die Absicht, zu übertreiben. Die erfahrene Adele wußte trotzdem, daß ihre Wirkung gelungen war; sie sagte zu Erni: »Wir haben es geschafft«, und ließ ihn sich immer wieder mit verneigen. Der Erfolg artete notwendig in Unfug aus, aber sie erklärte ihrem Partner: »Erni, laß man, jetzt ulken sie, deshalb hat ihnen doch geschuddert.« Im Grunde war sie sicher, daß ihre Hörer, solange sie sang, das Leben begriffen hatten. Nachher war das wieder weg!

Da Adele alle Gesichter im Lokal absuchte, begegnete sie auch dem ganz unerwarteten. Marie! Dort saß sie, auf einem Hocker vor dem Stand Ninas, wie ein Gast, und hatte sich das Lied von ihrem Kind angehört. Außer Nina nahm bisher nur Adele von ihr Kenntnis, und Adele zweifelte sogar. Sie ging hin. »Marie?«

»Warum denn nicht?« antwortete Marie. »Ich bin ja nicht gestorben. Bald trete ich wieder bei Ihnen ein. Noch muß ich im Sanatorium bleiben, im Grunewald.«

»Dann geht's ja wieder. Das freut mich.«

»Das bezahlen sie mir.«

»Haben sie dir wirklich dein Kind abgenommen?«

»Das krieg ich schon wieder. Erlauben Sie noch einen Kognak?«

»Trinkst du jetzt, Marie?«

»Nein. Ich hab mein Kind auch nicht verkauft. Es soll auch keine Lady werden, denn es ist ein Junge.«

»So was singt man.«

»Ich wollte es nur hören und Ihren schönen Erfolg mit ansehen, Frau Fuchs. Deshalb bin ich aufgestanden und hab mich angezogen.«

Sie trug ein Herbstkostüm wie für die Straße, und es saß faltig; Marie war abgemagert. Sie hatte jetzt ganz schmale Wangen und feine, lange Beine. »Du kannst so bleiben«, äußerte Adele, aber sie wechselte einen Blick mit Nina. Beiden gefiel weder das Aussehen Maries, so hübsch es war, noch ihr Wesen, besonders die Stimme nicht. Sie blieben im unklaren über die Art der Veränderung, man wurde geradezu verlegen.

»Hast du Kurt gesehen?«

»Wer ist Kurt? Ach so. Unser Kurt.«

»Ich glaube, daß er mir den Erfolg nicht gönnt, darum läßt er sich heute abend nicht blicken. Er will hier schon ganz allein der große Mann sein. Das werden wir noch sehen. Wo ist dein Mingo?«

»Der? Zu Haus bei uns.«

»Während du krank bist? Der Junge benimmt sich falsch. In der Hinsicht ist Kurt Kavalier, er geht mir nicht von der Pelle. Hat er dich inzwischen auch nur ein einziges Mal besucht?«

»Doch«, sagte Marie, aber mit der neuen Stimme – man wurde nicht klug. Adele verlor jede Sicherheit.

»Dich anschießen! Das war nun aber bestimmt nicht ausgemacht zwischen mir und – ihr!« Unvermittelt begann sie ein lautes Gespräch mit Gästen.

»Tatsächlich«, sagte Marie zu Nina. »Es ist so, ich kann den Leuten ansehen, wenn sie sterben müssen.«

»Den Schlager hast du miterlebt«, entgegnete die Freundin. »Fahre jetzt lieber in dein Sanatorium! Wenn die andern dich erst entdecken –!«

Aber die Barfrauen waren überaus beschäftigt, und niemand im Lokal beachtete Marie. Liegt es an ihrem faltigen Herbstkostüm? fragte Nina. Unter ihrem Hutrand sieht sie immer bloß den Kognak an, aber es ist nicht nur das. Kein Mensch erkennt sie – stellte Nina fest, sie bekam Furcht und rief einen Pagen, er sollte einen Wagen besorgen.

»Du brauchst etwas mehr Gewicht, Marie. Du denkst sonst zuviel. Woran denkst du eigentlich?«

»An nichts. Ich döse. Landarbeiter werden im Winter entlassen – solche Sachen fallen mir ein. Mein Kind ist in Fürsorge, wegen meines Berufes. Haben sie dir deinen Sohn auch weggenommen?«

»Er ist schon groß, wie du weißt. Als er klein war, da war ich verheiratet. Du mußt Mingo heiraten, Marie.«

»Das sagt er auch.« Sie glitt vom Hocker und folgte dem Pagen.

Erst später in der Nacht sprach es sich herum, daß sie dagewesen war. Lotte zeigte sich beleidigt, weil Marie kein anerkennendes Wort für Erni gefunden hatte. Nina entschuldigte sie mit ihrem rätselhaften Zustand. Ob sie so bald wieder in Ordnung kommt?

»Die ist mit sich im reinen«, behauptete dagegen Adele mit einer Betonung, als wüßte sie viel.

Im Sanatorium aber empfing Marie den Besuch Vickis. Diesmal war es die andere, die auf der Couch lag, und Vicki saß auf dem Rand eines Stuhles. Draußen wogte mit hellblauer Luft und goldrotem Laub der letzte schöne Herbsttag.

»Hier kannst du es wohl noch etwas aushalten«, bemerkte Vicki. »Was ist denn auch geschehen. Wir haben schon mehr zusammen gehabt, bei dir muß ich mich nicht groß entschuldigen. Du tust es auch nicht.«

»Wir verstehen uns«, äußerte Marie.

»Das freut mich. Kurt kommt nicht mehr«, sie ließ es Wort für Wort hinfallen. »Das hast du erreicht, Marie. Ich bekümmere mich um dich, aber nicht aus Angst. Das glaubst du hoffentlich nicht. Angst habe ich keine.«

»Wozu auch, Vicki. Du tatest nur, was du mußtest.«

Sie sah sie an. Früher kam die mir verrückt vor – jetzt nicht mehr! Wie ist das jetzt? Sie suchte, sie zog die Stirn kraus. Vicki neigte sich vor. »Und du?«

»Ich weiß nicht«, sagte Marie.

»Etwas mußt du schließlich tun. Du willst doch etwas.« Der Blick Vickis versuchte in diese gekrauste Stirn einzudringen. Zuletzt atmete sie auf, wurde leichter auf ihrem Sitz und sagte schnell irgendwohin: »Was kann mir schon geschehen?«

Marie nickte. Ihre Stimme blieb farblos, wie sie jetzt geworden war. »Ja. Ich glaubte auch immer: dir kann nichts geschehen, denn so wie du warst, Vicki, merktest du gar nicht, was du anderen antatest. Dir – nichts«, wiederholte sie, und gleich anschließend: »Ich war dumm.«

»Wieso?« Vicki zitterte doch, während sie lachte. »Nur nicht den Mut verlieren! Kurt kommt schon nicht mehr. Kannst du nicht noch mehr gegen mich tun? Etwas ganz Schlimmes? Los! Das Halsbrechen ist nur angenehm. Das brauch ich zum Leben. Was soll aus mir werden, wenn du versagst, Marie!«

»Wozu redest du eigentlich? Das Kind könntest sogar du mir nicht zurückgeben.«

»Nein, das kann ich nicht mehr.« Vicki verließ ihren Platz, scheinbar, um fortzugehen.

Plötzlich fiel sie auf die Knie und küßte Marie. Sie drückte ihre Lippen in das Kleid und in die Haut Maries, wie eine Verlorene. Marie rührte sich nicht. Zuletzt stand Vicki auf und stieß heftig hervor: »Ich hielt mich für hart. Härter als alle, und solange ging es noch mit mir. Du aber – jetzt – du –!«

Sie stammelte, kniete nochmals hin, und das Kleid Maries auseinanderfaltend, küßte sie auf ihrer nackten Hüfte die Narbe. Dann verschwand sie wirklich.

Wenige Tage nach diesem Wiedersehen verließ Marie das Sanatorium und nahm ihren Platz in der Bar ein. Niemand hatte sie so früh erwartet. Hedi und Stella fanden sogar, daß sie ganz hätte fortbleiben können, sie paßte nicht mehr hierher. Was sah man statt der kräftigen Hamburgerin mit den frischen Farben! Marie war jetzt feiner und blasser; sie benahm sich so unauffällig, daß es geradezu vornehm war. Damit brauchte man aber keine Barfrau zu sein, und den Erfolg entzog sie anderen! »Pech!« sagte Lotte. »Dafür strengt Erni sich an!«

Sie meinte seinen Erfolg mit der »Stimme des Kindes«. Der war unbestritten, Erni konnte es wagen, seine Stellung aufzugeben, er ergriff den Beruf eines Schlagerkomponisten und zahlte auch schon einen Wagen ab. Im Harem aber, wo Radlauf jeden Abend auftreten mußte, war nicht er die große Anziehung, sondern Marie, der einfach ihr Kind entführt war. Das hat man davon, wenn man sich mit der Kunst an die Wirklichkeit hält!

Adele äußerte vielmehr zu Nina: »Jetzt gefällt sie mir. Sie lächelt so rein.« Damit meinte Adele vor allem die tiefe Gleichgültigkeit, auf die Kurt bei Marie stieß. »Als ob sie gar nicht da ist«, setzte Adele hinzu – nicht ohne ein heimliches Angstgefühl. Nina drückte den Grund aus. »Ein Automat – finden Sie nicht? Was man immer hört von künstlichen Menschen, die nicht ausweichen und alles niedertrampeln.« Sie wünschte ihre Worte abzumildern. »Das ist nur ein Eindruck. Grade ich hatte Marie so gern.«

Adele wußte durchaus, was es bedeutete, wenn ihre beiden andern Lokale den allgemeinen Niedergang mit antraten und nur der Harem nicht. Das Geschäft geht besser als je, und Marie macht es. Jeden Abend rechnet sie allein hundert Manhattan ab, aber warum? Sie fragt den Kunden: Manhattan? Ein Automat, wie du sagst. Manhattan, und läßt auch schon mixen. Der Gast will verlegen werden, wird lieber frech, fragt sie etwas, und sie antwortet, als ob sie in Hamburg wäre und er in New York.

»Aber immer nett dabei. Mir tut das Herz weh«, gestand Nina, denn ihr Herz blieb gütig, trotz allem Schaden, den die ungerechte Beliebtheit Maries ihr selbst wie den anderen Frauen bereitete. Genaugenommen ergab sich noch ein Nutzen, der Andrang war groß genug, daß auf jede ihr Anteil fiel. Nina, die von allen das meiste Vertrauen erweckte, hatte sogar bekannte Leute zu bedienen. Sie waren hier in Jahren nicht gesehen worden, jetzt wurden sie neugierig, und wenn sie sich an Marie nicht herantrauten, sprachen sie mit Nina, die jedem irgendwann schon begegnet war. Unbestimmt erinnerte sie sich auch des massigen Herrn mit den großen Wangen, der genau am Abend des zweiten November, Allerseelen, bei ihr eine Menge Getränke verzehrte. Er machte nicht einmal den Versuch, sich der stark besetzten Marie zu nähern, verlor sie aber nie aus den Augen. Er hatte eine sonderbare Glatze, sie saß oben und war von Locken umstanden. Außerdem benahm er sich federnd und umsichtig.

»Dort am Pfeiler sitzt einer von der Polizei«, sagte er. Nina leugnete natürlich, dem Ruf des Hauses zuliebe, aber sie wußte nur zu gut, daß im Gedränge der Gäste immer auch ein Beobachter untergebracht war, ja, manchmal unterschied sie ihn aus alter Erfahrung. Ihr massiger Gast betrank sich übrigens, und er redete. War Nina mit anderen beschäftigt, er sprach trotzdem weiter. Manchmal stand er auf, machte sich in den Hintergründen des Lokals zu schaffen, kehrte aber bald auf seinen Hocker zurück.

Er erzählte Nina, daß er ein Mann der festen Entschlüsse sei. Früher war er dafür eingetreten, seiner Frau treu zu bleiben, sie konnte machen, was sie wollte. Heute hatte er sich auf ein neues Leben umgestellt. Das war der Polizei auch schon bekannt, daher ihre Anwesenheit. Wer aber bewog ihn, mit ihr das neue Leben anzufangen? Marie. »Kennen Sie denn Marie?« fragte Nina.

»Lange Zeit hat sie ein Doppelleben geführt. Am Tage trug sie wollene Strümpfe. Ich werde mit ihr unter die einfachen Menschen zurückkehren, es wird Zeit. Mein Vater war ein armer Kirchendiener, er nahm Trinkgeld.« Der Gast schluckte auf und drückte Nina einen Schein in die Hand. Plötzlich stürzte er sich mit seinem vollen Gewicht auf den Mann, den er für einen Kriminalbeamten hielt. »Ich habe es satt, ohne Grund verdächtig zu sein«, erklärte er keuchend und dreinschlagend. »Ihr sollt endlich Ursache haben!«

Der Mann erschien gegen ihn klein und schmächtig – um so überraschender die Kraft, die er zeigte. Der massige Gast bedeckte mit ganzer Länge die Tanzfläche, und dies in weniger Zeit, als die Tänzer brauchten, um Platz zu machen. Der Portier und die Pagen trugen ihn unter Musikbegleitung zu seinem Wagen, der vor der Tür stand. Der Beamte sagte zu Adele: »Ihr Geld bekommen Sie sowieso. Aber ich will Sie noch auf etwas hinweisen, was er hier getrieben hat.« Er zeigte ihr, daß auf vier oder fünf Tischen alle Streichhölzer abgebrannt in den Behältern steckten. »Er hat überall eins angezündet und es brennend dazwischengeschoben. Ich kann darüber aussagen. Wir würden es gern sehen, wenn Sie Anzeige erstatten; aber wie Sie wollen. Die Sache ist unbedeutend – obwohl so etwas nicht jeder tut. Aber wenn Sie Anzeige erstatten, können wir es in anderer Hinsicht benutzen.«

»Wer war eigentlich der Gast?« fragte Nina.

Der Beamte sah Adele an, aber sie beherrschte ihr Gesicht. »Ach so, Sie wissen es auch nicht!« meinte er. Da beugte Marie sich über das Buffet. »Rechtsanwalt Bäuerlein«, verkündete sie ruhig. »Der muß mal sicher dabeisein.«

»Wobei?« fragte Nina sie leise. Marie antwortete: »Du hast doch selbst in den Karten gelesen: es steht Verdruß zum Haus in der Morgenstunde.«

»Unsinn. Jetzt ist die Morgenstunde und Zeit, schlafen zu gehn. Alle sind schon fort, sogar der Polizist.«

»Auch Kurt«, hörten sie Adele murmeln. In ein Sofa gesunken, gealtert nach den aufgepeitschten Stunden, äußerte sie für sich allein ihren Gram: »Allerseelen, Kurt geht überhaupt seiner Wege, und ich lebe immer noch!« Sie rief nach Marie, die andern Angestellten sagten gute Nacht.

»Marie«, begann Adele. »So mache ich nicht weiter. Du mußt hinaus. Ich entlasse dich.«

»Das kannst du nicht.« Marie sagte du, es war das erste Mal, aber die Chefin beachtete es gar nicht.

»Du bist von mir abhängig. Kein Betrieb nimmt dich auf, wenn ich angebe, daß deinetwegen hier die Polizei verkehrt.«

»Du hast recht, der Kriminaler bleibt dann weg, aber auch Kurt; und das weißt du.«

»Es soll mir gleich sein«, murmelte Adele und sank tiefer ein.

»Er vergißt sogar das Testament und verläßt dich.«

»Es wäre das beste für mich. Leider ist es nicht wahr.«

Auch Marie erinnerte sich wohl, daß es so nicht stand. Mit dem Testament hatte Adele damals ihr Todesurteil unterschrieben – gleichviel, wieso und warum. Es war ein Eindruck von einst; heute gelangte Marie über nichts zur Klarheit. Sie hatte keine Gegenwart, und wie die andern es auffaßten, lag es wirklich. Marie war nicht da – obwohl sie handelte. Sie wurde bewegt von alten Antrieben und wunderte sich selbst, daß sie weiterschritt wie ein Element.

Adele wackelte mit dem Kopf. »Das Testament will ich ändern. Zuerst dachte ich an Radlauf und Lotte; wenn sie das Lokal führen, sparen sie den Kapellmeister. Aber bin ich dazu da, erfolgreiche Leute noch glücklicher zu machen? Marie, nimm mal an, du wärest meine Erbin, was tust du?«

»Was ich will.«

»Natürlich. Dir verbiete ich auch nicht, Kurt mit hineinzunehmen. Aber davor hütest du dich.«

»Wer weiß.«

»Auch an den Seemann kannst du im Ernst nicht denken. Ich rate dir: verkaufe den Harem und heirate Bäuerlein! Dann hättest du deine Rache an Vicki – und ich müßte mich nicht mehr fürchten vor Kurt.«

»Weil du schon tot bist«, warf Marie hin wie die gleichgültigste Tatsache. Adele belebte sich ein wenig und äußerte etwas Auffallendes, aber vielleicht war es nur eine Redensart.

»Vorher bringe ich euch noch einen Schlager.«

Damit brach sie auf. Sie konnte sich nicht fortdenken. Sie sagte wohl Tod, Furcht und Testament, aber ihr wirklicher Gedanke war nur, daß sie Schulden gemacht hatte und damit weiter auf Erden blieb. Absichtlich hatte sie den gut gehenden Harem belastet, anstatt die beiden anderen Lokale noch vor ihrem Zusammenbruch abzustoßen. Ihrem Erben, wer es auch war, standen aussichtslose Kämpfe bevor. Die Geschäftsfrau Adele schätzte ihn in keiner besseren Haut, als sie selbst war, mit der Klinik und mit Kurt. Ein Trost bleibt immer noch.

Zu Hause sah sie Kurt im seidenen Schlafrock durch die vier Zimmer laufen. Er war von Wut verzerrt. »Dich hab ich erwartet!« rief er ihr entgegen und reckte sich, um in die Luft zu springen.

»Gut, daß du nicht ins Lokal gekommen bist! Polente war drin. Deinen Schwager Bäuerlein haben sie hinausgeworfen.«

»Du verstehst dein Geschäft.« Er wurde unheimlich ruhig. »Bei dir verkehrt Polente und Bäuerlein, und was hast du mit Marie gemacht?«

»Mit ihr ist nichts los. Noch sind die Leute neugierig auf sie, aber lange kann sie nicht mehr ziehen. Blutleere, und hat einen Knall.«

»Deine Arbeit! Wer hat ihr Kind entführt? Und du singst die ›Stimme des Kindes‹. Wie du sie singst! Ich wundere mich nur immer, daß niemand nach dir schießt!«

»Sie haben mehr Kunstsinn als du.«

»Grausig«, sagte er und schloß die Augen. Er war noch bleicher geworden. »Mein Magen verträgt dich nicht mehr«, erklärte er und betrachtete ihren Leib.

»Wie du mich haßt!« Es kam in einem Seufzer; aber sie war auch froh, gehaßt zu werden, wenn man sie schon nicht mehr liebte. Das merkte er ihr an und antwortete drohend: »Ich habe Marie verloren.«

»Hattest du sie denn?«

»Ja, solange sie mein Kind hatte. Du hast es entführt, darauf haben sie es ihr fortgenommen.«

»Kurt! Das war Vicki. Alles geht von Vicki aus. Sieh mich nicht so an!« Adele bekam Furcht, sie zog sich hinter das Bett zurück. Während sie ihre Kleidung ablegte, ging er hinaus. Sie horchte lange, aber er kehrte nicht zurück. Endlich schlich sie ihm nach, da war er dort hinten auf dem Diwan eingeschlafen.

Sie fand keine Ruhe. Als statt dessen zuletzt eine Art jagender Betäubung entstand, wurde sie aufgeschreckt. Das Zimmer war voll beleuchtet, Kurt stand da und betrachtete sie grübelnd, ihr Erwachen bemerkte er nicht.

»Was hättest du jetzt getan?« fragte die alte Adele und

zog sich unter ihren Decken zusammen wie ein kleines Mädchen. Er verließ, ohne zu antworten, das Zimmer.

Sie frühstückten mittags in bester Eintracht. Auch hinsichtlich Maries kamen sie überein, die Krankheit müsse lange in ihr gearbeitet haben bis zu diesem Ausbruch. Kurt erzählte von dem Katen ihrer Kindheit, dem Elend der zahllosen Familie.

»Ich bin in einem Weinberg zur Welt gekommen«, stellte Adele fest. »Mir ist nichts abgegangen. Das beste, damit die Kinder kräftig werden, ist Rotwein.« In demselben Zuge fragte sie: »Haßt Marie mich sehr? Ich werde aus ihr nicht klug. Was will sie?«

»Uns alle zugrunde richten, und das gelingt ihr auch noch«, behauptete er, wieder verdüstert.

»Um Gottes willen, Kürtchen, mach dir nichts draus! Was ist denn geschehen? Einmal muß die liebe Marie sich doch erholen und ihren Süßen wieder erkennen. Dann liegt Adele am Rhein begraben, du mußt mich dorthin überführen, es steht in meinem Testament.«

Er bestätigte es ihr nicht, aber auch sie verlor das Grab am Rhein sofort aus dem Auge. Der Durchblick nach dem Schlafzimmer nahm sie in Anspruch.

»Wir stellen eine Couch hinein«, beschloß sie. »Betten sind nicht mehr möglich. Die Couch muß so breit wie lang sein und in der Mitte des Zimmers auf einem Podest stehen. Trotzdem liegen wir höchstens fünfzig Zentimeter über dem Fußboden.«

Kurt zündete sich eine Zigarette an. »Könnte ich heute Marie gesund machen – Sie soll nur so zu mir stehen wie vorher, das wäre nicht viel. Aber ich wäre dafür imstande, dein Testament zu zerreißen.«

»Mach keine Dummheit! Wer will dich hindern, später mal mit Marie zu leben. Kein Testament jedenfalls. Aber dann werdet ihr beide nicht mehr Lust haben – oder nur sie, auf dein Geld. Lerne von Adele! Man soll sich nicht ausbeuten lassen, es endet schlimm. Ich – bin gewarnt – bin gewarnt«, sagte sie mehrmals vor sich nieder; denn auch ihre Gedanken kehrten unabwendbar in den Kreis zurück. Einen letzten Versuch wagte die Arme, leichtsinnig zu scheinen.

»Noch bin ich da, und schon tust du dir keinen Zwang an und betrügst mich mit der Neumann vom Ballett. Ich habe dich beobachtet in dem Umkleidezimmer, wie du ihr Kleid anhattest.« Dabei stieß sie ihn vertraulich mit dem Ellbogen.

Er fuhr aber auf seinem Stuhl hoch, er ballte die Fäuste. »Schlag mich nicht!« jammerte sie. Fassungslos überrascht von dieser Wirkung ihrer Worte, schielte sie in seine verwilderten Augen, auf den verkrümmten Mund mit spitzen Zähnen – die rechte Hälfte des Gesichts war schief geworden. Eine Minute später knallte er die Tür der Wohnung zu.

Eine Stunde lang lief er durch die Straßen und übersah sogar die Wettbüros. Er wäre hinausgefahren zu seinem Sohn, aber um diese Zeit fand er dort die Mutter, und Kurt wünschte keine Begegnung. Er liebte kein Wesen, das aus einer Bäuerin unversehens zu vornehm wurde – und vornehm war nicht das Wort. Es mußte heißen: fremd, mindestens auf Besuch, vielleicht sogar Astralleib oder wie man sagt. Ich kann alle Frauen lieben, restlos alle, sogar Adele; warum kein Gespenst? Aber es darf nicht Marie sein! Zum ersten Mal in seinen zwanzig Jahren beklagte er eine Liebe, die dahinging, und so unheilvoll war ihm dabei zumute, als löste er sich selbst vom eigenen Leibe.

Schließlich bestieg er doch den Vorortzug. Marie inzwischen hatte grade diese Stunde bei ihrem Kind verbringen dürfen. Die Erlaubnis wurde nicht immer gewährt. Übrigens mußte sie die Gegenwart der Pflegerin ertragen, ihr blieb nur das Recht, zuzusehen, wie Mi genährt und gekleidet wurde. »Mi!« sagte sie und bettelte um sein Lächeln, um einen Griff der Ärmchen, die einst sich um ihren Hals schmiegten, sooft sie es wollte.

Sie sah zu und war nicht einmal wirklich bei der Sache. Ihren Sinn ergriffen Ahnungen – Erinnerungen und Vorgefühl, alles entstand nur hier, angesichts des Kindes. Sonst ging Marie dem Unbekannten entgegen wie eine Unbeteiligte. Vor dem kleinen Bett hier wußte sie. Die Bilder Vickis und der anderen waren, ihr allein sichtbar, hier versammelt; so unerträglich drängten sie sich sonst nicht auf; und Marie haßte. Alles war gegenwärtig, wieviel jeder getan hatte, der ganze Zusammenhang – ja, lebendig wurde, was Marie selbst vorhatte und beschloß. Das stürzte als Welle über sie herein. Sie schluckte, ihr Blut erstickte sie, der Rausch ihres Hasses ließ sie taumeln.

Die Pflegerin starrte sie an, breitete die Arme aus und schützte das Bett. Marie kam denn auch zu sich, sie erklärte, daß ihr nicht wohl sei, sie ging fort. Die Pflegerin rief sofort ihre Vorgesetzte herbei und bat sie, die Mutter des Kindes nicht wieder zu ihm zu lassen. Die Person sei gefährlich, sie müsse unbedingt etwas Schreckliches begehen. In Wahrheit ist Marie grade jetzt erschöpft und unschädlich gemacht durch den Rausch ihres Hasses. Wenn sie immer so sehr fühlt, wird sie niemals etwas tun. Ihr Unglück ist, daß sie meistens weder fühlt noch weiß, sondern nur die ihr vorgeschriebenen Bewegungen vollführt.

Bis zum Bahnhof hatte sie sich erholt, und gerade trat Kurt heraus.

»Du kommst von unserem Kind? Ich gehe zu ihm. Nein. Da ich dich einmal getroffen habe, fahre ich mit dir zurück.« Marie war einverstanden, sie sprach so höflich und gelassen wie jetzt gewöhnlich.

Sie saßen allein, aber erst kurz vor der Ankunft wagte Kurt die entscheidenden Worte.

»Wie lange soll das noch dauern, Marie? Was willst du?

Ja, du! Wundere dich nur nicht! Von uns allen willst du allein etwas. Auch wenn ein anderer es schließlich tut – du bist es gewesen!«

»Ich fürchte, du kommst noch ins Zuchthaus, Kurt. Den Eindruck hatte ich schon gleich zuerst. Weißt du noch? Wir arbeiteten auf dem Kartoffelacker, und plötzlich stand Kirsch da.«

Er wiederholte: »Was willst du?«

»Ich bin auch eine Diebin, wir kennen uns ja. Wenn man so arm ist! Dich konnte man nicht wirklich arm nennen mit deiner Verwandtschaft. Mir half auf der Welt kein Mensch, und ich hatte das Kind. Wer einmal die Not kennt – « Sie sagte her, wie ein Schulmädchen: »So groß ist keine Not, daß sie nicht ihren Meister fände, und wär es selbst der Tod.«

Er fragte gespannt: »Du denkst an Selbstmord?«

»Das möchtest du wohl?« sagte sie und lächelte. »Nein. Jetzt nicht. Zum ersten Mal in meinem Leben hab ich eine Chance. Adele will mich erben lassen.«

»Was denn? Wieviel? Du allein?«

»Alles ich. Den Harem und das Geld. Ich darf es sogar mit dir teilen, sie stellt mir keine Bedingungen. Aber ich bin vom Lande. Auf einem Hof muß einer allein der Herr sein. Laß man! Was ich kriege, behalte ich, und einen Freund, der nicht erwarten kann, daß ich abgehe, den will ich auch nicht haben.«

Er atmete auf; in diesem Augenblick hatte sie ihr bäuerliches Gesicht von einst zurück, es war wieder ernst und hart, nur seine Jugend milderte es. Er erkannte endlich Marie und schlug sie auf den Schenkel; da sagte sie: »Wenn Adele aber nicht bald stirbt, dann fang ich mit Mingo eine Fischerei an. Dann ist das aus.« Sie hielt ihn fest im Auge – und plötzlich sah sie weg.

Der Zug stand schon, in dieser äußersten halben Minute flüsterte er inständig: »Komm fort mit mir! Gleich, ganz fort! Ich will nichts haben, keine Erbschaft, ich will arbeiten für dich, aber rette mich.«

Bei »rette mich« bewegten seine Lippen sich nur noch, und sie waren weiß. Kurt bat, und er hatte nie gebeten. Marie indessen öffnete die Tür, sie stieg aus ohne ein Wort. Ihn konnte sie nicht absichtlich im Gedränge verlieren; sie wandte sich aber um, und er war fort.

Noch vierzehn Tage geschah nichts. Marie hörte in ihrer bereitwilligen, aber abwesenden Art die Pläne Bäuerleins an. Er hockte die meisten Abende vor ihr und setzte auseinander, daß er in Wirklichkeit nur Vicki lieben könne. Allerdings eine unglückliche Neigung, denn beide müssen für immer neue Erlebnisse sorgen, sonst erlahmt die Ehe, und er selbst bekommt Lust, mit Marie durchzugehen. Marie ist seine größte Versuchung, sie soll ihn erhören! Sie gab ihm recht, wie einem Gast, der viel verzehrt. Vicki konnte etwas erleben! Das versprach Marie ihm.

Kurt benahm sich als Chef, er legte sogar seine Launenhaftigkeit ab und wurde sachlich. Um so weniger traute ihm Adele. Sie hatte ihn damals doch beobachtet im Umkleidezimmer, während drunten das Ballett arbeitete. Er zog das Straßenkleid der Neumann an, sie kannte es. Die Neumann war die Längste, ihr Kleid paßte ihm. Mit der Kappe sah er besser aus als das Mädchen selbst, das ihn so sehr zu reizen schien. Adele dachte: Wie komisch! Trägt sie dann seinen Sakko? Und warum wurde er so wild, als ich es ihm sagte?

Einmal fing sie die Tänzerin ab und eröffnete ihr, sie dürfe als Solonummer auftreten. Sie setzte hinzu: »Ich tue es wegen des Chefs, damit er wenigstens für eine Solonummer den Leuten etwas zu reden gibt.«

Das Mädchen, das sich bedanken wollte, erschrak.

»Ich weiß manches: – das mit dem Kleide«, erklärte Adele ohne Übelwollen. Wenn Kurt diese Person liebte, wer hatte den Schaden? Marie! Marie – und nicht mehr

Adele, die hier einmal mit Erleichterung ihren Tod vorwegnahm. Bald sollten andere seinetwegen leiden.

Fräulein Lucie Neumann blickte ernst und gut auf die Kranke herab; das waren die Augen ihrer eigenen Welt, die wenig zu tun hatte mit ihrem Glitzerkleid. Sie dachte, daß Adele Fieber habe, und in ihrer volksmäßigen Tonart, die das Lokal niemals hörte, denn Fräulein Neumann tanzte Anmut, Hoheit und Versuchung, alles stumm, äußerte sie: »Ihnen wird wohl mulmig?«

Dann kehrte Mingo zurück, es war der 17. November, und er betrat das Pensionszimmer Maries – »wie ein Lord«, sagte sie bei seinem Anblick. Sogar das seidene Hemd war wieder da. Er zeigte festliche Stimmung, zuerst ließ er Kaffee und Kuchen heraufkommen. »Ich bin nicht mehr der arme jüngere Bruder«, berichtete er, »und ein Ziel im Leben hab ich jetzt auch. Mein alter Herr beteiligt mich an der Fischerei, sie geht wieder besser, natürlich erst, seit ich drin bin! Und Mama ist einverstanden, daß ich dich heirate, min Marie!«

Er holte den Brief hervor, einen Brief seiner Mutter an seine Braut. Er überreichte ihn feierlich, und Marie las: »Meine liebe Marie!« Das übrige unterschied sie nicht mehr deutlich, die Augen wurden ihr heiß. Einzelne Worte traten aus dem Nebel. »Er tut es nun mal nicht ohne dich. Er wollte schon wieder auf lange Fahrt gehn und zwei Jahre fortbleiben. Du bist ein ordentliches Mädchen, sagt er, und arbeitest, und so muß es denn wohl sein. Wir haben dich auch lieb, du kannst gleich herkommen.«

Er wartete. »Gott ist mit der deutschen Jugend«, versicherte er, da sie schwieg. »Jetzt müssen sie dir auch das Kind geben.«

»Schön«, sagte sie endlich. »Aber erst nachher. Hier bin ich noch nicht fertig.«

»Was meinst du damit?« Er ließ sie nicht erst antworten. »Du bist grade blaß und dünn genug. Mit dir haben sie hier allerlei angestellt, es langt. Sofort packen wir deine Sachen und reisen noch heute abend nach Haus!«

»Langsam«, sagte Marie. »Wenn dir jemand sein ganzes Vermögen verschreiben will, läßt du es einfach im Stich? Adele muß jetzt operiert werden, es ist höchste Zeit, aber ihr Herz hält es nicht mehr aus. Wenn sie stirbt, verkaufen wir das Lokal und haben Geld für unser Fischereigeschäft. Vor deinen Leuten steh ich dann anders da.«

»Wann sollte die Operation sein?«

»Nächsten Dienstag.«

»Solange können wir warten. Aber nachher machst du Schluß, ob du geerbt hast oder nicht?«

»Verlaß dich darauf!« sagte Marie.

Später besann er sich wieder. »Ich glaube die Geschichte nicht. Jetzt ist die Fuchs wohl mit Meier auseinander, aber was meinst du, was die angibt, wenn sie leben bleibt? Dann setzt sie ihren Kurt wieder in alle seine Rechte ein, und wir fliegen. Es wäre mir auch lieber. Das alles kann uns kein Glück bringen.«

»Sei nicht abergläubisch!« sagte Marie. »Komm nur mit in die Bar, Adele muß dich sehn.«

Adele bekundete großes Vergnügen, den Seemann wiederzusehn. Ihm zu Ehren sang sie »Die Stimme des Kindes«. Kurt saß mit Mingo am Tisch und lud ihn ein. Er raunte ihm zu: »Das geht auf Marie, falls du es nicht gemerkt haben solltest.« Mingo war zuerst starr. Er hatte getrunken, er schlug auf den Tisch und sagte laut: »Das alte Scheusal muß man umbringen!« Das hörten viele, auch der Aufpasser, den Kurt in der Nähe wußte.

Mingo ging herausfordernd durch das Lokal. In ein höhnisches Gesicht würde er hineingeschlagen haben. Auch hätte er Adele zur Rede gestellt; sie war aber gleich nach ihrem Auftritt verschwunden – vielleicht infolge einer Warnung oder auch, weil sie sich erschöpft fühlte, wie jetzt so oft.

Marie fragte ihren Freund, als sie allein zu Hause Kaffee tranken: »Na, willst du mit solchen Leuten sünig umgehn?« Sie meinte: rücksichtsvoll und zart. Er fürchtete: »Das Lied soll bloß nicht die Runde machen bis nach Warmsdorf!«

Sie wendete ein: »Wenn es mal hinkommt, sind wir reich, dann nehmen sie es uns nicht übel. Deshalb mußt du mit Adele nett sein.« Grade das paßte ihm nicht.

Er weigerte sich sogar, am Abend die Bar zu betreten. Er langweilte sich, wollte schlafen gehn und schlug doch zu später Stunde den Weg noch ein. Grade erschien auch Adele. Sie hatte schon zu Hause gelegen, aber bei der Abrechnung war sie trotz allem zur Stelle. Sie sagte: »Seemann! Sein Sie mal nicht so!« und setzte sich mit ihm abseits.

»Du gefällst mir, Seemann«, erklärte sie und legte ihre blitzende Hand auf seinen Arm. »Zehn Jahre jünger – was sage ich, noch vorigen Winter wäre mit uns vielleicht etwas geworden. Das ist nur Scherz«, flüsterte sie, damit er sich ruhig verhielt. »Im Ernst sollst du mir versprechen, daß du Marie immer liebbehältst. Versprich es grade mir – und achte mal auf ihre Gesichter!«

Alle Frauen schielten, außer Marie. Kurt wendete den Rücken her, aber er beobachtete den Tisch in seinem Taschenspiegel. Er hatte angefangen, gelbroten Puder auf sein Gesicht zu legen; es wurde nachgrade so bleich, daß es ihm selbst nach Unheil aussah; und auf welche Gedanken mochte es andere bringen? Sooft Adele sprach, hörte er auf zu tupfen.

Ihre Augen bekamen noch einmal Glanz, weil sie ihn ängstigen konnte. Sie hatte Macht und Gewalt, sie lebte! Zu Mingo sagte sie: »Die Leute glauben, man ist schon tot. Ich werde niemals ganz tot sein, mein Junge. Schwander ist es auch nicht, denn ich habe Angst vor ihm.«

»Wer ist Schwander?« fragte Mingo.

»Einer, der mal Hunde verkauft hat. Und dort sitzt ein anderer, der soll dasselbe, es liegt nur an mir, an Adele. Ich kann das!« rief sie laut.

»Was kannst du?« fragte Kurt in seinen Spiegel hinein. Sofort erschrak Adele. Der belebende Kitzel, den sie während dieses Gespräches gefühlt hatte, verließ ihren armen Leib, schwerfällig stand sie auf, um einer schlimmen Nacht mit ihrem Süßen entgegenzugehen.

Die letzten drei Tage vergingen in einer lähmenden Schwüle, alle empfanden sie und hatten Mühe, den Gästen keine besorgten Mienen zu zeigen. Unbefangen blieb nur Marie. Sie sagte zu ihren gewöhnlichen Kunden, darunter Bäuerlein: »Der Chef spielt nächstens in einem Kriminalfilm mit. Erzählen Sie es aber nicht weiter! Er ist schon ganz in seiner Rolle.« Sie lachte leichthin.

Jeden Abend einmal machte er ihr einen Auftritt wegen eines vorgeblichen Versehens. Sein Zweck war einzig, ihre Aufmerksamkeit ganz auf sich zu lenken. Sie sah ihn denn auch eine Weile an und schüttelte den Kopf. Es konnte ein Zeichen sein: noch ist nichts geschehen. Oder hieß es einfach: warum regst du dich auf?

Mingo starrte in sein Glas. Der Zusammenstoß Maries mit Kurt entging ihm nicht; nachher ließ er wieder den Kopf sinken. Ihn drängte sein dumpfer Sinn, aufzuspringen und um Hilfe zu rufen. Scheu stellte er fest, daß niemand in dem munter lärmenden Lokal ihn begreifen werde. Wochenende, Hochbetrieb – und er hätte aus dem Revier drüben zwei Schupos geholt, wäre mit ihnen unter das Publikum gedrungen und hätte gefordert: Verhaften Sie –! Wen eigentlich? Mingo starrte in sein Glas, während ein Schauder über ihn hinlief.

Nina allein erteilte ihm einen Rat. Sie äußerte Besorgnisse für sein Mädchen und sogar eigene Befürchtungen. »Kündigen Sie im Namen von Marie! Sie sind ihr Verlobter. Nennen Sie als Grund, daß der Chef ungerecht ist.

Hauen Sie ihm eine herunter. Gehn Sie mit Krach ab, und lassen Sie Marie nicht los! Ich selbst habe Adele zum Ersten aufgesagt und werde froh sein, wenn ich draußen bin.« Sie rechnete nach. »Noch neun Tage bis zum Ersten. Werden wir die alle erleben?«

Mingo bemerkte, daß sie die Karten gelegt hatte. »Steht was drin?« Er lachte zu herzlich. »Nein«, sagte Nina und lachte ebenso.

Was die Kündigung betraf, Adele selbst machte sie ihm leicht. Am Sonntag besuchte sie die jungen Leute des Nachmittags in ihrer Pension.

»Jetzt brauche ich euch nur noch morgen«, bestimmte sie. »Endlich ist mein richtiges Testament in allen Punkten vorbereitet. Ich bestimme, daß ihr beiden jeder die Hälfte erbt; aber wenn sie dich heiratet, bekommt Marie das Ganze. Morgen gehen wir drei zum Notar, es darf keine Anfechtung möglich sein.«

»Heute«, berechnete sie, »haben wir Sonntag Cäcilia, da singe ich noch mal, und ihr hört mich im Harem zuletzt. Morgen, nach der Unterzeichnung, lege ich mich in die Klinik, dort sollt ihr mich nicht ansehn, ich werde nicht schön sein. Aber ich kann noch dreißig Jahre leben, und so ist mir auch. Das müßt ihr nicht abwarten. Fahrt, gleich nach unserem Geschäft beim Notar, zurück in eure Heimat!«

Auch diesen Sonntag abend, den Zweiundzwanzigsten, fand der Chef wieder einen Vorwand, Marie beiseite zu rufen. »Fräulein Lehning!« befahl er schroff und ging ihr voraus nach dem Hofausgang. Gewohnheitsmäßig wollte er seinen Mantel vom Haken nehmen. Während er hinlangte, mußte ihm wohl einfallen, daß sein Mantel heute nicht dort hing. Auch Marie achtete darauf. Sie fand den Mantel Mingos neben ihrem eigenen; sie selbst hatte dafür gesorgt. Der Mantel Kurts fehlte.

Beide traten unbedeckt an die kalte Luft. Der Chef hatte den Fehler der Barfrau ganz vergessen; er fragte: »Nun?«

Sie erwiderte: »Morgen beim Notar.«

Er schwieg – wollte sich an die Wand lehnen, rechtzeitig erinnerte er sich seines Abendanzugs. Im Hof war es dunkel, Marie unterschied nur diese Bewegung.

»Dann heute abend!« sagte Kurt, der wieder gradestand. Sie hatte schon die Hand auf dem Türgriff, um hineinzugehn. Sie hörte ihn raunen: »Versprich wenigstens – nachher –! Dann hast du doch erreicht, was du wolltest!« Dies endete wie ein unterdrückter Hilferuf.

Aber sie wandte sich nicht zurück.

Um elfeinviertel, wie gewöhnlich, bestieg Adele das Podium. Besonders stürmischer Beifall begleitete sie, man hörte gar nicht auf. Sie stützte sich schwer auf den Stuhl des Kapellmeisters, aber das Lächeln des Erfolgs überstrahlte den Schmerz, den ihr Körper litt. Noch einmal vergaß sie ihn und sang – alle ihre Schlager, nur nicht »Die Stimme des Kindes«, obwohl danach gerufen wurde. Als man sie noch immer nicht herunterließ, schien es, als wollte sie nachgeben. Dann irrte ihr Blick hinüber zu Marie. Dann beugte sie sich gegen die nächsten Gäste vor und sagte: »Das ist zu anstrengend, ich muß mich auch mal ausruhn.«

Damit ging Adele ab durch das ganze Lokal. Die fünfzehn Stufen der Treppe herab schwebte soeben das Ballett – glitzernd, blühend, große Scheiben aus Flitter hinter den süßen Köpfen, langbeinig, jung. Die alte Adele befahl, während Fräulein Neumann an ihr vorbeihüpfte: »Ihr arbeitet volle zwanzig Minuten. Ich will so lange oben allein sein.«

Dann benutzte sie den Augenblick, als alles den Tänzerinnen entgegensah, um hinter ihnen, gebückt und mühevoll, aber so schnell sie konnte, sich mit Händen und Füßen über die fünfzehn Stufen zu hissen. Fast allen entging der Anblick. Marie verlor ihn nicht.

Schon drei oder vier Minuten später hörte sie den Schrei

und fiel hinter dem Buffet hart auf die Knie. Die Musik spielte laut, das Lokal schallte vom Lärmen, an welches Ohr konnte ein so schwacher Schrei dringen! Seine Herkunft war weit entfernt und hinter einer dicken Tür.

Rechtsanwalt Bäuerlein suchte auf seinem Hocker nach Marie, er redete dabei weiter, hemmungslos und ins Leere. Marie kam sogleich wieder zum Vorschein, sie herrschte Bäuerlein an. »Los! Laufen Sie hinauf! Adele hat gerufen, hören Sie nicht? Ihr ist etwas geschehen!« Sie stieß ihn von seinem Sitz. »Machen Sie doch!«

Endlich setzte er sich in Bewegung. Aber jemand überholte ihn – langte droben schon an und verschwand. Mingo! Einzig Marie hatte ihn gesehen, und jetzt schrie sie selbst.

»Mingo! Nicht du!«

Der Schrei gellte. Dennoch konnte man ihn auch für Gelächter halten, die hier ausgestoßenen Laute waren gegen zwölf Uhr nicht mehr alle deutlich zu bestimmen. Marie fiel einer Anzahl von Personen erst auf, als sie sich in die Arme Ninas stürzte, sie umklammerte und immer wieder um Hilfe rief. Die anderen Barfrauen hatten ihre Plätze verlassen, sie drückten sich in die Ecken, manche Gäste sprangen auf. Die Tänzerinnen hielten auf dem Fleck an, die Musik setzte aus.

In diesem Augenblick erschien auf der Treppe ein Mann, dem von den Fingern Blut troff. Er hielt sie gespreizt, so daß man es sah. Außerdem hatte der Scheinwerfer das Ballett verlassen und fiel genau auf ihn. Er war ein Gast, die Eingeweihten kannten ihn als den Freund der Barfrau Marie. In der nächsten Sekunde sprang er schon aus dem Bereich des grellen Lichtes, und in der um so tieferen Dunkelheit nebenan verschwand er sofort.

Jetzt brachen alle los, sie stürmten – nicht dem Entflohenen nach, sondern durcheinander. Auch ihre Rufe verwirrten sich, keiner verstand mehr. »Geschäftsführer! Wo bleibt die Direktion! Ein Mädchen ist fort! Hintenraus mit dem Mörder!« Sie wußten auf einmal: ein Mord! »Er hat ein Mädchen ermordet! Polizei!«

Die nächsten an der vorderen Tür tobten, aber der Portier gab sie ihnen nicht frei. »Niemand verläßt das Lokal!« Er hielt ihnen stand, er war stärker. Das kostete Zeit – während derer ein Kriminalbeamter fruchtlos umherarbeitete im Gewühl. Als er sich bis zum hinteren Ausgang durchgekämpft hatte, fand er ihn von außen verschlossen. Dort waren Marie und Mingo geflüchtet. Vorn wurde er abgedrängt, ihm blieb endlich nichts übrig, als zu telefonieren nach der Polizeiwache, die gleich gegenüberlag.

Längst saßen Mingo und Marie im Wagen Bäuerleins. »Gehen Sie schnell hinein, Edgar!« rief Marie dem Chauffeur zu. »Ihrem Chef ist etwas zugestoßen!« Er war kaum erst beim Eingang der Bar angelangt, da rasten sie schon davon. In der Seitenstraße sahen sie noch Kurt laufen – nicht überstürzt, und auch seinen Mantel hatte er an, so gut wie sie die ihren.

Der Kriminalbeamte untersuchte inzwischen die oberen Räume des Harem. Das Umkleidezimmer ist verschlossen. Im Schlüsselloch findet er kein Licht. Er hat vorhin doch aufgepaßt, niemand ist dort eingetreten außer einer Tänzerin und der Eigentümerin selbst, Adele Fuchs. Vor zwölf oder dreizehn Minuten hat er hier oben schon einmal nachgesehen. Das Ballett verließ grade die Garderobe; er wollte nicht auffallen und versteckte sich in der Herrentoilette. Zur gleichen Zeit ging hinter den Rücken der letzten Tänzerinnen über den kleinen Flur ein einzelnes Mädchen. Er konnte nicht feststellen, woher das Mädchen kam. Die Treppe herauf? Aus der Damentoilette? Aber er erkannte sie von der Seite am Kleid und am Hut, es war die Tänzerin Neumann.

Sie öffnete schnell das Umkleidezimmer, das damals beleuchtet gewesen war. Eine Minute später folgte ihr Adele.

Erst nachdem auch sie hinter der Tür verschwunden war, fiel es dem Beamten ein, sich drunten selbst zu überzeugen, daß die Tänzerin Neumann im Ballett wirklich fehlte. Das kam jetzt tatsächlich vor, sie hatte eine Einzelnummer. Dennoch zweifelte er nachträglich – mit Recht übrigens, denn die Neumann tanzte inmitten der andern. Er hatte nur die Zeit, nahe heranzutreten, da ereignete sich schon der Vorfall mit Mingo, der bluttriefend die Treppe herunterstolperte.

Seine Freundin Marie hat das vorher gewußt, sagte der Beamte sich, während er jetzt vor der verschlossenen Tür des Umkleidezimmers stand und im Schlüsselloch kein Licht fand. Sie hat sich auffällig benommen, noch bevor ihr Freund auf der Treppe erschien. Dann ist sie mit ihm geflüchtet. Andererseits – wo steckt der Geschäftsführer?

»Hierherauf!« rief er von der Treppe. »Habt ihr den Schlosser mit?«

Die Tür wurde erbrochen, aber der Inspektor befahl den Sipo-Beamten, draußen zu bleiben, bis er das Licht angedreht habe. Dies erwies sich als richtig, denn im Dunkeln hätte man in Blut gefaßt. Um den Lichtschalter zu finden, stieß jeder Eintretende notwendig an den Tisch, gleich seitwärts von der Tür; der Tisch aber und die Kleidungsstücke, die darauf lagen, waren bedeckt mit Blut, sie schwammen darin. Der Inspektor, ein Fünfziger, der früher als Schutzmann an der Ecke gestanden hatte, neigte sich hinüber; die herabhängenden Kleidungsstücke verdeckten, was dahinter am Boden lag. Als er es erblickt hatte, wendete er sich, das Gesicht plötzlich weiß wie seine Haare, den Leuten wieder zu und sagte: »So scheußlich macht das nur ein Gelegenheitsarbeiter!«

Hierauf bemerkte er, daß es kalt war im Zimmer und das Fenster weit offenstand. Blutspuren an der äußeren Wand kennzeichneten den Weg des Täters bis zu der Feuerleiter, die in den schwachbeleuchteten Hof hinabführte. Wie weit konnte er kommen? Zweifellos hatte er sich bei seiner Arbeit so zugerichtet, daß der nächste Schupomann ihn anhielt. Nein! Anders! Dort im Winkel lag, naß von Blut, das Kleid, das er während der Tat getragen hatte. Der Inspektor erkannte es wieder und ebenso die Kappe.

Die gefundenen Tatsachen genügten ihm; er verließ das Umkleidezimmer und stellte einen Posten davor auf. Drunten im Lokal fragte er nach dem Geschäftsführer. »Nicht wieder aufgetaucht? Na schön. Die Herrschaften sind sofort erlöst«, verhieß er den Gästen, die nicht mehr lärmten und drängten, sondern stumme, erbitterte Gruppen formten. »Nur Ihre Namen müssen wir feststellen, soweit wir sie nicht schon kennen – wie Herrn Rechtsanwalt Bäuerlein, den ich trotzdem bitte, zu unserer Verfügung zu bleiben.«

Das Weitere überließ er seinen Untergebenen. Er selbst überquerte die Straße, und vom Revier aus sprach er im Präsidium mit dem Kriminalkommissar Kirsch. Als sein Bericht zu Ende war, aber keine Antwort erfolgte, sagte er noch: »Ich glaube, Herr Kommissar, daß ich meine Pflicht getan habe. Drei Minuten vor der Tat kontrollierte ich den Tatort. Das – das konnte niemand vermuten!« Er hörte nichts, merkte endlich, daß eingehängt war, und ließ sich schwer auf einen Stuhl fallen.

Kurt war längst bei seiner Schwester. Er hatte eine Taxe genommen, und jedesmal, wenn ein hellerer Schein in das Innere des Wagens fiel, hatte er an seinem Gesicht gewischt und seine Kleider geordnet. Er gelangte geräuschlos bis in die Wohnung; auf der Treppe, die er im Dunkeln hinaufschlich, war er niemandem begegnet und mußte bei Vicki nicht anklopfen, ihre Tür stand halb offen. Sie erhob sich sofort und ging ihm entgegen. Drei Schritte voneinander entfernt hielten beide an.

»O Kurt!« sagte Vicki leise und mit Entsetzen.

Seine Augen schweiften ab, er machte ein verstocktes Gesicht, wie vor dem Weinen.

»Sie hat dich dahin gebracht!« war das erste Wort seiner Schwester. »Du hast es getan, weil sie es wollte!«

Seine unruhigen Augen hafteten kurz auf ihr; sie bestätigten: Es war nichts zu machen, ich mußte.

»Wärest du trotz allem hergekommen, Kurt! Hättest du mich grade jetzt nicht liegengelassen! Ich würde dich gehalten haben! Was auch immer zwischen uns getreten war, ich bin Vicki, du bist Kurt!«

Sie sprach in furchtbarer Eindringlichkeit, ihr ganzes Inneres kehrte sich ihm offen zu. Bei ihren ersten Worten zuckte er die Schultern. Bei ihren letzten brachen seine Tränen aus. Er winselte, kreischte leise dazwischen und schluchzte endlos – dies alles auf den Knien und in seine beiden Hände hinein. Sie bewegte sich indessen von einer der Türen zur andern, schloß sie alle, drehte die Schlüssel um und schob Riegel vor. »Ich wollte es nicht glauben, obwohl ich mir alles vorher ausrechnen konnte«, sagte sie während ihrer Tätigkeit. »So viel Bösartigkeit schien mir märchenhaft – selbst bei Marie!«

Hier kehrte sie zu ihm zurück und hob ihn an beiden Armen vom Boden auf. »Sieh mich endlich an! Hier frißt dich niemand. Was wird schließlich sein!«

Er faßte sich so weit, um eine Grimasse zu schneiden, darin lagen die leicht vorauszusehenden Ereignisse, die allerdings sein mußten. »Nein!« rief sie im Ton des Befehls. Er strengte sein Gesicht an, damit es sich noch einmal zur Ironie verzog. »Wollen wir auch das nicht ernst nehmen?« fragte er.

»Ganz ernst, Kurt! Endlich mal ernst aus voller Kraft!« Sie reckte sich auf und erbebte unter dem Druck ihres Willens. Er hielt den Atem an – ohne sein Dazutun strömte ihr Mut in ihn über. Als er sich selbst zurief: Ich muß die Nerven behalten – hatte er sie auch schon zurück. Er sah seine Schwester tiefbraun und wußte, wie weiß sein eigenes Gesicht war. Blick in Blick mit ihr, merkte er, daß er Farbe bekam.

»Sage mir alles!« Sie legte ihm ihre Hände auf die Schultern, aus solcher Nähe hörte sie ihm zu. Endlich behauptete sie: »Mingo ist genauso verdächtig wie du.«

Er überbot sie. »Mehr! Im Lokal hat er schon längst laut ausposaunt, daß man die Alte umbringen müsse.«

»Jedenfalls ist er geflüchtet – mit Marie, und die hat sich mal sicher verraten! Wie sie haargenau alles festgelegt hatte! Aber etwas ist ihr fehlgegangen, sonst wäre Mingo nicht in das dunkle Zimmer getappt! Sie hat damit gerechnet, daß du es verdunkeln würdest. Jemand sollte sich darin blutig machen, nur nicht ihr Mingo. Ein anderer sollte es sein. Wer denn? Weißt du, wer!« rief sie aus. »Bäuerlein! Dann wären wir alle mit drin, dann hat sie uns alle.«

»Wir waren Kinder«, bemerkte Kurt, auf einmal fühlte er sich mehr durchdrungen von den Taten Maries als von seinen eigenen.

Seine Schwester erinnerte ihn: »Auch mich hat sie dahin getrieben, daß ich auf sie schießen mußte.«

»Mich hat nur sie zu der Sache gezwungen. Die bringt einen um den Verstand.«

»Ich hatte keine Schuld. Du hast auch keine.«

»Wir sind unschuldig!« schwuren sie einander zu, aufgehoben von Leidenschaft und mit vermischtem Atem. Plötzlich stießen ihre Gesichter zusammen im Kuß. Sie küßten lange, sie schlossen die Augen, beide erfüllt vom gemeinsamen Geschick. Wir haben einander wieder! Endlich sind wir nicht mehr die Überlegenen und Halben. Zum ersten Mal steht es ernst bis ins letzte. Wir sind Zwillinge, allein auf der Welt, verkettet, gefangen, ohne Ausweg, am äußersten Rand. Jetzt aber küssen wir – und werden stark. Das ist die Liebe. Da es nicht Haß hat werden können, bleibt es wie je unsere einzige Liebe.

Dies festgestellt, wurden die Geschwister sachlich und knapp.

»Wir werden uns wehren.«

»Bäuerlein kommt nicht. Den halten sie wohl auf der Wache fest. Er ist mit verdächtig.«

»Auch gut. Er hätte uns Schwierigkeiten gemacht. Merke dir eins, Kurt: du leugnest! Was auch kommt, du leugnest!«

»Sie werden an mir kein Blut finden wie an Mingo.«

»Ich belaste Marie«, sagte Vicki. »Sie hätte mich damals erwürgt, wenn ich nicht geschossen hätte.«

»Was sie mit mir gemacht hat, heißt intellektuelle Urheberschaft oder ähnlich.«

»Du leugnest die Tat. Sie konnte dich dazu nicht bringen. Da mußte Mingo ran.«

»Wir werden mit unseren Aussagen sogar Kirsch verrückt machen. Gleich wird er hiersein.«

»Sie haben nur das Haus umstellt. Sie holen dich erst morgen früh. Schlafe solange! Du sollst vollkommen ausgeruht sein.«

»Wenn sie mich verhören, denk ich an dich. Während des ganzen Prozesses – Vicki, immer an dich!«

»Du kommst los!«

»Und wenn nicht!«

»Du kommst los!«

»Auch im Zuchthaus denke ich an dich und leugne weiter.«

»Und ich bin da. Wenn es dahin käme, kämpfe ich für die Wiederaufnahme des Verfahrens. Das Leben ist lang.«

Jedenfalls vergaßen sie schnell, und nur das eine blieb ihnen unwandelbar gegenwärtig: sie selbst.

Marie, an der Seite Mingos, der den Wagen Bäuerleins mit achtzig Kilometer Geschwindigkeit über Land steuerte, was erblickte sie? Die Treppe, das Blut, es tropfte mitten in den Flitter des Balletts, und dazwischen stahl sich ein entfernter Schrei. Ein unheilvoller Nebel aber trennte sie von den Vorgängen, den Menschen.

Sie nahm sich vor, den Arm ihres Freundes zu berühren, ob er wirklich wäre. Aber sie regte sich nicht. Ein schwarzer Himmel lag auf den Straßen, der umgrenzte Schein der beiden Lampen flüchtete vor ihr her, und sie dachte nicht anders, als daß sie einsank in diese Nacht immer tiefer und für ewig.

Mit hinein nahm sie eine Welt. Sie hörte ihren alten Schullehrer sprechen: Marie soll allein singen! Sie wollte wahrhaftig singen in ihrem Nebel: Lütt Matten, de Haas – aber eine Lokomotive brauste heran, es verschlug ihr den Atem. De mok sick een Spaß, sang ihre innere Stimme – da brach die Flut über den Katen herein. Marie sang tapfer in tiefer Nacht: He wier bit studiren, dat Danzen to lieren. Un danz ganz alleen op de achtersten Been. Schon verlor sie den Boden, fiel hin, und ein Schuß traf sie. Auf! Fliehen! Du hast die Schuhe gestohlen! In einem erschien ihr verlorenes Kind, in einem das Gesicht Adeles.

Mingo! wollte sie rufen. Vergebens, er betritt die Treppe, von seinen gespreizten Fingern rinnt wieder das Blut. Das arme Gesicht Adeles, Scheinwerfer, ringsum Nacht. Mein Kind! Einen Augenblick kam sie zur Besinnung, sie hörte ihn sagen: »Mach das Fenster zu, du klapperst mit den Zähnen!« Plötzlich spürte sie auch den Sturm an den Wagen prallen. Feuchter Sturm, Eissturm – Mingo, wohin fährst du? Sie brachte die Frage nicht mehr vor. So schnell, wie aufgewacht, versank sie in ihre eigenen Stürme. Die Wanzen! Ich bringe sie um! Die Landarbeiter werden im Winter entlassen! Dabei dreht sie sich, alles dreht sich, sie und Mingo tanzen! Die Wanzen, wir tanzen! Vor dem Spiegel hingesunken, keucht sie: Lütt Matten gev Pot, de Voß bet em dot, im Winter entlassen, wir müssen uns hassen – alles nach derselben alten Melodie, aber Jazzmusik.

Der Lärm wurde schwächer, das Lokal leerte sich, nur noch die Abrechnung! Dumpfes Erwarten im Dunkeln, was für Stimmen jetzt herannahen. Noch flüstern sie. Essen! Gib mir zu essen! Ich hab nie satt gegessen! Das war Mutter Lehning aus dem Armenhaus in Brodten. Ihre Stimme erhob sich, kreischte – und wurde dennoch übertönt von der entfernten, längst vergessenen Stimme eines Kindes, eins der kleinen Geschwister, die geholt worden waren von der See. Die kleinen Pantinen! Da stehen sie noch nebeneinander auf dem Bollwerk! An der Friedhofsmauer stößt Frieda ihren Schrei aus. Du bist doch in der Krankenkasse? Aber nicht dafür! He sett sick in Schatten, verspies denn lütt Matten. De Krei, de kreeg een von de achtersten Been – sang immer jemand dazwischen. Das Herz Maries sang endlich allein, nur leise, leise, und sie entschlief mit ihrer ganzen Welt.

Sie war halb erwacht, wollte nicht weiter erwachen, da schrak sie auf. Es liegt Verdruß zum Haus in der Morgenstunde! Morgens zwischen vier und fünf mußt du auf dich aufpassen! »Mingo?« fragte sie.

»Min Marie!« antwortete er.

Der Wagen fuhr durch den Sturm wie je, sie aber erkannte jetzt die Luft, die See war nahe.

»Ist es zwischen vier und fünf?«

»Nein, min Marie. Das Schlimmste hast du verschlafen. Is all söß. Nu föhr ick di na Hus.«

Indessen ahnte sie in der undurchsichtigen Dämmerung einen Strand, der nicht Warmsdorf war. »Du fährst man um«, sagte sie, und er leugnete nicht. Beide fürchteten heimzukehren, wußten nicht, wohin, und Marie widersprach nicht, weil sie fortwährend die Richtung änderten, langsamer wurden und ohne Ziel blieben. »Fahr zu dem Hof, wo ich gedient habe! Der Bauer versteckt uns.«

Als dann der Hof in Sicht kam, bog er ab, und sie ließ es geschehn. Jetzt war der Weg erreicht, der schlechte Feldweg nach Warmsdorf, es gab keinen andern mehr. Den waren sie gefahren und gegangen vereint durch Glück und großes Leid vorzeiten wie heute, und einmal ist das letzte. Angelangt vor dem Dorf, hielt endlich der Wagen. Er hatte sie dahin getragen ohne Unterlaß seit dem Augenblick, als in Berlin ein Mord entdeckt war. Sie hielten und sahen einander an.

Marie hatte Augen, die er erst später verstand. Er fühlte allein: Marie und mein Arm, der sie schützt, Marie an meiner Brust! Dort lag sie reglos, endlos – aber wenn Mingo nichts wahrnahm als das Klopfen ihrer Herzen, Marie hörte auch die See, die hochging, immer höher, mächtiger, unausweichlicher. Komm, Marie!

Sie öffnete den Wagenschlag, sie stieg aus. »Ich weiß was. Warte hier!« Sie setzte sich in Bewegung, sie lief schon und rief noch: »Töw man! Ick weet all.«

Sie nahm die Abkürzung über die Wiesen, sie stieß auf die Strandpromenade von rückwärts, durch den schmalen Gang bei Köhns Hotel. Zuerst mußte sie sich an der Mauer des Hauses festhalten gegen den Sturm. Die Wellen schlugen bis über das Bollwerk, und jeder Anlauf türmte die donnernden Massen. Marie betrat das Bollwerk, sie kämpfte um jeden Schritt. Dort drüben ist der Platz, steil steht das Wasser davor, aber sie sieht hindurch, es hat den Katen verschlungen. Es hat alles verschlungen, auch mich! Hinab an derselben Stelle! Hinab!

Sie kämpfte, da bemerkte sie, daß eine Gestalt sie schon erwartete dort drüben. Sie wußte auch sofort, welche es war, obwohl sie gegen den fahlen Himmel dastand wie ein Stein, schwarz und von Wind und Wellen unbewegt. Sie erinnerte sich des Steines aus einer anderen, fernen Morgenfrühe. Schon damals floh sie, er verstellte ihr den Weg, wie jetzt. Seitdem hatte er nach und nach ein Menschengesicht bekommen, einmal vor kurzem hatte er zu ihr gesprochen wie du und ich. Kommt eins nach dem andern, aus Stein wird Mensch, aus Mensch wieder Stein. Wir sind zurückgekehrt, ich und er, die Füße stocken, die See will mich holen, aber ich muß zu ihm!

So kam sie denn hin, die wenigen Schritte wurden zum meilenweiten Abstand, sie schwankte, verlor den Boden, aber bevor sie in die Welle stürzte, fing Kommissar Kirsch sie auf.

Er brachte sie zu seinem Wagen, grade stellte ein anderer sich daneben, und Mingo sprang heraus.

»Da bin ich, Herr Kommissar. Verhaften Sie mich! Marie ist unschuldig.«

»Du auch. Der Täter ist verhaftet.«

Mingo keuchte, er brachte hervor, man verstand es kaum: »Was wollen Sie dann von uns?«

»Ich muß beweisen, daß ihr die Tat nicht begangen habt.« Das übrige ließ er aus: Und eine andere mußte ich verhindern. Wenigstens die.

»Können Sie es auch beweisen?« fragte Marie und weinte laut auf – weinte weiter, weinte sich zurück in das Leben.

Kirsch sagte: »Heul du man, lütt Deern!« Mit seiner massigen Gestalt schob er sie in den Wagen. Ihrem Freund befahl er handgreiflich, sie nach Haus zu fahren. Mingo legte alle Kraft in sein letztes Wort: »Sie ist unschuldig!«

Kirsch nickte. Noch sah er ihnen nach, er bedachte, daß keine Marie unschuldig gewesen wäre, wenn man von dem Geheimnis, das sie alle sind, nur so viel gekannt hätte wie üblich. Zufällig wußte jemand, er selbst, mehr von dieser.

Er stieg in sein Polizeiauto, schwerfällig und verdrossen. Gut, daß man nicht von jedem alles weiß! Jeder wäre unschuldig.

Nachwort

von Elke Segelcke

Die satirische Kritik am Bildungs- und Besitzbürgertum, wie sie der Autor der ›Kaiserreich-Trilogie‹ in Abrechnung mit dem wilhelminischen Untertanentypus bis zum Ersten Weltkrieg geübt hatte, tritt in Heinrich Manns epischem Werk der Weimarer Republik zurück hinter eine an Mittelstand und Proletarier gerichtete Romanfolge über Pflichtbegriffe, soziale Verantwortung und Hoffnungsfreude. Programmatisch für die republikanische Schaffensperiode wird – nach den um Inflation und Generationsproblem kreisenden skeptischen Nachkriegsnovellen – der vom Oberingenieur Birk in der *Großen Sache* formulierte Lehrsatz: »Er hoffte der Jugend zeigen zu können, daß von den äußeren Bedingungen, die uns die Welt aufdrängt, alles, nur nicht die Freiheit unserer Seele abhängt. Birk trug sich mit drei Forderungen an sich und die Seinen: Lerne verantworten! Lerne ertragen! Lerne dich freuen!« Die Republikromane *Mutter Marie* (1926), *Die große Sache* (1930) und *Ein ernstes Leben* (1932), die in der Heinrich-Mann-Forschung aufgrund ihres moralisierenden Märchencharakters meist als schwächere Nebenwerke des Autors mit Tendenz zur Kolportagehaftigkeit abgewertet werden, gewinnen im Zusammenhang mit der Gesellschaftskrise der zwanziger Jahre und dem Anliegen, das Heinrich Mann mit dem sozialen Roman verbindet, wonach sich Demokratie nicht ohne Darstellung der Gesellschaft heranbilden kann, ihre eigentliche Bedeutung.

Als Grundstimmung dieser Werke, mit denen es am Ende der Weimarer Republik galt, das in ihnen im Prinzip der sozialen Verantwortung verkörperte demokratische Element gegen den Abbau der öffentlichen Demokratie ins Feld zu führen, tritt als Signum der Epoche die Unsicherheit zutage. Im Kontext der Proletarisierung kleiner und mittlerer Schichten des Bürgertums in der nachinflationären Gesellschaft, geprägt von Existenzangst, sozialmoralischer Orientierungslosigkeit und Relativierung überkommener Wertbegriffe, ist es vor allem das Phänomen der durch den Krieg depravierten und radikalisierten Jugend, mit dem sich der soziale Romancier in einer Reihe von Aufsätzen kritisch auseinandersetzt. Sie lesen sich wie ein sozialpsychologischer Kommentar zu den Republikromanen. Früh konfrontiert mit dem verschärften Daseinskampf, der Unsicherheit der sozialen Positionsbestimmung und der Furcht vor Überalterung (die Angestelltenängste und -illusionen hat Siegfried Kracauer in seiner kultursoziologischen Studie *Die Angestellten* von 1930 anschaulich beschrieben), kann sich die junge Generation der ›Neuen Sachlichkeit‹ Geist, Ideen, Rechtsdenken und Gefühle kaum leisten. Mit der Veränderung der realen Lebensbedingungen sind an die Stelle geistiger Auseinandersetzung der Kampf ums tägliche Leben, das Geld und der Genuß getreten, wobei immer zu berücksichtigen bleibt, »in welche Welt sie hineingeboren sind, und was für Väter sie haben [...] Das Selbstbewußtsein der Jungen und ihre Eigenmächtigkeit stammen aus dem Krieg« [*Tragische Jugend* (1922)]. Als Chiffre für den Zusammenbruch traditioneller Bindungen und überlieferter Autoritäten wird die Jugend in diesen Romanen repräsentiert von jungen Leuten, die aus den Gefährdungen einer am Ende der Republik politisch und moralisch verfallenden Gesellschaft mit Hilfe geistig-moralischer Vaterfiguren zurück zu ihrem sittlichen Kern finden.

Geschäft und Liebe als treibende Motive der Handlung führen in das Abenteuer von Existenzkampf und Erwerbsgier, die sich in der Atmosphäre einer weitverbreiteten Schiebermentalität während der Inflationszeit zu einer sozial verbindenden Macht entwickeln, womit sich bürgerliche Ehrbarkeit und Hochstapelei nicht mehr voneinander unterscheiden. Die fließend gewordene Grenze zwischen Schiebertum und Notkriminalität (Diebstahl, Betrug und sogar Mord), die die noch relativ starre sozialmoralische Ordnung des Kaiserreiches endgültig einstürzen läßt, veranlaßt Heinrich Mann denn auch im Rückblick seiner Memoiren von einem »kriminellen Zeitalter« zu sprechen. In einem Brief an den Bruder Thomas von 1932 kommentiert er unter Anspielung auf *Ein ernstes Leben* das Ausmaß der kriminellen Durchsetzung der Weimarer Gesellschaft, die ihn bei seinen Figuren zuletzt immer auf das Verbrechen stoßen läßt: »Es ist eine Macht geworden, menschlich und sozial, die wir erst jetzt erkennen lernen, und der Einfluss auf die Zurückgebliebenen, wie jenen Bäuerlein, beweist vielleicht das Meiste [...] Das geschlossene Idyll der ersten Kapitel blieb [...] zurück, und das Leben wurde unübersehbar – die Auflösung, wie Du sagst. Nur, diese Marie behält ihre innere Festigkeit, und so kommt sie hindurch. Das ist der Sinn, wenn das Buch einen hat.« [vgl. Materialien, Nr. 7]

Zur Gestaltung des Auflösungsprozesses der bürgerlichen Gesellschaft am Vorabend der Machtergreifung bedient sich Heinrich Mann in seinem letzten Roman vor der Emigration (in dem er Kindheits- und Jugendeindrücke seiner zweiten Frau, Nelly Kröger, verarbeitet hat) der populären Form des Kriminalromans, der allerdings eine wesentliche Umfunktionierung ins Moralistisch-Gesellschaftskritische erfährt. Die private Lebensgeschichte wird ins sozial Gleichnishafte im Sinne einer Parabel auf das (ernste) Leben erhoben: trotz aller Zufälligkeit der Biographie und sozialen Bedingtheit des Menschen, dessen Kriminalität aus einer Verkettung von Umständen entsteht (»Ein Verbrechen ist kein Verbrechen, es ist die Endsumme von Bagatellsachen. Der Verbrecher ist auch nur ein Fazit« [S. 225]), muß der einzelne dennoch sein Handeln verantworten. Das Verhalten der Figuren, die sich in Intrigen, Betrug, Diebstahl, Kindesentführung und schließlich Mord verstricken, wird von einer allgemeinen Krisenerfahrung bestimmt. Stellvertretend für die junge Generation faßt Marie Lehning, die als Lebenskämpferin in ihren verschiedenen Entwicklungsstationen vom Tagelöhnerkind in einem Ostseefischerdorf, als Näherin und Landarbeiterin bis hin zur Bardame in der Berliner Halbwelt gezeigt wird, ihre Lebensperspektive zusammen als »Arbeiten, verlassen werden, hungern und für andere sorgen, nie das Morgen kennen, am Ende sterben – und dazwischen Unrecht tun« [S. 81]. Während sie in der Schule Einsicht in die strenge Sozialhierarchie ihrer dörflichen Umwelt gewinnt (»Die Fischer standen obenan, etwas abseits die Kaufleute, viel tiefer die Bauern – aber wann kamen die Landarbeiter? [...] ›Wir sind die Untersten‹, erkannte Marie.« [S. 15f.]), wird sie von dem moralisch haltlosen und später sozial deklassierten Zwillingspaar, dessen bürgerlich unsolide Eltern vorübergehend als Inflationsgewinnler von der Scheinkonjunktur profitieren, über die zeitgemäße Lebensmaxime, anderen »ein Bein zu stellen«, belehrt.

Das im Roman leitmotivisch immer wieder anklingende Schicksal von »Lütt Matten de Haas« [S. 12f. zum erstenmal, S. 272f. zum letztenmal], der aufgrund seiner Naivität und zu großen Vertrauensseligkeit am Ende vom listigeren Fuchs betrogen und gefressen wird, reflektiert bis zu einem gewissen Grad ihre eigene Lebenssituation in der von Wolfsgesetzen regierten Nachkriegsgesellschaft, in der sie sich zunehmend als ›Spielball‹ und Opfer anderer fühlt. Auf der Flucht vor ihrer Herkunft lernt sie sich an den Lebenskampf aller gegen alle anzupassen und beginnt, anfangs im Sinne bloßer Notkriminalität, selbst Schuld auf sich zu laden. Doch im Unterschied zu den zynisch-sachlichen Zwillingen, die wie der Syndikus Bäuerlein den »Bruttowert eines Menschen« dadurch bestimmt sehen, »wie weit seine kriminelle Veranlagung geht« [S. 183], gewinnt Marie ihren moralischen Halt durch ihre mütterliche Verantwortung für ihr Kind und ihre Liebe zu Mingo zurück. Aus den Gefahren einer kriminalisierten Gesellschaft, in die sie trotz grundsätzlicher Charakterstärke wiederholt gerät, rettet sie Kriminalkommissar Kirsch, der von Anfang an als ihr Alter ego und Symbol ihres schlechten Gewissens fungiert, zugleich aber auch als ihr stets gegenwärtiger Schutzengel. In dem märchenhaft-phantastischen Schluß erscheint er als eine Art deus ex machina, der Marie vom Selbstmord abhält und sie für unschuldig erklärt, obwohl »keine Marie unschuldig gewesen wäre, wenn man von dem Geheimnis, das sie alle sind, nur so viel gekannt hätte wie üblich« [S. 275].

Im bewußten Kontrast zur politischen Gesinnungsjustiz der Weimarer Republik und zu dem sie vertretenden, vom positivistischen Rechtsverständnis geprägten Richter wird die gesellschaftsnahe Arbeit der Kriminalpolizei von Heinrich Mann überaus positiv gewürdigt, denn sie ist mit den sozialen Ursachen der Verbrechen vertraut. Entsprechend schlägt sich Kirschs Erkenntnis von der gesellschaftlich bedingten Ungerechtigkeit in seiner Berufsauffassung nieder, daß der Kriminalist den Täter der Bestrafung zuführen muß, »weil er nicht fähig gewesen ist, die Tat zu verhindern« [S. 225]. Der engagierte Justizkritiker Heinrich Mann, der in zahlreichen Zeitungsartikeln, Reden, Appellen und Protesterklärungen in den zwanziger Jahren sich im Kontext seines dem demokratischen Öffentlichkeitsprinzip verpflichteten Literaturverständnisses besonders für die Abschaffung der Todesstrafe und die von der Zensur bedrohte Geistesfreiheit einsetzte, recherchierte während seiner Arbeit an diesem Roman die dienstlichen Aufgaben der Kriminalpolizei. In einem vor dem Verband Preußischer Polizeibeamter gehaltenen Vortrag kritisiert er die Unterbezahlung und mangelnde öffentliche Unterstützung der Polizeibeamten sowie ihre offensichtliche Benachteiligung gegenüber der vom Staat bevorzugt behandelten Schutzpolizei, einem Staat, der nach Heinrich Manns Vermutung zwischen uniformierter und nicht uniformierter Polizei deshalb unterscheidet, »weil die erste vor allem zu seinem eigenen Schutz da ist, während die andere nur die Gesellschaft zusammenhält«.

Als »Grundpfeiler des Staates« aber, auf dessen Aufklärungsarbeit zuletzt jeder Strafprozeß aufbaut, dient die Kriminalpolizei der ganzen Gesellschaft, die »voll der ungeheuerlichsten Ungerechtigkeiten« ist. Während die permanent verübten »legalen« Verbrechen einflußreicher Mächte innerhalb der Gesellschaft ungesühnt bleiben, stellen die »anerkannten« Verbrechen hingegen zumeist Notdelikte dar, deren soziale Realität von der häufig noch im wilhelminischen Geist praktizierten abstrakt formalistischen Rechtsprechung nicht berücksichtigt wird – ganz im Unterschied zu den gesellschaftlichen Einsichten der Polizeibeamten: »Sie leben mit dem Volk, sie sehen die Verbrechen, die begangen werden, nicht nur, wie der Bürger sie sieht, als schädliche Tatsache: sie erkennen die soziale Atmosphäre«. Der Justizfall Haas, in dem »der fälschlich Beschuldigte ein wohlhabender Mann und außerdem Jude war«, beleuchtet für Heinrich Mann zudem die größere Objektivität der Polizei im Vergleich mit der oft einseitig politisch gehandhabten Justizpraxis der Reichsgerichte, indem die Beamten der Kriminalpolizei »ihr besseres Wissen« gegen »Richter und eine parteiische Öffentlichkeit, gegen Vorurteile und Anfeindung« durchsetzten, um zu verhüten, »daß wieder einmal jemand unschuldig verurteilt wurde«.

Aus Heinrich Manns Plädoyer für eine stärkere Anerkennung der Polizei spricht die Einsicht in die Notwendigkeit eines verstärkten Schutzes der demokratischen Gesellschaftsstruktur, in einer Zeit, in der sie ohne »Wächter und Schützer bestimmt auseinanderfallen würde«. Demnach begehe der Staat einen schweren Fehler, wenn er die »wirklichen Freunde der Gesellschaft« schlecht entlohne: »Den riesigen Industrie- und Handelskonzernen, die nahezu an ihrem Überfluß zugrunde gehen, stehen arme Beamte gegenüber« – eine Grundüberzeugung Heinrich Manns, nach der die Großindustrie, in deren Hände die Macht des Adels und des Militärs übergegangen ist, als der eigentliche Gewinner des Krieges erkannt wird. Der den sozialen Rechtsstaat verteidigende Romancier macht sich in einer von der Auflösung bedrohten, Werte relativierenden Gesellschaft zum Anwalt natur- und vernunftrechtlicher Forderungen, wenn er davor warnt, daß »das Recht nicht mehr für alle gelten soll; daß der eine niedergetreten wird, der andere, ob es eine Partei oder einzelne, macht- und geldgierige Individuen sind, sich überheben und roh triumphieren darf«.

Die Forderung nach Recht wie Gerechtigkeit vertritt im Roman der Kriminalkommissar Kirsch, der als didaktisches Medium des Autors der Wirklichkeitserfassung komplexer, sich verändernder gesellschaftlicher Zusammenhänge im Alltagsleben der Republik einen realitätsübersteigernden utopisch-moralischen Aspekt verleiht. Klassische Elemente des Kriminalromans wie Beschattung, Spurensicherung und Verhörsituationen erscheinen so in verwandelter Bedeutung. Als geistig-moralisch konzipierte Autorität repräsentiert Kirsch den allwissenden Kenner der Menschen und der Gesellschaft, der mit seiner Allgegenwart Verbrechen zu verhindern sucht, womit an die Stelle der Indizienaufnahme die Suche nach der übergreifenden Wahrheit getreten ist. Seine eigentliche Aufgabe, sittliche Erkenntnis mit praktischem Handeln zu verbinden (»Gut, daß man nicht von jedem alles weiß! Jeder wäre unschuldig« [S. 275]), ist humanitätsfördernd im Dienste der höheren Macht der Vernunft. Damit entspricht der Kommissar bei Heinrich Mann dem Typus des Aufklärers und Moralisten in der französischen Tradition des Menschenkenners und Seelenkundigen, der mit seiner Vorstellung, zu verändern und zu versittlichen, zum Erzieher wird, der bei aller Skepsis durch seine Einsicht in die menschliche Natur dennoch mit der Vervollkommnungsfähigkeit der Menschen und der Gesellschaft rechnet: »ich glaube..., daß die Verbrechen verringert werden können, und daß die Gesellschaft verbesserungsfähig ist. Wenigstens müssen wir das hoffen, wenn wir es in ihr aushalten wollen«, lautet in diesem Sinne Heinrich Manns Fazit in seinem Vortrag *Die Kriminalpolizei* (1931).

Aufschluß über seine neu konzipierte Stoff- und Stilwahl (Jargonfloskeln als bewußte Anleihe bei der ›Neuen Sachlichkeit‹ zur Ironisierung der ›sachlichen‹ Generation), die auf eine veränderte Wirkungsabsicht in den zwanziger Jahren schließen läßt, geben Heinrich Manns poetologisch-essayistische Selbstreflexionen zur Zeit der Republik-Romane. In seinen Gedanken über *Die geistige Lage* (1931) rechtfertigt er den Rückgriff auf ein populäres Genre wie den Kriminalroman mit seinem Bemühen um volkstümliche Literatur für eine große demokratische Leserschaft in einer modernen Gesellschaft: »Die Literatur gehört zweifellos in das öffentliche Leben. Wer mitreden, mitwählen, seine Meinung mit durchsetzen will, muß auch lesen, – sonst wäre er nur ein benachteiligtes Mitglied der Gesellschaft.« Das Bewußtsein, zu einer wirklichen Öffentlichkeit zu sprechen statt zu einer mehr oder weniger großen Menge von Privatpersonen, sollte nach seiner Ansicht zu literarischen Gegenständen führen, die die Erscheinungen und Lebensstimmung der Zeit einfangen und zugleich über ihren Sinn aufklären, wobei sogar die »flüchtigsten Erscheinungen der Literatur«, wie die Kriminalromane, auf »gewisse tiefmenschliche Neigungen« zurückgehen. So stößt Heinrich Mann bei seiner Analyse nach den Gründen für die anhaltende Beliebtheit der Detektivromane in Deutschland, deren erfolgreichster Vertreter Edgar Wallace ist, auf den Effekt der Überraschung und des Geheimnisses, die als Bedürfnis nach dem Außerordentlichen den Forderungen der menschlichen Natur entgegenkommen, indem sie die Mühsal und Plattheit des täglichen Lebens konterkarieren. Der Detektivroman, der der Nachwelt »den unruhigen, abenteuerlichen Sinn einer bedrückten Nachkriegszeit« überliefert, bestätigt zudem die »Allgemeingültigkeit eines Wunschtraumes« in Gestalt des »Retters aus der Not«, den der die Geheimnisse und Gefahren beherrschende Detektiv repräsentiert – ein sich auch im versöhnlichen Märchenschluß der Republik-Romane wiederfindendes Motiv, das sich hier allerdings den spezifischen Normen des trivialen Genres widersetzt. Dennoch gesteht Heinrich Mann den Detektivromanen, in denen es mehr von der Macht des Handelnden als von der unbedingten Gerechtigkeit abhängt, was als Verbrechen gelten soll, aufgrund ihres Unterhaltungscharakters eine gewisse Nützlichkeit zu: »Aber sie sollten von einem tieferen Wissen und von gütigen Absichten bestimmt sein«, verbunden mit dem »göttlichen Glauben, daß wir es bessern können«.

Diese Vorstellung, die seine eigenen Werke in besonderem Maße in der politischen Stabilisierungsphase der Weimarer Zeit bestimmt, findet er verwirklicht in der Gattung des sozialen Romans, als dessen höchsten literarischen Vertreter er Balzac ansieht. Eine Reminiszenz an Balzacsche Dämonie, nach außen verkörpert durch die Allgegenwart der Geheimpolizei, die ihrerseits die

»unheimliche Macht« der bourbonischen Herrschaft charakterisiert, findet sich denn auch in Heinrich Manns Kriminalroman. In Absage an den Typus des modernen Roman-Detektivs, der statt dieser Dämonie »nur die der schnellen Beförderungsmittel« hat, umgibt den Kommissar bei seinem ersten Auftritt bewußt die Aura des Geheimnisvollen, der als schwarzer Schatten in der Nacht für Maries Gewissen zu einer unausweichlichen Begegnung wird, an der sich ihre Versuchung, ihre Schwester mit einer Brandlegung rächen zu wollen, zerschlägt. Bezieht die Geheimpolizei allerdings ihre Mystik aus der Dämonie der Geschichte im abenteuerlichen Übergang des Feudalstaates in den bürgerlichen und damit aus den Abgründen unterhalb einer scheinbar überschaubaren Ordnung, so resultiert die anfänglich geheimnisvolle Aura des Kommissars eher aus seiner, die menschliche Natur durchschauenden, geistig-moralischen Autorität. Das Entscheidende aber, was Heinrich Mann mit Balzac verbindet, ist die Einsicht in die existentielle Grundsituation des Menschen, wonach das Verschulden als ein unabdingbarer Bestandteil des menschlichen Schicksals betrachtet wird, das verantwortet werden muß. Was sich im Unterschied zu den äußeren technischen Gefahren des modernen Detektivs dem Leser bei Balzac und Heinrich Mann eröffnen soll, sind die tiefinneren Gefahren des Menschen selbst: »Wir erkennen bei Balzac oder bei Dostojewski den Menschen an seiner Schuld, [...] an seinem Verbrechen. Es gibt dort keine sogenannten Verbrecher, die keine Menschen mehr sind, und niemand nimmt durchaus Partei gegen Individuen, die von vornherein und von Grund auf nichts anderes sein sollen als Verbrecher.«

Aber auch bei Balzac erwachsen die Verbrechen aus der Gesellschaft, die vor allem Bewegung ist, so daß für Heinrich Mann in den sozialen Romanen die fortwirkende Kraft des die Klassen verbindenden Verbrechens unvergleichlich großartiger erscheint als in den Kriminalromanen. So wie in den handlungsreichen Romanen des Realismus des 19. Jahrhunderts, in denen sich die französische Demokratie ankündigte, die Handlung nicht mehr als sinnloses Abenteuer verstanden wird, sondern als die gesetzmäßig bewegte Gesellschaft, so handeln auch bei Heinrich Mann aus den Personen die sozialen Mächte. In seinem schriftstellerischen Selbstverständnis als sozialer Romancier bewegen ihn sowohl die Menschen in ihrer sozialen Bedingtheit, denen bei aller Abenteuerlichkeit der Zeitumstände der Lebenskampf wie der Erwerb und seine Gesetze aufgezwungen werden, als auch die Gesellschaft, die sie hervorbringt. Doch obwohl er sich bewußt auf die neue Wirklichkeit der Inflations- und Nachkriegsgesellschaft einläßt, erlebt er die Realität in seiner »Freude an der Triebkraft der Gesellschaft« als gesteigert. Während Bericht und Reportage der ›Neuen Sachlichkeit‹ in ihrem Streben nach Authentizität mit ihrem platten Wahrheitsschein doch immer nur den Eindruck des beiläufigen Einzelfalles erwecken, sollte Literatur nach Heinrich Mann »den Sinn des Lebens selbst« beschwören, der sich bei weitem nicht so wirklichkeitsgetreu, sondern überrealistisch verhält. Entsprechend zeichnet sich in den zwanziger Jahren im traditionellen Erzählen Heinrich Manns ein Wandel des Realismusbegriffes im Sinne eines »seelischen Realismus« ab, den er bis ins Werk Balzacs zurückverfolgt und der ihn selbst zu übertragenen und sinnbildlichen Formen greifen läßt. In diesem Sinne wird die Verknüpfung von Kriminalroman, Parabel und Märchen einsichtig, da mit der Thematisierung der Lebensangst und des mit ihr korrespondierenden Existenzkampfes »die Seele der Menschen und ihrer Gesellschaft [...] nackt und bloß handelt und dasteht«: die körperlichen Narben Maries sind auch Lebensnarben.

Der Vorstellung vom »seelischen Realismus« entspricht

in den Republik-Romanen das mit unterschiedlicher Intensität verwandte filmische Element, das in der Forschung besonders im Hinblick auf *Die große Sache* als dem episch experimentellsten Roman der Republik wiederholt gewürdigt wurde. Im vorliegenden Roman ist der Einfluß des Films wohl eher in dem »kinohaften« Handlungsablauf zu sehen, bei dem der gesellschaftliche Auflösungsprozeß gegen Ende in ein atemloses, gehetztes, visualisiertes Geschehen umgesetzt wird. So ist es nach Heinrich Mann in Wahrheit die Gesellschaft, die das »Kinohafte« hervortreibt und dem die expressive, teilweise bewußt kolportagehafte Gesellschaftsdarstellung Rechnung trägt.

Der soziale Romancier soll die Erscheinungen der Gesellschaft nicht abschwächen, sondern – um sie leichter durchschaubar zu machen – eher noch steigern. In *Ein ernstes Leben* ist die Erfassung der Wirklichkeit demnach nicht, wie noch im ausladenden Gesellschaftsporträt des *Untertan*, in erster Linie als politisches Zeitgeschehen zu verstehen, sondern als Ausschnitt aus dem unüberschaubar gewordenen sozialen Leben der Weimarer Gesellschaft, deren sinnbildlichster Ausdruck eben das Verbrechen ist: Kriminalroman und sozialer Roman gehen ineinander über.

Obwohl dem Vertreter des Natur- und Vernunftrechts die Identifikation mit der zuletzt »furchtbar entarteten« Republik immer schwerer gefallen ist und ihm in diesem Zusammenhang die Problematik seiner ästhetischen Umorientierung auf der Suche nach positiven Perspektiven im Rückblick zunehmend bewußter wurde (»Es war eine Zumutung, dort das Leben zu verherrlichen, wo alles nur auf Untergang zuhielt«, kommentiert er in einem Brief vom 17. Dezember 1934 an den Bruder Thomas den utopischen Moralismus seiner Republik-Romane), hat sich Heinrich Mann doch bis zu ihrem Ende für die Republik eingesetzt.

In Maries langwierigem Erkenntnisprozeß, der sie die Lebensangst und damit die »Furcht vor der Freiheit« im Zeichen sozialer Verantwortung überwinden läßt, emanzipiert sie sich zu einem ethisch-autonomen Handeln, das in einer für autoritäre Konfliktlösungen besonders anfälligen Krisenzeit zur Voraussetzung jedes demokratischen Bewußtseins gehört. Der Autor als Aufklärer und Moralist erhebt den Anspruch, seine Menschen nicht nur darzustellen, sondern »an ihnen zu arbeiten und die Gesellschaft umzugestalten, indes er sie gestaltet«.

Ein ernstes Leben ~~Die Gefahren des Lebens~~ Berichtigungen: S. 5, 8, 10, 11, 12, 13-14 1

I

Die See geht hoch. Es ist gegen Abend. Die Fischer kehren von der Fahrt zurück. Fischer N. hat seinen jungen Sohn Mingo mitgenommen auf dem grossen Motorboot, das der ältere Sohn jetzt, vom Strand entfernt, vor Anker legt. Zwei kleine Bote legen bei dem grösseren an. Sie sollen die Fische an Land bringen.

Fischer N. prüft die stürmische See. Dann beauftragt er Mingo, nach Haus zur Mutter zu gehen, damit sie sich um die Männer nicht ängstigt.

Mingo möchte lieber helfen die Fische auszuladen, gerade weil sein älterer Bruder John ihn dabei nicht haben will. Er empört sich gegen die Befehle des Älteren, der die Fischerei erben soll. [Er selbst hat nur eine Abfindung zu erwarten.]

Aber er erblickt am Strand ein Mädchen. Sogleich rudert Mingo das eine der Bote hinüber. Er geht an Land und holt Marie auf der Dorfstrasse ein. Marie ist sechzehnjährig. Sie hat ein klares helles Gesicht, ist blond wie auch Mingo. Hochgewachsen schmal aber kräftig, erscheint sie zugleich rührend und voll gesunden Lebenswillens.

Abseits der Strasse, steht ein lang gestrecktes weisses Haus in einem grossen Garten. Es ist das Elternhaus Mingos. Er bittet sie, mit ihm zu kommen. Seine Mutter habe sie gern. Marie weigert sich. »Wenn du deiner Mutter erzählst, dass wir heiraten wollen« Mingo: »Dann

Ausführliche Inhaltsbeschreibung zu *Ein ernstes Leben*
Erste Seite in der Handschrift Heinrich Manns
[vgl. S. 295]

Zur Entstehungs- und Überlieferungsgeschichte

Zur Entstehung seines Romans *Ein ernstes Leben* gab Heinrich Mann im Januar 1947 in einem Fragebogen von Karl Lemke die Auskunft: »Den Stoff empfangen in Nice, 1931. Fertig Berlin, 1932. Erschien noch 1932. Von Zsolnay dann nach der Schweiz verkauft.«[1]

Darüber hinaus ist die Entstehungsgeschichte dieses letzten vor der Emigration in Deutschland vollendeten Romans durch die Erzählungen Nelly Manns, der damaligen Lebensgefährtin und späteren zweiten Frau Heinrich Manns, von Legenden umwoben [siehe Materialien, Nr. 1], wenn auch Heinrich Mann nach dem Tod Nellys im Dezember 1944 *Ein ernstes Leben* als das Werk bezeichnete, »das mehr oder weniger der Roman meiner geliebten Verstorbenen ist –«.[2]

Geschrieben wurde er in der ersten Hälfte des Jahres 1932, wie besonders die Briefe des Autors an den französischen Germanisten Félix Bertaux im einzelnen belegen [siehe Materialien, Nr. 2–5]. Anfang Januar 1932 hatte Heinrich Mann an seinen Münchener Rechtsanwalt und Freund Maximilian Brantl geschrieben, daß er »die Un-

1 In: Heinrich Mann: *Briefe an Karl Lemke und Klaus Pinkus*. Hamburg: Claassen o. J. [1964], S. 47.
2 Zit. nach: Sigrid Anger: *Nachbemerkung*. In: Heinrich Mann: *Die große Sache / Ein ernstes Leben*. Berlin und Weimar: Aufbau-Verlag 1972 (= *Gesammelte Werke*. Herausgegeben von der Akademie der Künste der DDR. Redaktion: Sigrid Anger. Band 10), S. 566. [Im folgenden zit.: *GW 10*]

gunst der Zeit durch Arbeit zu besiegen«[3] gedenke. Zur Niederschrift des »halben Romans« habe er zwei Monate gebraucht, wie er wiederum Bertaux mitteilt, und Anfang Juli war das Manuskript beendet [vgl. Materialien, Nr. 5]. Im selben Monat bereits las Heinrich Mann ein Kapitel des Romans im Rundfunk, wie aus einem nicht weiter bezeichneten Zeitungsausschnitt vom 11. Juli 1932 hervorgeht. Am 25. September 1932 begann der Vorabdruck des Romans in der ›Frankfurter Zeitung‹, der am 12. November mit der 41. Fortsetzung abgeschlossen war. Anfang November erschien *Ein ernstes Leben* in einer Auflage von 12000 Exemplaren im Wiener Paul Zsolnay Verlag, der damals das Gesamtwerk Heinrich Manns betreute. Am 4. November 1932, dem Tag der Auslieferung, veröffentlichte ›Die literarische Welt‹ in Berlin einen Abschnitt aus dem ersten Kapitel zusammen mit der ersten Rezension zum Roman von Hermann Kesten [vgl. Zeitgenössische Rezensionen, S. 311]. Mit dem »Verkauf nach der Schweiz«, den Heinrich Mann gegenüber Karl Lemke erwähnt, dürfte die Ausgabe von *Ein ernstes Leben* durch die Büchergilde Gutenberg im Jahr 1934 gemeint sein, die mit Angabe der Verlagsorte »Zürich, Wien, Prag« erschien.

Die Wirkungsmöglichkeiten des Romans waren am 30. Januar 1933, als Hitler Reichskanzler geworden war, abrupt beendet; am 10. Mai 1933 gehörte *Ein ernstes Leben* sicherlich zu den Büchern Heinrich Manns, die auf die Scheiterhaufen der Bücherverbrennung durch die Nationalsozialisten geworfen wurden. Dagegen sind in der Zeit von 1933 bis 1935 eine ganze Reihe von Übersetzungen des Romans nachzuweisen: 1933 in Mailand in italienischer Sprache unter dem Titel *Una vita difficile*, 1934 in London und 1935 in New York in englischer Sprache unter dem Titel *The Hill of Lies* sowie eine russi-

3 In: *GW 10*, S. 567.

sche und eine ungarische Übersetzung. In Deutschland wurde der Roman erst wieder 1951 in einer Einzelausgabe des Greifenverlags in Rudolstadt und dann 1952 als Band 5 der *Ausgewählten Werke*, herausgegeben von Alfred Kantorowicz, im Aufbau-Verlag Berlin aufgelegt.

Bereits unmittelbar nach Erscheinen des Romans scheint sich Heinrich Mann schon um die Verfilmung des Stoffes bemüht zu haben: »Wie Briefe von Vermittlern zeigen, lehnte die amerikanische Filmgesellschaft Metro Goldwyn Mayer jedoch ab, denn man halte ›die Angelegenheit für zu trübselig, um augenblicklich die amerikanische Film-Produktion dafür ernsthaft interessieren zu können‹. Auch eine Bitte an Josef von Sternberg um ›endgültigen Bescheid‹ blieb erfolglos, weil er inzwischen wie Heinrich Mann Berlin verlassen hatte.

Erst im Frühjahr 1940 kam das Filmprojekt, wie aus Briefen im Nachlaß Heinrich Manns hervorgeht, wieder ins Gespräch. Ein Vertreter der Twentieth Century-Fox Film Corporation versprach, den Roman in Hollywood anzubieten. Die späteren Verhandlungen mit Heinrich Mann führte er offenbar mündlich. Wie weit sie gediehen, wissen wir nicht. Im Nachlaß aus dem amerikanischen Exil sind aber Manuskripte Heinrich Manns zum *Ernsten Leben* erhalten, die ganz offensichtlich, von diesen Vorschlägen oder Abmachungen ausgehend, mit der Verfilmung des Romans im Zusammenhang stehen. Möglicherweise hatte Heinrich Mann die Vorarbeiten bereits in Nizza begonnen, auf jeden Fall hat er sie zu Anfang seines Aufenthaltes in den USA fortgeführt. Er war im August 1940 aus Frankreich geflohen, hatte im Oktober New York erreicht und war Ende 1940 nach Los Angeles übergesiedelt. Dort erhielt er, wie andere emigrierte Schriftsteller, den Jahresvertrag einer Hollywooder Filmgesellschaft. Ob er die formale Verpflichtung zu Drehbucharbeiten an einem eigenen Roman erprobte, läßt sich nicht

1

Erster Akt

Die See geht hoch. Es ist gegen Abend. Die Fischer kehren von der Fahrt zurück. Fischer Merten hat seinen jungen Sohn Mingo mitgenommen auf dem grossen Motorboot, das der ältere Sohn jetzt, vom Strand entfernt, vor Anker legt. Zwei kleine Boote liegen bei dem grösseren an.

Der Vater, betrachtet unter der vorgehaltenen Hand die See. – Heute gibt es noch was! Mingo, lauf' nach Haus. Sag' Muttern, dass sie nicht bange sein muss. Wir kommen zum Abendbrot. Ich lade nur mit John die Fische um.

Mingo: Ich mag lieber helfen. Dort geht Marie Lehning. Sollen wir die nicht schicken?

John: Dass du uns hier im Wege stehst! Dich kann ich nicht brauchen.

Mingo: Du hast mir nichts zu befehlen. Weil ich bloss der Jüngere bin?

John: Ja darum

Vater: Ruhe! Von euch befiehlt keiner. Ich bin der Kaptain.

Mingo: Vater, ich geh nach Haus.

John: Na endlich

Mingo: Und ich nehme Marie mit.

John: Die Hungerleiderin stiehlt Muttern die Makrelen. Dann kriegen wir kein Abendbrot.

Vater: Es langt immer

Mingo: Erstens stiehlt sie keine Makrelen. Ausserdem stehl' ich mit. (Mingo in einem der Kähne zum Strand)

Auf der Dorfstrasse. Drunten die See, im fahlen Abendschein, schwillt zusehens an. Mingo läuft, er holt Marie Lehning ein. Er ruft:

Darstellung des Stoffes von
Ein ernstes Leben in Dialogen
Erste Seite in der Handschrift Heinrich Manns
[vgl. S. 295]

mehr ermitteln. Jedenfalls scheint er nicht viel Vertrauen in die Möglichkeit einer Verfilmung des *Ernsten Lebens* gesetzt zu haben. Dafür spricht, daß von den verschiedenen mehr oder weniger umfangreichen Exposés, Inhaltsbeschreibungen und dramatischen Entwürfen nur ein Manuskript bis zu Ende ausgeführt worden ist, und zwar eine knappe Handlungsübersicht des Romans.«[4]

Neben dieser Handlungsübersicht [siehe Materialien, Nr. 8 und Abb., S. 304] [HMA 93 und 94[5]] liegt eine ausführliche Inhaltsbeschreibung des Romans von 96 handschriftlichen Seiten, allerdings als Fragment, vor, die auf die Rückseiten von Briefbögen der Filmfirma Warner Bros., New York, geschrieben ist und den später wieder gestrichenen Titel *Die Gefahren des Lebens* trägt [HMA 85] [siehe Abb., S. 290], sowie umgeschriebene und abgelegte Seiten daraus [HMA 86 und 87]. Eine Darstellung des Stoffes in Dialogen wurde mit »Erster Akt« und »Zweiter Akt«, ebenfalls unvollständig und auf Rückseiten der erwähnten Briefbögen, mit 16 handschriftlichen Seiten ausgeführt [HMA 88 und 89] [siehe Abb., S. 294]. Neben einem Entwurf, der den Stoff wieder nach Kapiteln (»Erstes–Drittes Kapitel«) auf 27 handschriftlichen Seiten darstellt [HMA 90], findet sich eine kurze Handlungsübersicht in 18 Punkten [HMA 91 und 92] und schließlich neben der in diesem Band wiedergegebenen Handlungsübersicht [siehe Materialien Nr. 8 und Abb. 304] das Fragment eines etwas ausführlicheren Handlungsabrisses,

4 In: *GW 10*, S. 568f.

5 HMA = Heinrich-Mann-Archiv der Akademie der Künste der DDR, Berlin; zur Numerierung vgl.: *Vorläufiges Findbuch der Werkmanuskripte von Heinrich Mann*. Bearbeitet von Rosemarie Eggert. Berlin (Ost) 1963 (= Deutsche Akademie der Künste zu Berlin, Schriftenreihe der Literatur-Archive, Heft 11) [hektograph. Typoskript).

der mit Maries Warenhaus-Diebstahl abbricht [HMA 95]. Außer diesen Vorarbeiten und neun Seiten Notizen [HMA 97] [siehe Abb., S. 297] zu einer Verfilmung sind in Heinrich Manns Nachlaß keine Manuskripte oder Materialien zu *Ein ernstes Leben* erhalten geblieben.

Zur Textkonstitution der hier zugrunde gelegten Textfassung innerhalb der *Gesammelten Werke* gibt Sigrid Anger an: »Die Erstausgabe im Paul Zsolnay Verlag, Berlin, Wien, Leipzig, 1932, wurde als Textgrundlage für die vorliegende Ausgabe gewählt. Der Vorabdruck in der ›Frankfurter Zeitung‹, der zum Vergleich herangezogen wurde, ist textgeschichtlich ohne Bedeutung, da die Redaktion eine Reihe von Kürzungen vorgenommen hatte. Der Text der Zsolnay-Ausgabe ist überaus korrekt gesetzt; Rückgriffe auf den Vorabdruck erübrigten sich. Die Schreibweise stimmt mit dem heutigen Gebrauch so weit überein, daß sie nur noch in wenigen Fällen korrigiert zu werden brauchte. Die Zeichensetzung wurde behutsam und ohne Eingriff in die sprachrhythmischen Eigenheiten des Stils modernisiert.«[6]

6 In: *GW 10*, S. 575 f.

1. Scene Viktoria – Kingman (Bäuerlein)
Einige Wochen vergangen, anschließend an die Testament-Scene
Marie eingewöhnt. Plänedeke Adele – Kurt
Kingman: Angst vor Unannehmlichkeiten aus [illegible] Ursachen. Klagt an Vicki, will nicht [illegible] und
Begrüssung Mingo – Marie. Ländler – auf dem [illegible] unvorhandener [illegible]
Mingo erfährt dort, daß die Mina u. Adele [illegible]
[illegible] Kapalt gemacht.
[illegible] – daher späterer Verdacht [illegible]
[illegible] Adele hat Angst vor ihm
[illegible] Mingo – Kurt, [illegible]
Auf der Treppe [illegible] [illegible] Rache
Mingo – Marie. „Habe dir verdient [illegible]" Marie – Viktoria
Zu vieles [illegible] alle [illegible] [illegible] gutzumachen [illegible] Adele das [illegible] eingeben. – „[illegible] immer da! Ich will nicht Ruhe [illegible] – [illegible] nein, bis ich das Kind hab, das [illegible]"
2. [illegible] von [illegible]
~~488 [illegible]~~
~~140 [illegible]~~
[illegible] Marie an das [illegible] mir der [illegible]
~~196 Adele~~ Marie an das [illegible]
~~205 [illegible] Testament~~
241 245 Wiedersehen Mingo – Marie
„Ich [illegible]" [illegible] festhalten (Mingo [illegible])
247
Rückkehr Mingos
Mingo, fremd, [illegible], bringt fremde Atmosphäre mit sich. [illegible] [illegible] ab.
Zudem [illegible]
Scene bei Mingo zu Hause
Nachtragen
Marie bei [illegible] [illegible] Reden [illegible] [illegible] [illegible] für Mingo

Notizen zu *Ein ernstes Leben*
Erste Seite in der Handschrift Heinrich Manns
[vgl. S. 296]

Heinrich und Nelly Mann
Paris 1938

Materialien

Nelly Mann, geb. Kröger: I
Zur Entstehung von *Ein ernstes Leben* [1937]:

Einmal erzählte uns Frau Kroeger die Geschichte von Heinrich Manns Roman »Ein ernstes Leben«.

»Da sagt doch der Heini immer, Nelly, du mußt mir dein ganzes Leben erzählen.« »Was ist da zu erzählen«, sage ich also und fange richtig an. Und da sagt doch der Heini: »Nelly, du mußt dein ganzes Leben aufschreiben.« »Und was ist da aufzuschreiben?« frage ich und fange richtig an. Ich schreibe also das Buch mit meinem ganzen Leben darin. Und da sagt doch der Heini: »Das ist aber eine sonderbare Geschichte, fast ein Roman.« »Was ist das für ein Roman«, sage ich, »es ist mein eigenes Leben, und nun werde ich es nochmals verkaufen«, sage ich, »und du kennst doch Verleger«, sage ich, »und rufe mal einen an, und ich koche was Feines zum Abend.« Da sagt aber der Heini: »Tu's lieber nicht«, und blättert und blättert in meinem Manuskript und steht da, mit seiner Lesebrille auf der Nase, neben dem Kamin, in unserem Salon, und nickt mit dem Kopf wie gewöhnlich und lächelt ganz freundlich und wirft mir mein Manuskript ganz sachte ins Feuer. Und da sage ich noch: »Was tust du da, Heini?« Und will lachen und weinen. Und da setzt sich doch der Heini hin und schreibt meine ganze Geschichte noch einmal und läßt seinen Verleger kommen und gibt ihm sein Manuskript mit meiner Geschichte, so wie ich sie geschrieben hatte, oder nicht einmal so gut. Und da sage ich noch, wie der Verleger mit unserem Manuskript fortgegangen ist, »was tust du da, Heini?« Und da sagt doch der Heini: »Es ist ein ernstes Leben. Und das wird der Titel sein für mein neues Buch.« »Und so erscheint auch das Buch mit meinem ganzen Leben darin und heißt *Ein ernstes Leben*, und da hat doch der Heini seinen Namen darunter gesetzt, *Ein ernstes Leben* von Heinrich Mann.«

»Frau Kroeger erzählt sehr sonderbare Geschichten«, erläuterte kopfschüttelnd Heinrich Mann, »und sonderbar wahre Geschichten.«

In: Hermann Kesten: *Meine Freunde die Poeten*. München: Kindler 1959, S. 48 f.

2 Heinrich Mann an Félix Bertaux,
Nizza, 10. Februar 1932 [Auszug]:

Mais je fait des progrès pendant ce séjour, le roman se dessine plus clairement, et le moral se fortifie. – D'ailleurs, ce n'est plus le roman dont je vous parlais. J'ai entrepris quelque chose de plus sérieux et qui me touche intimement.

In: Heinrich Mann: *Die große Sache / Ein ernstes Leben*. Berlin und Weimar: Aufbau-Verlag 1972 (= *Gesammelte Werke*. Herausgegeben von der Akademie der Künste der DDR. Redaktion: Sigrid Anger. Band 10), S. 567.
[Im folgenden zit.: *GW 10*]
Übersetzt lautet die Passage: Aber ich habe während dieses Aufenthalts Fortschritte gemacht, der Roman zeichnet sich klarer ab, und die Moral ist im Steigen begriffen. – Es ist übrigens nicht mehr der Roman, von dem ich Ihnen sprach. Ich habe etwas Ernsteres in Angriff genommen, das mich ganz persönlich angeht. – Heinrich Mann hielt sich vom Dezember 1931 bis Mitte März 1932 in Nizza auf.

Heinrich Mann an Félix Bertaux, Nizza, 12. März 1932 [Auszug]: 3

[...] c'est aprèsdemain lundi que je dois partir en emportant à Berlin une assez grande partie du roman qu'il m'a été donné de commancer sous le ciel – pluvieux pour le moment. Au cas que Berlin ne porterait pas chance à mon travail je me propose de revenir ici.

Zit. nach: *GW 10*, S. 567.

Übersetzt lautet die Passage: Übermorgen, am Montag, muß ich nach Berlin und nehme einen ziemlich großen Teil des Romans mit, den ich unter diesem – im Augenblick regnerischen – Himmel habe beginnen können. Für den Fall, daß Berlin sich als nicht günstig für meine Arbeit erweisen sollte, habe ich vor, hierher zurückzufahren.

Heinrich Mann an Félix Bertaux, Berlin, 27. März 1932 [Auszug]: 4

In der kurzen Zeit, die ich hier bin, habe ich 1) die Goethe-Feiern der Akademie mitgemacht, 2) Wohnung gesucht, 3) den Roman fast bis zur Hälfte gebracht.

Zit. nach: *GW 10*, S. 567.

Heinrich Mann an Félix Bertaux, Berlin, 1. Juli 1932 [Auszug]: 5

[...] je viens de terminer mon roman, c'est le quatorzième, et il n'est peut-être pas mal, j'ai acquis une certaine expérience et j'ai le tort de m'en apercevoir.

Zit. nach: *GW 10*, S. 568.

Übersetzt lautet die Passage: Dagegen habe ich gerade meinen Roman beendet, es ist der vierzehnte, er ist vielleicht nicht schlecht, ich habe jetzt eine gewisse Übung und mache den Fehler, dieser Tatsache gewahr zu werden.

6 Heinrich Mann an Thomas Mann,
Berlin, 1. November 1932 [Auszug]:

Sehr glücklich werde ich sein, wenn der Roman, den ich Dir bald schicke, Deinen Beifall hat. Wir dürfen natürlich nicht sagen: Was ist jetzt noch ein Roman. Sondern wir müssen glauben, dass auch das wirkliche Chaos zu ordnen ist, wie ein Roman.

In: Thomas Mann / Heinrich Mann: *Briefwechsel 1900–1949*. Hg. von Hans Wysling. Erweiterte Neuausgabe. Frankfurt am Main: S. Fischer 1984, S. 174. [Im folgenden zit.: *TM / HM*]

7 Heinrich Mann an Thomas Mann,
Berlin, 26. November 1932 [Auszug]:

Lieber Tommy,
Dein Brief wird das Schönste und Beste bleiben, das ich über mein Buch lesen darf. Ich danke Dir. Du warst mir in jedem Augenblick des Lebens der Nächste und bist es auch hier wieder.

Das, was Du an dem Roman nicht magst, hätte ich früher auch nicht so gemacht. Aber denke ich die Geschöpfe dieses Augenblicks zu Ende, die vollständigsten meine ich, dann stosse ich immer auf das Verbrechen. Es ist eine Macht geworden, menschlich und sozial, die wir erst jetzt erkennen lernen, und der Einfluss auf die Zurückgebliebenen, wie jenen Bäuerlein, beweist vielleicht das Meiste. Ich schrieb den Roman wohl schnell, aber nicht draufgängerisch, und als er in Berlin angelangt war, beunruhigten mich schwere Bedenken. Das geschlossene Idyll der ersten Kapitel blieb jetzt zurück, und das Leben wurde unübersehbar – die Auflösung, wie Du sagst. Nur, diese Marie behält ihre innere Festigkeit, und so kommt sie hindurch. Das ist der Sinn, wenn das Buch einen hat.

Wenn Dein Wort »religiös« auf die Figuren zuträfe, wäre es das Schönste. Übrigens höre ich den Äusserungen mancher Leser an, dass sie diesen Roman mehr achten als meine vorigen. Aber ich finde es besser, mir über den wirklichen Werth nicht viele Gedanken zu machen. Vollkommen wird auch dies wieder nicht sein, aber es ist eben das, was ich konnte.

Zit. nach: *TM/HM*, S. 174f.

Der Brief Thomas Manns scheint nicht erhalten geblieben zu sein.

Heinrich Mann: Kurze Handlungsübersicht zu *Ein ernstes Leben* [nach 1940]: 8

Marie Lehning ist ein schönes, gutgeartetes Mädchen. Ihre schweren Erlebnisse, und alle Strafen des Schicksals, haben als erste Ursache die Armut und die Furcht vor der Armut.

Eine Hütte am Meeresstrand, darin wohnt sie mit vielen Geschwistern, die nacheinander sterben oder verderben. Die elende Behausung kann immer von der See fortgeschwemmt werden, was endlich auch geschieht. Eine ebenso gewohnte Gefahr ist der Hunger.

Da der Vater dem Trunk ergeben ist, muß die Mutter alle ernähren. Sie verbraucht ihre Kräfte als Landarbeiterin. Diese *Frau Elisabeth Lehning* kennt nur Arbeit, und als Ziel das Armenhaus. Ihm zu entgehen ist ihr vergeblicher Kampf. Das Sterben ihrer Kinder – durch Ertrinken, oder sogar aus gewaltsamen Anlässen – erregt ihr abgestumpftes Gefühl nur wenig. Schlimmer als der Tod ist das Armenhaus. Als eine ihrer erwachsenen Töchter einen reichen Freund hat, begreift die alte Arbeiterin gar nicht, daß die Natur selbst die Frauen gegen das Elend sichern kann. Hierauf versucht sie Geld zu erpressen.

Ein ernstes Leben 1

Marie Lehning ist ein schönes, gut geartetes Mädchen. Ihre schweren Erlebnisse, und alle Strafen des Schicksals, haben als erste Ursache die Armut und die Furcht vor der Armut.

Eine Hütte am Meeresstrand, darin wohnt sie mit vielen Geschwistern, die nach einander sterben oder verderben. Die elende Behausung kann immer von der See fortgeschwemmt werden, was endlich auch geschieht. Eine ebenso gewohnte Gefahr ist der Hunger.

Da der Vater dem Trunk ergeben ist, muss die Mutter alle ernähren. Sie verbraucht ihre Kräfte als Landarbeiterin. Diese Frau Elisabeth Lehning kennt nur Arbeit, und als Ziel das Armenhaus. Ihm zu entgehen ist ihr vergeblicher Kampf. Das Sterben ihrer Kinder – durch Ertrinken, oder sogar aus gewaltsamen Anlässen – erregt ihr abgestumpftes Gefühl nur wenig. Schlimmer als der Tod ist das Armenhaus. Als eine ihrer erwachsenen Töchter einen reichen Freund hat, begreift die alte Arbeiterin gar nicht, dass die Natur selbst die Frauen gegen das Elend sichern kann. Hierauf versucht sie Geld zu erpressen.

Das ist die Mutter, für Marie die schrecklichste Warnung, eine übergrosse Gestalt der Lebensangst, sie geht bis zur Besessenheit. Nur nicht Landarbeiterin, wie die Mutter! Nicht die gleichen aussichtslosen Mühen abschliessen als Gelähmte im Armenhaus, und wie ein Kind nach Nahrung jammern! Dies soll Marie bei der Mutter mit ansehen. Inzwischen führt sie ihren eigenen Kampf gegen die Armut. Er bringt sie in gefährliche Gesellschaft und in nahe Berührung mit dem Verbrechen.

Kurze Handlungsübersicht zu *Ein ernstes Leben*
Erste Seite in der Handschrift Heinrich Manns
[vgl. Materialien, Nr. 8]

Das ist die Mutter, für *Marie* die schrecklichste Warnung, eine übergroße Gestalt der Lebensangst, sie geht bis zur Besessenheit. Nur nicht Landarbeiterin, wie die Mutter! Nicht die gleichen aussichtslosen Mühen abschließen als Gelähmte im Armenhaus, und wie ein Kind nach Nahrung jammern! Dies soll Marie bei der Mutter mit ansehen. Inzwischen führt sie ihren eigenen Kampf gegen die Armut. Er bringt sie in gefährliche Gesellschaft und in nahe Berührung mit dem Verbrechen.

Schon als kleines Mädchen hat sie zwei reiche Kinder kennengelernt. Es sind die üblichen Produkte der sehr großen Vermögen, hübsche verwöhnte Geschöpfe ohne Herz und Gewissen. Diese Zwillinge, *Viktoria* und *Kurt*, behandeln Marie als bloßen Gegenstand ihrer Laune, die oft reizend, aber eigentlich grausam ist. So als Kinder beim Spielen im Seebad, und so auch später, als für Marie der volle Ernst des Lebens eingesetzt hat. Die beiden reichen Geschwister begreifen ihn niemals. Sie spielen mit den Menschen, die ihnen in die Hände kommen, wie Marie. Sie spielen auch mit ihrem eigenen Geschick und müssen schlimm enden.

Das Vermögen ihrer Eltern, und diese selbst, gehen verloren. Sofort lassen *Viktoria* und *Kurt* sich mit der »Unterwelt« ein. Kurt beteiligt sich an einem Einbruchsdiebstahl. Der Erfolg ist, daß seine Schwester sich vorteilhaft verheiratet; der Bruder muß aus der Hauptstadt verschwinden und sich auf dem Lande verstecken. Hier findet er Marie wieder. Sie hatten einander seit der Kindheit nicht gesehen.

Marie hatte die ganze Zeit anständig gearbeitet und einen braven Jungen geliebt. *Mingo Merten* paßt zu ihr; beide sind wohlgestaltet, sowohl ihr Äußeres wie ihr tiefstes Wesen. Sie hätten zusammen ein einfaches, tüchtiges Leben aufgebaut, es wäre die vollkommene Ehe gewesen. Aber *Mingo*, der Sohn wohlhabender Fischereibesitzer im heimatlichen Dorf, ist doch nur der jüngere Sohn. Es würde lange dauern, bis er heiraten kann. Die Zustimmung seiner Eltern bleibt ungewiß. Andererseits verliert Marie keinen Augenblick ihre Lebensangst und das furchtbare Beispiel ihrer Mutter.

Sie hatte versucht, in anderer Umgebung als Schneiderin vorwärtszukommen. Aber ihre Heimatsgemeinde ruft sie zurück, damit sie ihre jungen Geschwister unterhält; die Mutter ist arbeitsunfähig geworden. Landarbeiterin, auch Marie muß es jetzt dennoch sein; sie will glauben, nur vorläufig. Aber in Wirklichkeit sieht sie keinen Ausweg. *Mingo,* ihr Verlobter, hat sie verlassen, wenigstens fürchtet sie es. Er fährt zur See, sie hört von ihm nicht oft. Niemals vergißt sie die schönen Tage mit Mingo, als beide in der Stadt arbeiteten und jedes Wochenende zusammen glücklich waren. Sie liebt nur ihn, wird immer nur ihn lieben.

Der Bauer, bei dem sie im Dienst steht, will sie heiraten. Er ist alt, aber sie wäre versorgt. Der Empfang einer Postkarte von ihrem Mingo genügt, damit sie dem Bauern nein sagt. Der Zudringlichkeiten des jungen Kurt erwehrt sie sich leicht; sie ist kräftiger als er, obwohl auch er jetzt körperlich arbeiten lernt. Er »spielt« den Landarbeiter, wie vorher den Einbrecher, den Verkäufer, den Liebhaber einer älteren Frau, oder was sonst. Kurt nimmt nichts ernst; nur seine Eitelkeit macht ihn wütend über die Weigerung Maries. Eine einzige Person erschreckt ihn, als sie hier erscheint, und bringt ihn vorübergehend zur Besinnung.

Das ist *Kriminalkommissar Kirsch.* Er vertritt in dieser kleinen Welt die Vorsehung. Bei kritischen Wendungen ist er zur Stelle. Marie, ebenso wie Kurt, war ihm schon längst begegnet. Damals hatte das Kind ein Haus anzünden wollen, das Haus des Mannes, der eine ihrer Schwestern in den Tod getrieben hatte. An dem Strand, über den sie davonlief, stand eine wuchtige Masse, von fern hatte sie keinen Menschen darin erblickt. Dann war er dennoch einer, hatte sie beobachtet, warnte sie stumm und verhütete ein Unglück. Das soll immer sein Amt bleiben.

Diesmal ist er auf den Bauernhof gekommen, um dem jungen Kurt seine Lage klarzumachen, um die Rückkehr des Jungen nach der Stadt zu verhindern und sein endgültiges Abgleiten in das Verbrechen aufzuhalten. Die Wirkung auf Kurt ist nicht von Dauer. Kaum hat *Kirsch* den Rücken gewendet, als Kurt die Eroberung Maries fortsetzt – vermittels Aufschneiden und Lügen, wie es seine Art ist. Seine Schwester habe einen einflußreichen Mann, ihm selbst könne nichts geschehen. Der Einbruch? Eine Kleinigkeit. Die bestohlene Bar-Inhaberin, zwischen ihr und ihm sei nie etwas vorgefallen. Ihm sei in der Hauptstadt das Glück gewiß. Was aber habe Marie von ihrem Mingo zu hoffen?

Nichts, so fürchtet sie selbst; und nur darum ergibt sie sich endlich dem anderen. Sie liebt ihn nicht; nur dem verhaßten Schicksal einer Landarbeiterin soll er sie entreißen. Sie bekommt von Kurt ein Kind. Der alte Bauer würde sie trotz allem heiraten. Wenn sie ihn nehmen wollte, wird sie durch Kurt davon abgehalten: seine Notlage, ihr Mitleid. Er wird krank von den Winterstürmen, er drängt fort, schreibt um Geld, an Adele, die Bar-Inhaberin, und an seine Schwester. Viktoria gibt ihm keins, damit er Adele nicht wiedersieht, und diese bestraft ihn für den Einbruch und ihre gekränkte Liebe. Was bleibt übrig, Marie muß für ihn stehlen, damit er sich kleiden und reisen kann.

Sie hatte für ihre Mutter gestohlen, die Nahrungsmittel, nach denen sie jammerte. Auch jetzt bestiehlt sie zuerst den Bauern, begeht aber dann in der nächsten Stadt einen Warenhaus-Diebstahl. Kurt, der sie angestiftet hatte, verschwindet. Marie verbringt die Nacht im Gefängnis, und am Morgen will sie sich unter eine fahrende Lokomotive werfen. Sie wird verletzt. In dem Krankenhaus steht an ihrem Bett die Schwester Kurts, die auf dem Wege zu ihm gewesen war.

Von *Viktoria* wird *Marie* in die Hauptstadt mitgenommen; bei der reichen Frau bekommt sie ein Zimmer, wo sie näht. Sie lernt die merkwürdige Ehe des Syndikus *Bäuerlein* kennen. Sie bemerkt, daß die Geschwister Vicki und Kurt noch immer ihre verbotenen Geheimnisse haben, wie als Kinder, und noch immer mit Menschen spielen, wie mit Puppen. Von der Beute aus dem Einbruchs-Diebstahl ist etwas in den Händen Vickis geblieben. Ihr Mann sucht die Schmuckstücke vergebens. *Kirsch* hat Verdacht; Marie sieht ihn auftreten; er ist für das Haus Bäuerlein die Gefahr; Viktoria wendet sie von sich ab und belastet Marie. *Adele Fuchs*, die Bestohlene, findet die Gegenstände im Nähkorb Maries. Hiermit ist Marie ihr ausgeliefert, sie muß bei der Alten als Bardame eintreten.

Das würde noch gehen; Marie bleibt unberührt von dem Milieu der Bar. Ihre unvergängliche Liebe für den Seemann Mingo schützt sie. Bleibt Viktoria, mit ihrem gleichfalls unvergänglichen Haß. Sie hat die schöne und einfache Marie von jeher gehaßt. Marie könnte glücklich sein; nur das Beispiel ihrer Mutter und das Armenhaus schrecken sie, treiben sie zu unerlaubten Handlungen und erniedrigen sie von Stufe zu Stufe. Viktoria trägt mit ihrer Verderbtheit auch das Unglück in sich, sie wird ihm nie entfliehen. Eifersüchtig aus Unfruchtbarkeit, verzeiht sie Marie nicht das Kind, das sie von Kurt hat. Sie stiehlt das Kind und läßt es verschwinden. Als Marie es zurückfordert, wird sie von Viktoria angeschossen. Sie liegt lange krank; vom Entsetzen über ihre Sünden, Strafen und das Verhängnis wird sie halb wahnsinnig.

Alle Vorgänge geschehen unter den wachsamen Blicken des *Kommissars Kirsch*. Er holt das geraubte Kind zurück. Er beobachtet die Vorbereitungen noch ärgerer Verbrechen und tut alles, damit sie unterbleiben. Er weiß, daß Kurt und seine Schwester, die gewohnte Anstifterin, in Versuchung sind, die alte Halbweltdame Adele zu töten, um sie zu beerben.

Die Erbschaft könnte Kurt entgehen. Der Mann Adeles stirbt dahin, es ist die Frage, ob an Gift. Sie selbst befindet sich vor einer gefährlichen Operation. Den ungetreuen Kurt droht sie zu enterben. Nach der Rückkehr Maries aus der Klinik hat er versucht, mit ihr wieder anzufangen. Inzwischen kehrt *Mingo* von seiner langen Fahrt zurück; er eilt Marie zu Hilfe. Er hat sie liebbehalten, und seine Liebe ist ihr wirklicher Schutz, wohin käme es sonst mit ihr. Er hat ihre Einfachheit, dieselbe innere Sauberkeit. Ganz fremd, ein ahnungsloser Seefahrer, gerät er in diese unheilvolle Atmosphäre; aber Marie selbst ist keineswegs für sie geschaffen. Sie war vor der Armut geflohen; jetzt wäre sie gern, was sie in den Tagen ihrer Unschuld gewesen war.

Die alte und kranke Adele wird von den beiden jungen Leuten gerührt. Ihnen beschließt sie ihre Habe zu hinterlassen. Das ist das Zeichen für Kurt, der haltlos seine Bahn vollendet. Am Vorabend des Tages, an dem Adele ihr Testament abändern will, wird sie ermordet. Es geschieht mitten im Hochbetrieb ihres Lokals, während einer Ballett-Aufführung. Täuschungen sind versucht, damit für Unbeteiligte, die keinen Einblick haben, der Verdacht auf Mingo fallen muß. Er entflieht mit Marie über Land, nach der Gegend ihrer Heimat, aber vom Ziel lenkt er den Wagen immer wieder ab. Sie haben nichts mehr, wohin gehen und ihr Haupt legen. Noch lehnt Marie ihren gequälten Kopf an die Schulter ihres Freundes – ach, das soll nicht dauern, sie werden sogleich einander entrissen werden. Sie kennt ihre Schuld, nie hat sie so sehr begriffen, wie aus dem Unglück die Schuld wird und nach der endgültigen Bestrafung ruft.

Endlich dennoch vor der stürmischen See angelangt, verläßt sie den Wagen und Mingo. Sie wisse, was sie tun müsse. Sie meint: sterben; sich von der See holen lassen, wie vormals ihre kleinen Geschwister. Sie läuft taumelnd den Damm entlang: da wird sie erwartet. Dieselbe wuchtige Masse, nicht wie ein Mensch anzusehen, eher wie ein Stein – das Kind, das einst mit seinen ersten bösen Gedanken umging, war ihr schon begegnet. Bevor Marie sich fallen lassen kann, fängt Kirsch sie auf.

Seine Untergebenen waren nicht wachsam genug, der Mord ist geschehen. Ihm bleibt übrig, Marie zu retten. Er weiß, wo er sie finden wird, und ist früher als sie zur Stelle. Er setzt sie in den Wagen zu ihrem Mingo, dem er befiehlt, nach Hause zu fahren. Mingo denkt nicht an sich. »Sie ist unschuldig«, versichert er dem Kommissar. Kirsch sagt: »Das weiß ich.« Er besteigt allein seinen Polizeiwagen. Das Leben, wie es nun ist, verdrießt ihn, weil Schuld und Unschuld untrennbar, unabänderlich sind. »Über diese Marie weiß ich Bescheid. Wenn man aber von jeder alles wüßte, jede Marie wäre unschuldig.«

Original: HMA 93. – Druck: *GW 10*, S. 570–575.

Zeitgenössische Rezensionen
(Auswahlbibliographie)

Redakt.: Unser neuer Roman.
In: ›Frankfurter Zeitung‹. Frankfurt am Main. Jg. 77, Nr. 716 vom 24. September 1932, Reichsausgabe, 2. Morgenblatt, S. 9.
[Ankündigung des Vorabdrucks von *Ein ernstes Leben* ab Nr. 719 vom 25. September 1932, 2. Morgenblatt.]

Redakt.: Heinrich Mann [spricht im Rahmen des von der Lessing-Hochschule veranstalteten Vortragszyklus über seinen Roman *Ein ernstes Leben*]
In: ›Berliner Tageblatt‹. Jg. 61, Nr. 520 [Ausgabe für Berlin] vom 2. November 1932, Morgen-Ausgabe [unterm Strich].

J-y, S. (d. i. Jacoby, Siegfried): »Ein ernstes Leben«.
In: ›Berliner Tageblatt‹. Jg. 61, Nr. 524 [Ausgabe für Berlin] vom 4. November 1932, Morgen-Ausgabe [unterm Strich].
[Bericht über die Lesung Heinrich Manns aus *Ein ernstes Leben* am 2. November 1932 im Rahmen des Vortragszyklus der Lessing-Hochschule »Lesestunden mit dem Autor«.]

Kesten, Hermann: Heinrich Mann: *Ein ernstes Leben*.
In: ›Die literarische Welt‹. Berlin. Jg. 8, Nr. 45 vom 4. November 1932, S. 5. ›Buch-Chronik der Woche‹.
Ebenso in: ›Frankfurter Zeitung‹. Frankfurt am Main. Jg. 77, Nr. 883 vom 6. November 1932, Reichsausgabe, 2. Morgenblatt, S. 14.
Ebenso [Auszug] in: ›Die Literatur‹. Stuttgart. Jg. 35 des ›Literarischen Echos‹. Heft 5, Februar 1933, S. 277.

[Dort als Auszug einer Rezension in der ›Königsberger Hartungschen Zeitung‹, Jg. 1932, Nr. 536 bezeichnet.]
Zarek, Otto: Heinrich Mann: *Ein ernstes Leben*.
In: ›Vossische Zeitung‹. Berlin. Nr. 545 vom 13. November 1932, Morgen-Ausgabe, ›Literarische Umschau‹, Nr. 46, o. S.
Ebenso [Auszug] in: ›Die Literatur‹. Stuttgart. Jg. 35 des ›Literarischen Echos‹. Heft 4, Januar 1933, S. 211.
Rosenfeld, Fritz: *Ein ernstes Leben*. Der neue Roman von Heinrich Mann.
In ›Arbeiterzeitung. Zentralorgan der Sozialdemokratie Deutschösterreichs‹. Wien. Jg. 45, Nr. 323 vom 22. November 1932, S. 7.
Anonym: Ein neuer Roman von Heinrich Mann.
In: ›Pester Lloyd‹. Budapest. Jg. 79, Nr. 267 vom 26. November 1932, Abendblatt, S. 4.
Kayser, Rudolf: *Ein ernstes Leben*.
In: ›Berliner Tageblatt‹. Jg. 61, Nr. 575 vom 4. Dezember 1932, Sonntags-Ausgabe, 5. Beiblatt.
Enking, Ottomar: Novellen und Romane.
In: ›Dresdner Zeitung‹. Jg. 77, Nr. 601 vom 22. Dezember 1932, S. 9, ›Literarische Umschau‹ [Sammelbesprechung].
Faktor, Emil: Der neue Heinrich Mann.
In: ›Berliner Börsen-Courier‹. Jg. 65, Nr. 611 vom 31. Dezember 1932, Express-Morgen-Ausgabe, S. 5, 1. Beilage.
Ebenso [Auszug] in: ›Die Literatur‹. Stuttgart. Jg. 35 des ›Literarischen Echos‹. Heft 6, März 1933, S. 338.
Micko, Heinrich: *Ein ernstes Leben*. Der neue Roman von Heinrich Mann.
In: ›Deutsche Allgemeine Zeitung‹. Berlin. Jg. 72, Nr. 3/4 vom 4. Januar 1933, Reichsausgabe, Literarische Beilage: Das Unterhaltungsblatt.

Brantl, Maximiliam: *Ein ernstes Leben.* Ueber den neuen Roman von Heinrich Mann.
In: ›Chronik der Menschheit‹. Berlin. Jg. VIII der ›Chronik‹, XIX der ›Menschheit‹, Heft 127 vom 9. Januar 1933, S. 1030–1032.

E. K.: Heinrich Mann: *Ein ernstes Leben.* Roman.
In: ›Der Bund. Organ der freisinnig-demokratischen Politik‹. Bern. Jg. 84, Nr. 19 vom 12. Januar 1933, ›Bücherschau‹.

Joachim, Hans A.: Ausgewählte Romane.
In: ›Die Neue Rundschau‹. Berlin. Jg. 44 der ›Freien Bühne‹. Bd. 1, Heft 1, Januar 1933, S. 128–135 [Sammelbesprechung].

Milch, Werner: *Ein ernstes Leben.* Roman. Von Heinrich Mann.
In: ›Die Literatur‹. Stuttgart. Jg. 35 des ›Literarischen Echos‹. Heft 5, Februar 1933, S. 300.

Demmig, Ch[arlotte].: Bücher der Epoche.
In: ›Der Gral. Monatsschrift für Dichtung und Leben‹. München. Jg. 27, Heft 5, Februar 1933, S. 390, ›Neue Bücher‹ [Sammelbesprechung].

Hansen, Niels: Ein Kriminalroman von Heinrich Mann.
In: ›Kritische Gänge. Literaturblatt der Berliner Börsen-Zeitung‹. Jg. 78, Nr. 13 [= Nr. 145 der ›Berliner Börsen-Zeitung‹] vom 26. März 1933, o. S.

Kutzleb, Hjalmar: Mann, Heinrich: *Ein ernstes Leben.* Roman.
In: ›Die Neue Literatur‹. Leipzig. Jg. 34 der ›Schönen Literatur‹. Heft 3, März 1933, S. 143 f., ›Romane und Erzählungen‹.

Mazzucchetti, Lavinia: Heinrich Mann, *Ein ernstes Leben*, Roman.
In: ›Leonardo. Rassegna Bibliografica‹. Florenz. Jg. 4, Heft XI/XII, November/Dezember 1933, S. 174 f. [in italienischer Sprache].

F., V.: Heinrich Mann: *Ein ernstes Leben.*
In: ›Buchberatung für Arbeiterbibliotheken‹. Bern. Jg. 1934, S. 1, ›Erzählende Literatur‹.

Zeittafel

1870/1871	Deutsch-Französischer Krieg. Gründung des Deutschen Reiches unter preußischer Vorherrschaft (18. 1. 1871). Bismarck Reichskanzler
1871	Luiz Heinrich Mann am 27. März als erster Sohn von Thomas Johann Heinrich Mann und seiner Ehefrau Julia, geb. da Silva-Bruhns, in Lübeck geboren
1875	Geburt des Bruders Thomas
1877	Wahl des Vaters zum Senator von Lübeck
1878–1890	Sozialistengesetz
1884	Reise nach St. Petersburg
Seit 1885	Erste erzählerische, seit 1887 erste poetische Versuche
1889	Abgang vom Gymnasium aus Unterprima. Buchhandelslehrling in Dresden. Heinrich Manns erste Veröffentlichung einer Erzählung in den ›Lübeckischen Nachrichten‹
1890	Entlassung Bismarcks
1891–1892	Volontär im S. Fischer Verlag, Berlin. Studien an der Friedrich-Wilhelms-Universität
1891	Tod des Vaters (geb. 1840). Liquidierung der Firma Johann Siegmund Mann. Erste Rezensionen in ›Die Gesellschaft‹
1892	Sanatoriumsaufenthalt nach Lungenblutung in Berlin; danach Kuraufenthalte in Wiesbaden, im Schwarzwald und in Lausanne. Rezensionen in ›Die Gegenwart‹

1893	Übersiedlung der Familie nach München Reisen nach Paris, Italien
1894	*In einer Familie*, Roman
1895–1896	Herausgeber der Monatsschrift ›Das Zwanzigste Jahrhundert. Blätter für deutsche Art und Wohlfahrt‹
1895–1898	Aufenthalt in Rom und Palestrina, zeitweilig zusammen mit dem Bruder Thomas *Im Schlaraffenland* begonnen Erste Notizen zu den *Göttinnen*
1897	*Das Wunderbare und andere Novellen*
1898	*Ein Verbrechen und andere Geschichten*
1899–1914	Ohne festen Wohnsitz. Aufenthalte in München, Berlin, meistens in Italien, oft in Riva am Gardasee im Sanatorium von Dr. von Hartungen
1900	*Im Schlaraffenland. Ein Roman unter feinen Leuten*
1903	*Die Göttinnen oder Die drei Romane der Herzogin von Assy* *Die Jagd nach Liebe*, Roman
1905	*Flöten und Dolche*, Novellen *Professor Unrat oder Das Ende eines Tyrannen*, Roman *Eine Freundschaft: Gustave Flaubert und George Sand*, Essay Übersetzung von Choderlos de Laclos' *Gefährliche Freundschaften* Bekanntschaft mit Inés (Nena) Schmied
1906	Erste Notizen zum *Untertan* Drei Novellenbände: *Schauspielerin, Stürmische Morgen, Mnais und Ginevra*
1907	*Zwischen den Rassen*, Roman
1908	*Gretchen*, Novelle aus dem Stoffkreis des *Untertans. Die Bösen*, Novellen

1909	*Die kleine Stadt*, Roman
1910–1913	Jährliche Uraufführungen der Schauspiele Heinrich Manns in Berlin
1910	*Französischer Geist* (später *Voltaire – Goethe*); *Geist und Tat*, kulturpolitische Essays
	Das Herz, Novellen
	Freitod der Schwester Carla (geb. 1881)
	Variété, Einakter
1911	*Die Rückkehr vom Hades*, Novellen
	Schauspielerin, Drama
1912	Bekanntschaft mit der Prager Schauspielerin Maria (Mimi) Kanová während der Proben zu *Die große Liebe* im Deutschen Theater, Berlin
	Beginn der Niederschrift von *Der Untertan*
1913	*Madame Legros*, Drama
1914	*Der Untertan* als Fortsetzungsroman in ›Zeit im Bild‹
	13. August: Abbruch des Vorabdrucks nach Beginn des Ersten Weltkrieges. Weiterer Abdruck der russischen Übersetzung bis Oktober in Petersburg (›Sowremennij Mir‹)
	12. August: Heirat mit Maria (Mimi) Kanová. Wohnsitz in München
1915	Russische Buchausgabe des *Untertan*
	Konflikt mit dem Bruder. Abbruch der Beziehungen nach dem Erscheinen von Thomas Manns *Gedanken im Kriege*
	Zola, Essay; in ›Die Weißen Blätter‹, hg. von René Schickele
1916	*Der Untertan*, Privatdruck in etwas mehr als 10 Exemplaren
	Geburt der Tochter Henriette Maria Leonie

1917	*Die Armen*, Roman
	Brabach, Drama
	Madame Legros an den Münchener Kammerspielen und am Lessing-Theater in Berlin uraufgeführt
	Grabrede auf Frank Wedekind
	Versuch einer Versöhnung mit Thomas Mann
1918	Ende des Ersten Weltkrieges. Abdankung Wilhelms II. Novemberrevolution in Deutschland
	Mitarbeit Heinrich Manns im ›Politischen Rat geistiger Arbeiter‹ in München
	Der Untertan, Roman
	Beginn der Arbeit am Roman *Der Kopf*
1919	Ermordung Karl Liebknechts und Rosa Luxemburgs. Friedrich Ebert Reichspräsident. Beginn der Weimarer Republik (Weimarer Reichsverfassung)
	Macht und Mensch, Essays (Gewidmet *Der deutschen Republik*)
	Gedenkrede für Kurt Eisner, den ermordeten Ministerpräsidenten der bayerischen Räterepublik
1920	*Der Weg zur Macht* im Residenz-Theater München uraufgeführt. In den folgenden Jahren wachsende publizistische Tätigkeit
	Die Ehrgeizige, Novelle
1921	*Die Tote und andere Novellen*
1922	Aussöhnung mit Thomas Mann
	Bekanntschaft mit dem französischen Germanisten Félix Bertaux
	Rapallo-Vertrag zwischen Deutschland und der UdSSR
1923	Ruhrbesetzung, Generalstreik. Putschver-

1923	such der Nationalsozialisten in München. Hitler in Festungshaft. Inflation und erster Nachkriegsbesuch Heinrich Manns in Frankreich (Teilnahme an den Entretiens de Pontigny) Rede bei der Verfassungsfeier in der Staatsoper Dresden 11. März: Tod der Mutter Julia (geb. 1851). *Diktatur der Vernunft*, Reden und Aufsätze
1924	Reise in die Tschechoslowakei, Begegnung mit Tomáš G. Masaryk auf Schloß Lana bei Prag *Abrechnungen*, Novellen *Der Jüngling*, Novellen *Das gastliche Haus*, Komödie
1925–1932	*Gesammelte Werke in 13 Bänden* im Paul Zsolnay Verlag, Wien
1925	Zweite Frankreichreise nach dem Krieg, erste Impulse für den *Henri Quatre* in den Pyrenäen und in Pau *Der Kopf*, Roman *Kobes*, Novelle Tod Friedrich Eberts. Hindenburg zum Reichspräsidenten gewählt. Zusammenfassung der Romane *Der Untertan, Die Armen, Der Kopf* zur *Kaiserreich-Trilogie*, der *Romane der deutschen Gesellschaft im Zeitalter Wilhelms II.*
1926	Wahl zum Mitglied der Preußischen Akademie der Künste zu Berlin, Sektion Dichtkunst am 27. Oktober *Liliane und Paul*, Novelle
1927	Verstärktes Wirken für eine Verständigung zwischen Deutschland und Frankreich

1927	Rede im Trocadéro, Paris, zum 125. Geburtstag von Victor Hugo Begegnungen Gustav Stresemanns mit Aristide Briand Freitod der Schwester Julia (geb. 1877) *Mutter Marie*, Roman
1928	Trennung von Maria Mann, Übersiedlung nach Berlin Vorsitzender des Volksverbandes für Filmkunst *Eugénie oder Die Bürgerzeit*, Roman
1929	Bekanntschaft mit Nelly Kröger, seiner späteren zweiten Frau *Sie sind jung*, Novellen *Sieben Jahre. Chronik der Gedanken und Vorgänge (1921–1928)*, Essays Weltwirtschaftskrise
1930	Scheidung von Maria Mann ›Der blaue Engel‹, Verfilmung des Romans *Professor Unrat* *Die große Sache*, Roman
1931	Wahl zum Präsidenten der Sektion Dichtkunst bei der Preußischen Akademie der Künste. Feier in Berlin zu Heinrich Manns 60. Geburtstag mit Reden von Gottfried Benn, Lion Feuchtwanger, Adolf Grimme, Max Liebermann und Thomas Mann. Teilnahme an einem internationalen Schriftstellerkongreß in Paris. Gespräch mit Aristide Briand. Rede im Admiralspalast zur deutsch-französischen Verständigung *Geist und Tat. Franzosen 1780–1930*, Essays
1932	Wiederwahl Hindenburgs zum Reichspräsidenten

1932	*Ein ernstes Leben*, Roman *Das öffentliche Leben*, Essays *Das Bekenntnis zum Übernationalen*, Essay Beginn der Arbeit am *Henri Quatre*
1932/1933	Unterzeichnung von Aufrufen zur Aktionseinheit von KPD und SPD gegen die Nationalsozialisten, gemeinsam mit Käthe Kollwitz und Albert Einstein
1933	30. Januar: Hitler Reichskanzler 15. Februar: Ausschluß mit Käthe Kollwitz aus der Akademie der Künste 21. Februar: Flucht nach Frankreich über Frankfurt am Main, Kehl am Rhein und Straßburg 25. August: Aberkennung der deutschen Staatsbürgerschaft *Der Haß. Deutsche Zeitgeschichte*, Essays
1933–1940	Wohnsitz in Sanary-sur-Mer, dann in Nizza. Reisen nach Prag, Genf und Zürich. Politische Artikel in der ›Dépêche de Toulouse‹ Vorsitzender des Vorbereitenden Ausschusses der deutschen Volksfront, Ehrenpräsident des SDS. Antifaschistische Flug- und Tarnschriften
1934	10. Mai: Heinrich Mann Präsident der Deutschen Freiheitsbibliothek *Der Sinn dieser Emigration*, Essays
1935	Juni: Rede auf dem Internationalen Schriftstellerkongreß zur Verteidigung der Kultur in Paris *Die Jugend des Königs Henri Quatre*, Roman
1936	Heinrich Mann wird tschechoslowakischer Staatsbürger

1936	Beginn des spanischen Bürgerkriegs *Es kommt der Tag. Deutsches Lesebuch*, Essays
1937	10./11. April: Volksfrontkonferenz in Paris, Eröffnungsansprache Heinrich Manns
1938	Münchner Abkommen *Die Vollendung des Königs Henri Quatre*, Roman
1939	*Mut*, Essays; *Nietzsche* (Kommentar zu einer Auswahl) 9. September: Heirat mit Nelly (Emmy) Kröger in Nizza Hitler-Stalin-Pakt. Ausbruch des Zweiten Weltkriegs Verschleppung Maria Manns ins KZ Theresienstadt
1940	Kapitulation Frankreichs vor den Hitler-Truppen Flucht über Spanien und Portugal in die USA. Aufenthalte in New York, Princeton, Hollywood, Wohnsitz in Los Angeles und Santa Monica bis zum Tod
1941	Beginn der Arbeit am Roman *Empfang bei der Welt*
1943	Ehrenpräsident des Lateinamerikanischen Komitees der Freien Deutschen *Lidice*, Roman
1944	17. Dezember: Freitod Nelly Manns (geb. 1898)
1945	Bedingungslose Kapitulation Deutschlands *Ein Zeitalter wird besichtigt*, Autobiographie Klaus Mann bringt die gesundheitlich schwer geschädigte Maria Mann aus dem KZ Theresienstadt nach Prag zurück

1947	Ehrendoktor der Humboldt-Universität Berlin Tod Maria Manns in Prag (geb. 1886)
1949	Nationalpreis I. Klasse für Kunst und Literatur der DDR Tod des Bruders Viktor (geb. 1890) *Der Atem*, Roman
1950	Berufung Heinrich Manns zum ersten Präsidenten der neugegründeten Akademie der Künste zu Berlin/DDR. Vorbereitung zur Rückkehr mit dem polnischen Dampfer ›Batory‹ 12. März: Tod Heinrich Manns in Santa Monica bei Los Angeles
1951	DEFA-Verfilmung von *Der Untertan*
1955	Thomas Mann stirbt am 12. August
1956	*Empfang bei der Welt*, Roman
1958/1960	*Die traurige Geschichte von Friedrich dem Großen*, szenisches Romanfragment
1961	Überführung der Urne Heinrich Manns von Kalifornien nach Prag 25. März: Überführung der Urne nach Berlin und Beisetzung auf dem Dorotheenstädtischen Friedhof in Anwesenheit von Leonie Mann

Heinrich Mann

Studienausgabe in Einzelbänden

Herausgegeben von Peter-Paul Schneider

Der Atem
Roman. Band 5937

Die Armen
Roman. Band 12432

Empfang bei der Welt
Roman. Band 5930

Ein ernstes Leben
Roman. Band 5932

Es kommt der Tag
Essays. Band 10922

Flöten und Dolche
Novellen. Band 5931

Die Göttinnen
Die drei Romane
der Herzogin von Assy
I. Band: Diana
Band 5925
II. Band: Minerva
Band 5926
III. Band: Venus
Band 5927

Der Haß
Deutsche Zeitgeschichte
Band 5924

Im Schlaraffenland
Ein Roman
unter feinen Leuten
Band 5928

Die Jagd nach Liebe
Roman. Band 5923

Die Jugend des
Königs Henri Quatre
Roman. Band 10118
Die Vollendung des
Königs Henri Quatre
Roman. Band 10119

Die kleine Stadt
Roman. Band 5921

Der Kopf
Roman. Band 12731

Macht und Mensch
Essays. Band 5933

Mut
Essays. Band 5938

Professor Unrat oder
Das Ende eines Tyrannen
Roman. Band 5934

Sieben Jahre
Chronik der Gedanken
und Vorgänge
Essays. Band 11657

Stürmische Morgen
Novellen. Band 5936

Der Untertan
Roman. Band 10168

Ein Zeitalter
wird besichtigt
Band 5929

Zwischen den Rassen
Roman. Band 5922

Fischer Taschenbuch Verlag

fi 234 / 3

Thomas Mann / Heinrich Mann

Briefwechsel 1900 – 1949

Herausgegeben von
Hans Wysling

Band 12297

Der Dialog der beiden großen Brüder war oft Disput. Unterschiede des Temperaments und der Moralität führten zu einer »repräsentativen Gegensätzlichkeit«, die sich zunächst in der Kunstauffassung, dann vor allem in den politischen Anschauungen der beiden offenbarte. Im Ersten Weltkrieg kam es zum Bruch, als sich Heinrich in seinem ›Zola‹-Essay gegen den Bruder wandte und dieser sich in den ›Betrachtungen eines Unpolitischen‹ zur Wehr setzte. Bei einer schweren Erkrankung Heinrichs 1922 bahnte sich die Versöhnung an, die zu mehr als einem »modus vivendi« kaum führen konnte. Im Exil erst fanden die Brüder zu neuer Gemeinsamkeit. Als Thomas 1946 mit bedrohlicher Krankheit kämpfte, bekannte ihm Heinrich, er empfände es als müßig, weiterzuleben ohne ihn. Diese sehr menschlichen Dokumente sind zugleich bedeutende literarische Zeugnisse: sie enthalten Kommentare und Selbstinterpretationen zu fast allen großen Werken. Zugleich reflektieren sie das Zeitgeschehen, das beide Brüder mitzubestimmen suchten, ein halbes Jahrhundert literarisches und politisches Leben.

Fischer Taschenbuch Verlag

fi 1322 / 5

Willi Jasper

Der Bruder Heinrich Mann

Eine Biographie

Band 11885

Es gibt wenige deutsche Schriftsteller von Rang, denen in ihrer Überlieferungsgeschichte so erfolgsverhindernd mitgespielt wurde wie Heinrich Mann. Bis heute sind noch nicht einmal alle Texte aus dem Nachlaß ediert; und nicht zufällig fehlte bis vor kurzem eine biographische Untersuchung, die sich angemessen mit Leben und Werk von Heinrich Mann auseinandersetzte. Zeitlebens stand Heinrich Mann im Schatten seines Bruders Thomas, des Prominenteren, des Nobelpreisträgers. Dabei hat Heinrich mit Büchern wie ›*Der Untertan*‹, ›*Professor Unrat*‹ oder den beiden ›*Henri IV*‹-Romanen Werke hinterlassen, die es nach Qualität und Bedeutung gewiß mit den Werken von Thomas aufnehmen können. Heinrich war Radikaldemokrat, der politisch Entschiedenere, früher Antifaschist. Das ist ihm nicht gut bekommen. »›Eigentlich haben sie mich nie gemocht‹, kommentierte Heinrich Mann kurz vor seinem Tode im kalifornischen Exil die eigene Wirkungsgeschichte.« So lautet der erste Satz dieser sorgfältig recherchierten und solide gearbeiteten Biographie. Von der ersten Seite bis zum Schluß kann der Leser verfolgen, warum Heinrich Mann bei den einen als einer der größten deutschsprachigen Satiriker dieses Jahrhunderts und bei den anderen als der ›Boulevard-Moralist‹ schlechthin gilt. Vor allem zeigt Jasper, daß Heinrich Mann ein höchst eigenständiger Schriftsteller war, einer der wichtigsten Autoren zwischen Kaiserreich und Exil.

Fischer Taschenbuch Verlag

fi 1548 / 6

Joachim Fest

Die unwissenden Magier

Über Thomas und Heinrich Mann

Band 11259

Mit den Betrachtungen zweier Unpolitischer, unwissender Magier, setzt Joachim Fest sich in diesen beiden Essays auseinander. »Unwissend, weil schlecht informiert, weil wirklichkeitsfern, Magier, weil sich andere Wirklichkeiten erträumend oder Lieblingsträume mit Wirklichkeit gleichsetzend«, hat Golo Mann das Politisieren seines Vaters Thomas und seines Onkels Heinrich genannt. Gegensätzlichkeit der Temperamente – aus Thomas' Sicht »ethischer Individualist« der eine, »Sozialist« der andere – und Rivalität im Repräsentationsbedürfnis bestimmen nach Fest die Ausgangspositionen ihrer »politisch gebundenen Dienstleistungen« (Th. Mann). Thomas' ästhetisierender Kunstbegriff ließ ihn Heinrichs Romane kritisch, ja verächtlich beurteilen, Heinrich provozierte ihn daraufhin durch »parteiergreifenden Übertritt ins Politische« (Fest), indem er Volk, Fortschritt und Menschheitsglück zum Thema seines Schreibens machte. Thomas blieb als Erzähler von »Verfalls- und Verfeinerungsgeschichten« ein Betrachter, in dessen Werk das »gesamte politische Faszinationsvokabular der Zeit« (Fest) ohne Echo blieb. Erst Hitler hat es bewirkt, daß Thomas seine Haltung änderte, das Menschenrecht, unpolitisch zu sein, aufgab und in Sendungen der BBC von 1940-1945 »Deutsche Hörer« zum Widerstand aufrief.

Fischer Taschenbuch Verlag

fi 1547 / 5

Marianne Krüll

Im Netz der Zauberer

Eine andere Geschichte der Familie Mann

Band 11381

»Was für eine sonderbare Familie sind wir! Man wird später Bücher über uns - nicht nur über einzelne von uns - schreiben«, ahnte Klaus Mann bereits 1936. Jetzt, da neben den Werken auch Briefe und Tagebücher von Thomas, Heinrich, Erika und Klaus Mann vorliegen, dazu die Erinnerungen anderer Familienmitglieder, ist dieses »Später« erreicht, um ihre erlebten und Literatur gewordenen Geschichten im Vergleich mit- und zueinander kritisch zu beleuchten. Die Soziologin und Familienforscherin Marianne Krüll folgte in ihrer, auf langjährigen intensiven Forschungen basierenden Biographie der Familie Mann den Fäden des Netzes, in dem sie alle verstrickt waren. Ihr Ausgangspunkt ist der Selbstmord von Klaus Mann, den sie vor dem Hintergrund des Generationen umspannenden Gewebes von Schuld, Verzweiflung, Hoffnungslosigkeit und Tod betrachtet. Sie legt dar, wie Erfolg und Scheitern, Selbstverwirklichung und Selbstvernichtung auf unterschiedlichste Weise von den Mitgliedern dieser Familie gelebt wurden. Mit ihrer – biographische Details und Werkzitate unkonventionell zusammenführenden – Betrachtungsweise entwickelt Marianne Krüll ein faszinierendes Panorama und Psychogramm einer Familie, die für die Literatur des 20. Jahrhunderts von eminent wichtiger Bedeutung war.

Fischer Taschenbuch Verlag

fi 1314 / 6

Marcel Reich-Ranicki

Thomas Mann und die Seinen

Band 6951

Marcel Reich-Ranicki gehört zu den besten Kennern der an herausragenden Begabungen und Persönlichkeiten reichen Familie Mann. »Aber so glücklich wir sein müssen, daß es diese einzigartige Familie gibt, so aufschlußreich, so faszinierend ihre Geschichte ist, so wenig brauchen wir (und die Manns) einen Hofberichterstatter.« Von einem solchen freilich ist Reich-Ranicki weit entfernt. »Entmonumentalisierung« heißt vielmehr sein Gebot. Gerade wer über Thomas Mann schreibt, »der, allen Interpreten mißtrauend, die Deutung seines Lebens und seines Werkes schon früh in die eigenen Hände genommen hat«, kann die Aufgabe nur erfüllen, »wenn sie aus der direkten oder indirekten Polemik gegen sein Autoporträt hervorgeht.« Was Reich-Ranicki über Golo Mann schreibt, der sich »nur mit oder gegen, doch nicht ohne Thomas Mann entfalten konnte«, gilt für alle Mitglieder der Familie, in höherem Maße für die Söhne Golo und Klaus, in geringerem für die Tochter Erika, möglicherweise sogar noch für den Bruder Heinrich. In ihm finden wir die zweite charakterliche und künstlerische Autorität, den einzigen Widerpart, mit dem oder gegen den auch Thomas Mann sich nur entfalten konnte. Die Gegensätze und Abhängigkeiten, die Kämpfe und der Zusammenhalt der Familie werden von Reich-Ranicki in biographischen und literaturkritischen Studien, vor allem aber vor dem Hintergrund der Tagebücher und Korrespondenzen untersucht.

Fischer Taschenbuch Verlag

fi 1578 / 5

Viktor Mann

Wir waren fünf

Bildnis der Familie Mann

Band 12275

Die bunte und reiche Lebenschronik der Familie Mann, der die Welt zwei der bedeutendsten Schriftsteller verdankt, ist hier von dem jüngsten Bruder von Heinrich und Thomas Mann aufgezeichnet. In vielfacher Hinsicht ist dieses Buch außerordentlich: als Geschichte einer Familie, die als Buddenbrooks inzwischen der Weltliteratur angehört; als Dokument europäisch-weltbürgerlichen Geistes in Deutschland während zweier Generationen zwischen Bismarck und Hitler; als Biographie zweier Dichter von Weltgeltung und Erläuterung ihrer Werke; und als eine literarische Leistung von überraschendem Rang. Kundiger und getreuer, als jeder von außen kommende Biograph es vermocht hätte, ordnet und gestaltet Viktor Mann die überquellende Fülle seines Stoffes. So wird dieser fesselnde Band zugleich auch zu einem wesentlichen Quellenwerk der literaturhistorischen Forschung und gibt authentisches Material für eine sachliche Diskussion um die bedeutendste Schriftstellerfamilie dieses Jahrhunderts.

»Dieses Buch hat dokumentarischen Wert, weil es mit Liebe geschrieben ist. Selbst ohne jeden Bezug auf die Großen der Familie besäße dieses Buch seinen Reiz.«

Frankfurter Allgemeine Zeitung

Heinrich Mann

Haltlos

Sämtliche Erzählungen

Band 1

582 Seiten. Leinen

Bisher sind Heinrich Manns kürzere Texte – mögen sie Novellen heißen oder Erzählungen – in siebenundzwanzig Ausgaben in neunzehn verschiedenen Verlagen erschienen, in verschiedenen Zusammenstellungen und auch als Einzeldrucke. Die Überlieferungsgeschichte dieser Texte Heinrich Manns ist so verwickelt wie hinderlich für ihre Rezeption. Dabei schätzte er gerade diese Texte besonders hoch ein. »Manchmal das Beste« schrieb er in einer autobiographischen Notiz an den Mailänder Verleger Mondadori, als er auf seine Novellen zu sprechen kommt. Die Verlockung zur Lektüre der kürzeren literarischen Texte Heinrich Manns liegt darin, daß der Leser den Autor auf der Suche nach seiner eigenen Form nacherleben kann – wie er seine Themen und seine Kunstmittel findet. Über die Jahrzehnte hinweg haben seine Erzählungen sein Romanschaffen vorbereitet, begleitet und weitergeführt, sie stehen über thematische Zusammenhänge auch in enger motivischer Beziehung. Fast von Anfang an geht es dabei um diese Themen: Problematik des Künstlers in spätbürgerlicher Gesellschaft, um den Widerspruch zwischen Geist und Macht, um moralische Deformierungen in der bürgerlichen Gesellschaft, um Herrschaft und Abhängigkeit.

S. Fischer

fi 1149 / 6

Heinrich Mann

Liebesspiele

Sämtliche Erzählungen

Band 2

426 Seiten. Leinen

Heinrich Mann kümmerte sich gründlich um die Publizierung seiner Novellenbände und komponierte sorgfältig ihre Zusammenstellung. Als er die beiden Bände *Flöten und Dolche* (1905) und *Stürmische Morgen* (1906) – deren Beiträge sich in diesem Band wiederfinden – für den Druck vorbereitete, hatte er die literarischen Moden des Fin de siècle hinter sich gelassen. Seine Berührungen mit Italien »reichen tief«, so der Autor, er sei in die Geschichte und Kultur dieses Landes »eingeweiht wie ein Verwandter«. Die Künstlernovelle Pippo Spano sei ein Ergebnis seines »langen Umgangs mit Florenz, einer Stadt der alten Tragik und des ewigen Wohlklanges«. Andere wichtige Texte handeln von »Seelenmorden« an jungen Menschen. Hauptpersonen sind von Pubertätsnöten und Schulsorgen gejagte Jugendliche, die bei den Erwachsenen nicht auf Verständnis hoffen können. Die Verhältnisse sind nun einmal so: Wer sich für das sogenannte Leben nicht dressieren lassen will, muß sich eben knicken lassen, oder geht unter. Herauszulesen ist überdies aus diesen Texten Heinrich Manns damalige Nähe zu seinem Bruder Thomas.

S. Fischer

fi 1136 / 5